ZUR POLITIK UND ZEITGESCHICHTE · 42

Herausgeber:
Landeszentrale für politische Bildungsarbeit Berlin in Verbindung mit
dem Fachbereich Politische Wissenschaft der Freien Universität Berlin

GÜNTHER HAASCH

Japan

EINE POLITISCHE LANDESKUNDE

COLLOQUIUM VERLAG BERLIN

ZUR POLITIK UND ZEITGESCHICHTE · 42
Herausgeber und Redaktion:
Landeszentrale für politische Bildungsarbeit Berlin
in Verbindung mit dem
Fachbereich Politische Wissenschaft der Freien Universität Berlin
Redakteure:
Dipl.-Pol. Joachim Raschke, Fachbereich Politische Wissenschaft
der Freien Universität Berlin
Dipl.-Pol. Eckhardt Barthel, Fachbereich Politische Wissenschaft
der Freien Universität Berlin
Eberhard Aleff, Landeszentrale für politische Bildungsarbeit Berlin
Redaktionsschluß im April 1973

Günther Haasch, Dr. phil., geboren 1926 in Berlin. Studium der Germanistik, Geschichte und Romanistik an der Humboldt-Universität und der Freien Universität Berlin. Seit 1957 im Schuldienst. 1958/59 Assistent in Paris. 1963/68 Tätigkeit in Tokyo als stellvertretender Leiter der Deutschen Schule, als Mitarbeiter der halbstaatlichen Rundfunkanstalt NHK, als wissenschaftlicher Berater des Instituts für Film und Bild bei der Herstellung von Unterrichtsfilmen über Japan. Seit 1969 Leiter der Deutschen Abteilung an der Chulalongkorn Universität Bangkok/Thailand.

Für die kritische Durchsicht des Manuskripts und viele hilfreiche Anregungen dankt der Autor Herrn Takashi Hashimoto, Professor an der staatlichen Universität Utsunomiya, und Herrn Minoru Nambara, Professor an der staatlichen Universität Tokyo (Todai).

Die Hefte der Reihe „Zur Politik und Zeitgeschichte" sind für Mittler politischer Bildung nur im Lande Berlin kostenlos erhältlich bei: Landeszentrale für politische Bildungsarbeit Berlin, 1 Berlin 62, Rathaus Schöneberg, John-F.-Kennedy-Platz.

Eine im Text unveränderte, aber besser ausgestattete Ausgabe ist im Colloquium Verlag Berlin erschienen und über den Buchhandel erhältlich.

Im 25. Tausend

Fotosatz: Gleißberg & Wittstock, Berlin
Druck: Color-Druck, Berlin
Karten: Ilse Eckart, Graphiken: Horst Habel
Printed in Germany · ISBN 3 7678 0343 7

Inhalt

ERSTER TEIL

Historische Wurzeln des heutigen Japan

Dem Einstieg in die geschichtliche Darstellung eines Landes haftet immer etwas Willkürliches an. Bei einer politischen Landeskunde, die sich das Ziel setzt, das heutige gesellschaftlich-politische System eines Landes darzustellen, sollte das Kriterium heißen: geschichtliche Grundlagen, soweit sie zum heutigen Verständnis des Landes unbedingt notwendig sind. Der Historiker und der historisch Interessierte werden dieses „unbedingt" immer umfassender definieren als der Zeitgenosse, der sich neben dem vielen, was sonst als politische Aufgabe auf ihn wartet, nun auch mit einem einzelnen Land intensiver befaßt. An ihm wollen wir uns hier orientieren.
Angewandt auf Japan heißt das, daß die Geschichtsdarstellung spätestens mit der Meiji-Periode (seit 1868) beginnen muß, die für Japan den eigentlichen Beginn der Neuzeit darstellt. Da jedoch die Modelle des autoritären Militärstaates, der politischen und sozialen Verhaltensweisen sowie eine bürgerliche Kultur bereits in der vorhergehenden Tokugawa-Periode entwickelt wurden, setzt unsere geschichtliche Darstellung mit dieser Zeit ein, die den Übergang Japans vom mittelalterlichen Feudalstaat zum neuzeitlichen Bürgerstaat vorbereitet.

1. Der Absolutismus der Tokugawa-Herrschaft (1603 – 1857)

1.1 Die mittelalterliche Gesellschaftsstruktur

Schon im Mittelalter hatte sich zunächst nach chinesischen Vorbildern ein Zentralverwaltungsstaat herausgebildet, an dessen Spitze der Kaiser (Tenno) und die Häupter der Sippenverbände standen.

Entstehung des Tennotums

Der **Tenno** war wohl ursprünglich nur der Oberpriester einer Sippe gewesen, der jedoch allmählich die Leitung der wichtigsten Kulthandlungen an sich gezogen und sich so schließlich als religiöses Oberhaupt aller Sippen durchgesetzt hatte. Die Verehrung der Sonnengöttin wurde damit der Gemeinschaftskult aller japanischen Sippen und das religiöse Oberhaupt als Nachfolger der Sonnengöttin und damit als heilbringender Priesterkönig anerkannt.

So war im Laufe des 3. und 4. Jahrhunderts n. Chr. das Tennotum entstanden, das sich von unserem mittelalterlichen König- und Kaisertum dadurch unterscheidet, daß es von Anfang an als magisch-religiöses Herrschertum angesehen wurde, das göttlichen Ursprungs ist und deshalb auch nicht durch Mitglieder einer anderen Familie abgelöst werden kann.

Hof- und Beamtenadel kämpfen um Shogunat

Als Residenzstadt des Herrschers diente seit 800 **Kyoto** in Zentraljapan, gleichzeitig Sitz des Hof- und des Beamtenadels: der beiden herrschenden Adelsgruppen.

Diese kämpften miteinander um die Kanzlerschaft, das Shogunat, dessen Besitz die eigentliche Machtausübung ermöglichte. Neben den Shogunen führte der Tenno immer mehr ein Schattendasein, obwohl seine Existenz aus religiösen Gründen als staatsnotwendig angesehen wurde und erst die Ernennung im Amte durch den Tenno zur allgemeinen Anerkennung führte. Der **Shogun** war somit der Mittelpunkt der politischen Macht. Um ihn gruppierten sich die anderen Sippenführer, die für ihre Verwaltungstätigkeit mit Land und Steuereinnahmen belohnt wurden.

Die Daimyo beherrschen das Land

Im 16. Jahrhundert erstarkten während der 100jährigen Adelskämpfe die **Daimyo**, die „Kronvasallen“, die eigene Armeen aufstellten und schließlich die wahren Herren der von ihnen verwalteten Landesteile wurden. Sie hatten ihre Wohnsitze zu Burgen ausgebaut, die große Teile der Ritterschaft, Kaufleute, Handwerker, Priester und Bauern, die um die Burg herum siedelten, aufnehmen konnten. So bildeten sich als Herrschaftssitze der Daimyo Festungsstädte, in denen Märkte abgehalten wurden, Tempel standen und Nachtpatrouillen für Ruhe und Ordnung sorgten.

Die **Samurai** (Ritter) waren ursprünglich dienstbare Bauern, die von den Großgrundbesitzern als ihre Gefolgsleute bewaffnet worden waren, um die kriegerische Auseinandersetzung zwischen den verschiedenen Feudalinteressen zu tragen.

Einfluß von Mönchen und Priestern

Eine bedeutende Rolle spielten auch die **buddhistischen Mönche** und **Shinto-Priester**. Die Mönche mischten sich zwar des öfteren in die Politik ein, kontrollierten Städte und Märkte, erhoben dort Abgaben, zählten große Ländereien mit den darauf wohnenden Bauern zu ihrem Besitz – aber sie leiteten auch die Erziehung der Jugend und bestimmten durch Anverwandlung und Popularisierung der buddhistischen Gedanken die Weltanschauung des Volkes ganz wesentlich mit. Die Shintopriester hingegen sorgten in ihren Schreinen und bei den häufigen Zeremonien dafür, daß die Kräfte der Fruchtbarkeit dem Lande, den Tieren und Menschen erhalten blieben. Da der Kaiser nicht nur der oberste Priester des Shinto war, sondern auch Abkömmling der Sonnengöttin, wurde auch seine Verehrung – wie die der gesamten Tennogesellschaft – zum Kultbestandteil des Shintoismus.

Eine aufsteigende Gruppe: Die Kaufleute

Die **Kaufleute** waren die im gesellschaftlichen Aufstieg befindliche Gruppe. Sie setzten die von den Bauern erwirtschafteten Produkte in Geld um, mit dem die Daimyo und Samurai ihren Wohlstand finanzierten, und versorgten Bauern und Krieger mit den Erzeugnissen der Handwerker und Künstler. Die Kriegerkaste wiederum gewährte den Kaufleuten politische Duldung und Schutz.

Die arbeitende Klasse

Die arbeitende Klasse bestand im wesentlichen aus
- den **Bauern**, die durch die Bearbeitung des Bodens und durch die Abführung hoher Steuern die herrschenden Gruppen unterhielten,
- und den **Handwerkern** in den Städten und an den Adelshöfen, die mit ihren Produkten den täglichen Bedarf deckten und das Luxusbedürfnis der Reichen befriedigten.

1.2 Ende des japanischen Mittelalters

Die Konflikte dieser Gesellschaft

Bauernunruhen, Zunftkämpfe, kriegerisches Vorgehen der Mönche gegen Städte, häufige Kämpfe der Daimyo mit ihren Armeen gegeneinander hatten gezeigt, daß dieses Gesellschaftssystem sich in heftiger Bewegung befand und kaum zu einem inneren Ausgleich gelangen würde.

Festschreibung der bestehenden Gesellschaftsordnung

Doch der Bauernsohn **Hideyoshi**, der Vorgänger der Tokugawa im Shogunat (1586 – 97), versuchte durch eine Fixierung der bestehenden Gesellschaftsordnung alle Unruhen auszuschließen. So erließ er mehrere Edikte, die unter anderem bestimmten, daß keine Person, vom Samurai abwärts, ihren Beruf und Wohnort ändern dürfe, daß kein Samurai Stadtbewohner werden und kein Bauer sein Land verlassen dürfe. Schließlich ordnete er an, daß alle Bauern ihre Waffen abzuliefern und alle christlichen Missionare das Land zu verlassen hätten. Alle diese Maßnahmen legten den Grundstein zum konservativen Absolutismus der Tokugawa-Zeit, deren Regierung so auf den Maßnahmen Hideyoshis aufbauen konnte.

Machtausbau der Tokugawa

Nach dem Tode Hideyoshis erkämpfte sich sein fähigster Feldherr, **Ieyasu Tokugawa**, die Herrschaft und wurde vom Kaiser (Tenno) zum Shogun ernannt.

Die Familie der Tokugawa kontrollierte bereits vor der Übernahme des Shogunats ein Viertel der Reisproduktion Japans, dehnte danach ihre Macht über acht Provinzen in der Kanto-Ebene aus und brachte die wichtigsten Handels- und Hafenstädte sowie Bergwerke unter ihre Kontrolle.

Stabilisierung und Isolierung

Mit der Tokugawa-Herrschaft begann die letzte Periode der mittelalterlichen Geschichte Japans (1603 – 1867). Ieyasu Tokugawa leitete eine Phase der inneren Stabilisierung und Befriedung ein, die die langdauernden kriegerischen Auseinandersetzungen der Feudalherren beendete. Außenpolitisch bedeutete sein System eine fast vollständige Abschließung Japans von seiner Umwelt – ein Kontrast zu dem gescheiterten Versuch seines Vorgängers Hideyoshi, ganz Ostasien zu erobern.

1.3 Aufbau der absoluten Militärdiktatur

Ieyasu Tokugawa nahm sofort eine Reichsreform in Angriff. Deren Ziele waren:

1. **Entmachtung des Kaiserhauses:**
   Der Kaiser erhält eine großzügige finanzielle Abfindung, ihm wird aber die politische Macht entzogen. Er wird beschränkt auf die Vertretung des Volkes vor den Göttern und soll sich in seinen Mußestunden der Kunst und der Wissenschaft widmen. Der Shogun ordnet sämtliche Leistungen an den Staat und braucht in Regierungssachen keine Genehmigung des Kaisers mehr, er ist das Zentrum politischer Macht.

2. **Herstellung einer Reichseinheit:**
   Die Zentralregierung des Shogun wird nach Edo (Tokyo) verlegt. Seine Vertretung in Kyoto und anderen Städten hat zur Aufgabe:
   - die Überwachung des kaiserlichen Hofes,
   - die Verwaltung und Bewachung der wichtigsten Schlösser,
   - die Entsendung von Gouverneuren in die strategisch wichtigen Städte,
   - die Einsetzung der Bürgermeister in den größeren Städten.

3. **Neuordnung der Gesellschaft zur Sicherung des Shogunats:**
   a) Die **Daimyo** werden in drei Klassen aufgegliedert:
   - Zweigfamilien des Ieyasu (nur sie können Nachfolger für den Shogun stellen),
   - die Verbündeten bei den Nachfolgekämpfen,
   - Daimyo, die sich erst nach dem Sieg unterworfen haben.

   b) Die **Samurai** (Ritter) bestehen aus drei Gruppen:
   - den unmittelbaren Gefolgsleuten des Shogun, die zu höheren Ämtern aufsteigen können (etwa 80 000),
   - den Gefolgsleuten, die nur untere Ämter erlangen konnten,
   - den Gefolgsleuten der Daimyo (insgesamt 450 – 600 000).

   c) Das **Volk** wird unterteilt in:
   - Bauern,
   - Handwerker,
   - Kaufleute,
   - Eta (Unreine) und Hinin (Bettler).

Die statische Gesellschaft ...

Beruf, Wohnort, Kleidung, Lebensweise waren für jeden vorgeschrieben. Die Wohnbezirke der einzelnen Gruppen waren streng voneinander getrennt, Heiraten zwischen Angehörigen verschiedener Gruppen verboten. Aufstiegsmöglichkeiten gab es über die eigene Gruppe hinaus nicht, damit sollten unkontrollierbare soziale Veränderungen, die zu einer Gefährdung des Regimes hätten führen können, ausgeschlossen werden.

und ihr Preis

So erreichte das Shogunat für 250 Jahre die Ruhe, die eine statische Gesellschaft verbürgt. Diese Ruhe wurde jedoch teuer erkauft mit der Unterdrückung weiter Bevölkerungskreise durch eine unangemessen große und weitgehend funktionslose Kriegerkaste, die von den Bauern und Kaufleuten erhalten werden mußte. Und schließlich verhinderte das perfektionistische Kontrollsystem die soziale, wirtschaftliche und geistige Entwicklung der Bevölkerung und damit die Entfaltung eines zu politischen Aufgaben bereiten und fähigen Bürgertums.

Die Bedeutung der Christen war trotz der 1597 unter Hideyoshi einsetzenden Verfolgung größer geworden. So gab es um 1600 bei einer Gesamtbevölkerung von 18 Millionen Japanern eine halbe bis eine Million Christen, unter ihnen viele Daimyo und Samurai.

Das Ende des Christentums und die Ausschaltung des europäischen Einflusses

Ebenso nahm die Rolle der Europäer (vor allem der Holländer und Engländer) als Berater am Hofe des Shogun zu. Der Handel mit Portugal, Spanien, Holland und England stieg; japanische Handelsfahrten nach China, Annam, Java, zu den Philippinen und nach Mexiko wurden immer häufiger.

Mehrere Daimyo schickten Gesandtschaften über die Ost- (Mexiko) oder Westroute (Indien und Afrika) zum Papst oder zum König von Spanien.

Der Höhepunkt der Weltoffenheit Japans und auch der des japanischen Fernhandels schien erreicht, als plötzlich Ieyasu Tokugawa das **Verfolgungsedikt** erließ, das anordnete, alle christlichen Missionare, auch die japanischer Nationalität, in Nagasaki einzuschiffen und nach Manila oder Macao abzutransportieren. Die Daimyo sollten in ihren Gebieten alle Kirchen zerstören und ihre Untertanen zum Abschwören auffordern.

Ursachen der Christenverfolgungen

Die Ursachen der Christenverfolgungen waren nicht nur religiöser, sondern auch politischer und wirtschaftlicher Art:

- Ieyasu fürchtete, die Daimyo könnten mit Hilfe der Ausländer gegen ihn intrigieren.
- Der Großhandel der Franziskaner bestärkte ihn in der Furcht, die Ausländer wollten Japan zu einer Kolonie machen.
- Als überzeugter Shintoist und Buddhist war er von der Verderblichkeit der christlichen Lehre überzeugt, zumal Spanien und Portugal sich gegenseitig bei ihm diffamierten und beide Nationen schließlich durch eine wirtschaftlich motivierte Hetzkampagne der Holländer bei ihm verdächtigt wurden.

Ein Aufstand der größtenteils christlichen Bevölkerung von Kyushu, deren Heer von über 40 000 Mann erst nach langwierigen Kämpfen grausam niedergemetzelt wurde, schien Ieyasu noch nach seinem Tode Recht zu geben in seiner Furcht vor den Christen als illoyalen Untertanen.

Die Abschließung des Landes

Mit der Schließung der englischen Faktorei erfolgte ein weiterer Schritt im Hinblick auf die Abschließung des Landes, mit dem Büchereinfuhrverbot und der Verhängung von Todesstrafen bei Auslandsreisen die fast völlige Absperrung Japans vom Ausland („Sakoku"). Nur noch die Holländer durften auf einer künstlichen Insel vor Nagasaki eine Faktorei unterhalten. Allen anderen Europäern wurde der Handel mit Japan untersagt. Auch das Betreten Japans durch Ausländer wurde mit dem Tode bestraft.

Jeder Japaner mußte in einem buddhistischen Tempelregister eingetragen sein. Zur Denunziation von Christen wurde aufgefordert. Das Tretbild wurde eingeführt: ein Christus- oder Marienbild, auf das der Befragte treten mußte, um sein Nichtchristentum zu erweisen.

1.4 Die kontrollierte Gesellschaft

Das Kontrollsystem Ein feinmaschiges Kontrollsystem, das keine freiheitliche Entwicklung erlaubte, wurde über das ganze Land gespannt: die 121 Vasallen des Shogun kontrollierten nicht nur die Daimyo außerhalb des Machtbereichs der Tokugawa, sondern auch das Leben in den Dörfern und den Städten, wo sie sich wieder auf ihre Gefolgsleute verlassen konnten, die die notwendigen Kontrollen durchführten.

Die Zivilverwaltung bestand aus einem „Premierminister", einem Staatsrat mit vier oder fünf Adligen, dem kleinen Landadel, den unteren Vasallen und vielen anderen Zivilbeamten (Samurai, die lesen und schreiben konnten).

Bevorzugung der Kriegerkaste Die Gesetzgebung war auf Drohung und Unterdrückung aufgebaut. Sie hatte ihren Ursprung im Feudalkrieg, in dem der Mächtigste gewonnen hatte und den anderen seinen Willen diktierte. Bei allen Verordnungen wurde sichtbar, daß es dem Tokugawa-Regime vor allem auf die Loyalität der Vasallen ankam, die es auch durch Geiselnahme erzwang. Gleichzeitig sicherte es der Kriegerkaste ihre Vorrangstellung in der Hierarchie des Feudalstaates.

Dies fand seinen stärksten Ausdruck in der Rechtsprechung: wurde ein Krieger von „Personen niederen Ranges, wie Städtern oder Bauern" beleidigt, konnte er diese ohne weiteres niederstoßen und weitergehen, ohne belangt zu werden.
Ganz allgemein wurde so geurteilt: beging ein Samurai ein Verbrechen, wurde es „Überschreitung" genannt, verübte es ein Gemeiner, nannte man es Verbrechen.

Misere der Bauern Obwohl die Bauern in der formellen Rangskala über den Kaufleuten standen, mußten sie doch die ganze Bürde des Systems tragen. Zu ihren Steuern kamen noch Fronarbeit und das Verbot, den Reis zu essen, den sie anbauten. Sie mußten im wesentlichen von Hirse leben. Theatervorstellungen und Ringkämpfe durften sie nicht besuchen, sie durften nur in Strohhütten leben und die dürftigste Kleidung tragen. Je fünf Familien mußten sich zu Nachbarschaftseinheiten zusammenschließen, und nur ihr Führer durfte mit dem Dorfvorsteher verhandeln. Die Preise wurden von der Regierung festgesetzt, der Fruchtanbau war vorgeschrieben, ein Berufswechsel nicht möglich. Sollte ein Bauer gegen eine der vielen Vorschriften verstoßen, so drohte das Shogunat Sippenhaft an.

Lage der Kaufleute Den Kaufleuten und Handwerkern in den Städten ging es zwar besser, da sie durch ihre Steuergelder und Kredite der ständigen Finanznot des Staates abhelfen konnten, doch waren auch sie einer strikten Kontrolle der Militärkaste unterworfen. Preise und Gehälter wurden von der Regierung festgesetzt, nur bestimmte Waren wurden zum Handel zugelassen, und den Kaufleuten war der Bau von dreistöckigen Häusern ebenso verboten wie der Besitz von Gold und Seidengewändern.

Die Handelsstraße zwischen dem Wirtschaftszentrum Osaka, dem religiösen Zentrum Kyoto und dem politischen Verwaltungszentrum Edo (dem späteren Tokyo) wurde dadurch gesichert, daß die Provinzen, durch die diese Straßen führten,

Japan in der Tokugawa-Zeit
(Abbildung 2)

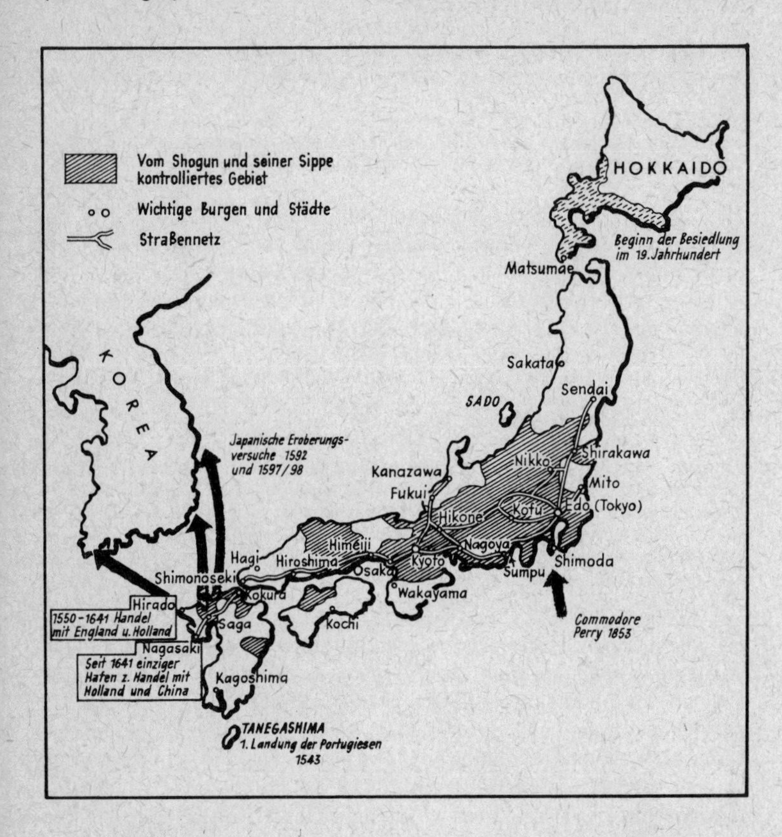

nur von Daimyo, die zur Tokugawa-Familie gehörten, beherrscht wurden. In den großen Handels- und Tempelstädten außerhalb dieser Gebiete wurden Burgen errichtet, von denen aus loyale Gefolgsleute der Tokugawa die Städte beherrschten. Auch die Daimyo unterlagen der Kontrolle des Shogun. Sie waren verpflichtet, jedes zweite Jahr in Edo zu verbringen und während ihrer Abwesenheit Frauen und Kinder als Geiseln dort zurückzulassen.

Kontrollsystem der Regierung in den Städten

In der Mitte der künstlich zustandegekommenen Hauptstadt Edo errichteten Ieyasu Tokugawa und seine Nachfolger eine riesige Zwingburg mit mehreren Steinwällen. Hunderte von Tempeln und Schreinen wurden errichtet, deren Überwachung in monatlichem Wechsel ebenfalls von Shogunatsbeamten vorgenommen wurde. Alle Kaufleute wurden gezwungen, sich in Gilden, alle Handwerker, sich in Zünften zu vereinigen, deren jeweiliges Oberhaupt der Shogunatsregierung Rechenschaft und Steuerzahlung schuldig war. Wächter und Polizisten wurden für jeden Distrikt zur Überwachung eingesetzt.

Jeder Bezirk hatte einen Bezirksvorsteher, der unumschränkter Herr in seinem Bezirk war. Beschwerden gegen ihn konnten nur bei den drei Stadtältesten erhoben

werden, die von Tokugawa-Gefolgsleuten abstammten, wurden aber meist nicht angenommen. Die Stadttore wurden pünktlich um 22 Uhr geschlossen. Strafgesetze wurden in Edo sehr streng gehandhabt.
Individuen wurden nicht anerkannt, nur Haushalte, also konnten Heiraten auch nur zwischen Familien und nicht zwischen Personen geschlossen werden. Für jede Heirat mußte bei der vorgesetzten Behörde um Erlaubnis nachgesucht werden. Die Stellung der Frau in der Gesellschaft war sehr niedrig, wie die Redensart zeigt: „Frauenbäuche werden ausgeborgt, um männliche Erben hervorzubringen." So hatte die Regierung es nicht mit Individuen zu tun, sondern nur mit Gruppen, die sie durch die jeweiligen Gruppenleiter kontrollierte und lenkte.

Der Konfuzianismus als Rechtfertigung des Systems

Zur ideologischen Stützung dieses autoritären Systems wurde der **Konfuzianismus** mit seiner Hierarchie-Lehre vom Shogunat stark gefördert. Die strikte Einhaltung der Gesetze wurde durch öffentliche Anschlagtafeln gefordert, die oft den Konfuzianismus zum Vorwand nahmen, um die Fülle der Verbote und Gebote zu rechtfertigen.

Gehorsam gegenüber dem Höheren

So lautet der erste Punkt einer Anordnung aus dem 5. Monat des Jahres 1711: „Alle Personen werden ermahnt, Höflichkeit in allen Beziehungen zu zeigen: zwischen Eltern und Kindern, Söhnen und Töchtern, Brüdern und Schwestern, zwischen Eheleuten und auch gegenüber Dienstboten. Jeder muß eifrig sein, seinem Herrn oder seiner Herrin zu dienen! Jeder muß das Äußerste leisten in seiner Arbeit und darf nicht über die Grenzen seines Standes hinausstreben . . ." Der entscheidende Akzent liegt hierbei auf dem Gehorsam gegenüber dem Höheren, worauf ja die Herrschaft des Shogunats aufbaute und worin sie die Unterstützung durch die konfuzianischen Gelehrten fand, die die Lehre des Konfuzius den Erfordernissen der herrschenden Gesellschaftspolitik anpaßten.

Gewandelte Funktion der Samurai

So wuchs Japan langsam zu einem zentralistisch geleiteten Einheitsstaat zusammen, in dem die Feudalgewalten (immerhin über 300 Daimyo) zu Funktionären der Zentralverwaltung wurden. Unterstützt wurden sie dabei von den Samurai, die nun nicht mehr auf ihrem Landbesitz bleiben konnten, sondern in der Festung ihres Herrn zu wohnen hatten, um ihm jederzeit für Kriegsdienste oder als Verwaltungsbeamte zur Verfügung zu stehen. Dafür wurde ihnen ein bestimmtes Deputat (= regelmäßige Leistungen in Naturalien als Teil des Lohnes) ausgezahlt, das etwa den Erträgen ihres Landbesitzes entsprach. Damit schufen die Daimyo auch in ihren Gebieten eine gewisse „Beamtenschicht" aus dem bisherigen Kriegerstande, der durch die vom Shogunat zwangsweise durchgesetzten friedlichen Verhältnisse seiner ursprünglichen sozialen (d. h. kriegerischen) Funktion beraubt war.

Integration der herrenlosen Samurai

Auch das Bakufu (die Militärregierung) verschaffte den Samurai Gelegenheit, ihre Kräfte zu schulen. So gab es eine ganze Reihe von herrenlosen Samurai, sogenannten „Ronin", denen die Möglichkeit gegeben wurde, zu studieren und sich auf einem bestimmten Gebiet der Technologie oder der militärischen Strategie zu spezialisieren. Wenn man bedenkt, daß es über 400 000 Ronin im ganzen Lande gab, war dies ein erstaunlicher Versuch, die potentiellen Unruheträger und Ordnungsstörer aufzufangen und wieder in das System einzugliedern.

1.5 Wirtschafts- und Kulturblüte in den Städten

Wirtschaftlicher Aufschwung

Wenn auch für die innere Entwicklung der japanischen Gesellschaft das absolutistische Regime der Tokugawa-Zeit nachteilig gewesen ist, so verhalfen Einheit und Frieden im Lande doch der Wirtschaft zu einem bedeutenden Aufschwung. Er kam zwar nicht den Bauern zugute, die gerade in dieser Zeit unter den härtesten Belastungen litten, jedoch den Städten, die eine immer größere Rolle zu spielen begannen.

Zunahme der Stadtbevölkerung

Die Stadtbevölkerung – zumeist Krieger sowie Handwerker und Kaufleute, die jenen dienten – erreichte bereits Anfang des 18. Jahrhunderts erstaunliche Ausmaße: in Edo unterstanden dem Shogun direkt 200 – 300 000 Samurai, den Daimyo ihrerseits 300 – 400 000. Diese 600 000 Krieger übertrafen an Zahl die 500 – 600 000 „Bürger" Edos. Insgesamt lebten also in Edo über eine Million Menschen. Kyoto und Osaka zählten 300 – 400 000 Einwohner.
Wenn man die Einwohnerzahlen dieser japanischen Städte des 18. Jahrhunderts mit denen Europas vergleicht, dann wird deutlich, daß hier schon sehr früh Ballungszentren entstanden waren, wie sie sich in Europa erst 100 Jahre später entwickelten (so zählte London im Anfang des 19. Jahrhunderts erst 864 000, Paris 547 000 und Berlin 170 000 Einwohner).

Bürgertum geistig und politisch „angepaßt"

Rechnet man dazu noch die 300 Festungsstädte, die Hafenstädte und Umschlagplätze an den Straßenkreuzungen, so wird der Beginn einer Verstädterung Japans unter dem Tokugawa-System deutlich. Doch führte diese Verstädterung nicht zur Entwicklung eines selbständigen Bürgertums wie in Europa, denn die Regierung ordnete und kontrollierte alles, und das ökonomisch aufsteigende Bürgertum war geistig und politisch „angepaßt".

Das sehr starke Wachstum Edos ist nur darauf zurückzuführen, daß alle Daimyo gezwungen waren, ständige Residenzen in Edo zu errichten und dort jedes zweite Jahr ihren Wohnsitz zu nehmen. Während ihrer Abwesenheit mußten ihre Frauen und Kinder als Geiseln dort bleiben, natürlich in adliger Gesellschaft, von Kriegern beschützt und von Händlern und Handwerkern versorgt. Diese Händler und Handwerker waren vollbeschäftigt, um die steigenden Bedürfnisse der Stadtbevölkerung zu befriedigen.

Wachsende Macht der Kaufleute

Die Kaufleute erhielten ihren Anteil am wachsenden Sozialprodukt. Zunächst waren es die Reisspekulanten und Sakebrenner, die die Lebensmittelversorgung der städtischen (und das hieß damals weitgehend der ritterlichen) Bevölkerung an sich rissen.
Sehr viele Kaufleute aus Osaka hatten Zweigstellen in Edo eingerichtet, um so besser über die Marktlage informiert zu sein. Sie zogen hier bald den ganzen Handel an sich und arrangierten sich mit den schon seit langem in Edo ansässigen Kaufleuten. Da der Großteil des Konsumbedarfs in Edo durch Südjapan, also via Osaka, befriedigt wurde, gehörten die Kaufleute in Osaka bald zur mächtigsten Gruppe. Doch konnten sie sich in ihrer Position nur halten, indem sie dem Shogunat, den Shogunatsbeamten, den Daimyo und den Samurai immer wieder bedeutende Kredite gaben, die dann von Zeit zu Zeit von der Regierung – der verarmenden Kriegerkaste und auch des

schrumpfenden Staatssäckels wegen – entschädigungslos gestrichen wurden. Dennoch verdienten die Kaufleute recht gut an der im wesentlichen aus Kriegern bestehenden Bevölkerung und gewannen immer häufiger Einfluß und sogar Sitz und Stimme in den Stadtverwaltungen, die ja auch wieder von ihren Steuern und Krediten abhängig waren.

Entwicklung einer bürgerlich-städtischen Kultur

In den Städten bildete sich eine neue Kultur aus, die nicht mehr von der Ethik der ritterlichen Gesellschaft bestimmt war und ihren Ausdruck nicht mehr in der strengen Schwarz-Weiß-Malerei der Zen-Kunst fand. Ihrer Freude an sinnenhaften Vergnügungen entsprach der Farbholzschnitt dieser Zeit, den man Ukiyo-e (Bilder des fließenden und vergehenden Lebens) nannte.

Mit dem Bunraku-Puppentheater und noch stärker mit dem Kabuki-Theater, das die Themen des ersteren wieder aufnahm, entstand eine bürgerliche Kunstform, die sich zwar mit der moralischen und politischen Problematik des Herr-Gefolgschafts-Denkens beschäftigte, aber auch dem bürgerlichen Geschmack für Liebesaffären und Komik entgegenkam.

Bildung und Vergnügen

Für die Acht- bis Fünfzehnjährigen wurden Grundschulen nach konfuzianischen Grundsätzen errichtet. Junge Mädchen der Oberschicht lernten lesen, schreiben und fechten. Sie erlernten auch das Koto (Musikinstrument) -Spiel, die Teezeremonie und Ikebana (Blumenstecken). Sogar die Geisha (in Yoshiwara, dem Vergnügungsviertel) lernten schreiben und Gedichte machen, ebenso übten sie sich im Koto-Spiel und in der Teezeremonie. Die Geisha spielte bei Geschäftsabschlüssen eine wesentliche Rolle und erfuhr daher eine Aufwertung ihrer sozialen Funktion. Yoshiwara, das Vergnügungsviertel von Edo, mit seinen Tausenden von Kurtisanen und Prostituierten wurde ein großer Anziehungspunkt für die Männerwelt, zu der vor allem die Daimyo und Samurai gehörten, die sich jedoch von ihren eigenen Einnahmen den Luxus der Großstadt auf die Dauer nicht leisten konnten und schließlich in wirtschaftliche Abhängigkeit von den geldverleihenden Kaufleuten gerieten.

1.6 Der Niedergang der Tokugawa-Herrschaft

Geldwirtschaft

Es hatte sich für die Kaufmannschaft als zweckmäßig erwiesen, die Tauschwirtschaft durch eine Geldwirtschaft zu ersetzen. Da die Daimyo und Samurai ihr Geld für Luxusgüter oder Dienste ausgaben, die in den Städten angeboten wurden, häufte sich fast das gesamte Edelmetall bald bei den Kaufleuten an und zu einem gewissen Teil auch bei den Handwerkern, während die Taschen der Daimyo und Samurai leer wurden.

Verschuldung des Adels

Um 1750 waren nahezu alle Daimyo und die meisten Samurai bei den Kaufleuten verschuldet. Die Edelerzausbeute aus den Bergwerken des Shogunats war bereits seit 1700 stark zurückgegangen, also wur-

de eine Verschlechterung der Münze vorgenommen; das führte wieder zu steigenden Preisen in den Städten, von denen sowohl die Daimyo und Samurai als auch die Handwerker und Arbeiter betroffen wurden.
Die Daimyo versuchten sich dadurch zu helfen, daß sie bei ihren Samurai unbefristete „Zwangsanleihen" aufnahmen, d. h., sie kürzten deren Jahreseinkommen an Reis um 10 bis 60 Prozent, so daß nunmehr die Samurai in noch größere Verschuldung gerieten. Mit ihrem Einkommen schwand auch die Würde dahin. Ihre gesamte militärische Rüstung lag oft in den Pfandhäusern der Geldverleiher.
Die Samurai und Daimyo versuchten nun, die Abgaben der bis an die Grenzen der Leistungsfähigkeit belasteten Bauern zu erhöhen, was aber zu Bauernrevolten führte. So verpfändeten sie ihren Steuerreis an die Kaufleute, um von diesen neue Kredite zu erlangen. Damit wurde der Reis zu einem Spekulationsobjekt in den Händen der Kaufleute, die nun je nach Belieben den Preis senken oder erhöhen konnten.

Unproduktivität der Kriegerkaste

Ausweglos war die Situation von vornherein, wenn man bedenkt, daß jeder der etwa 300 Daimyo sowohl in seiner befestigten Residenz als auch bei seiner Familie in Edo adlige Gefolgsleute und eine umfangreiche Dienerschaft halten und in Reis entlohnen mußte. Alle diese Personen waren als Arbeitskräfte der Landwirtschaft nach und nach entzogen worden und damit unproduktiv geworden, mußten jedoch von der Bauernschaft unterhalten werden, was zu einem großen Ungleichgewicht in der Wirtschaft führte.

Lage der Bauern

Zudem schwächten die Kaufleute die eigentlich produktive Gruppe der Bevölkerung, die Bauernschaft, noch weiter, indem sie viele Bauern verleiteten, in die Städte abzuwandern, um dort Luxusgüter für die Kriegerkaste herzustellen.

Bauernelend

Denn auch auf dem Lande wurde die Ungleichheit immer größer: Bauern mit besserem Boden konnten Land dazuerwerben, bei steigenden Gewinnen sogar auf neue Anbausorten (wie Baumwolle, Indigo, Rübsamen) übergehen und Seidenraupenzucht betreiben. Die Kleinbauern verarmten hingegen. Während am Anfang der Edo-Periode die Regierung von den Bauern nur 40 Prozent der Ernteerträge verlangte, stiegen diese Forderungen im 18. Jahrhundert auf 60 Prozent mit zusätzlichen Steuern und Arbeitslasten. Die Bauern wurden in der zeitgenössischen Literatur oft mit dem Sesamsamen verglichen, aus dem Öl gewonnen wird, denn „je stärker man drückt, um so mehr kann man herauspressen."

Unruhen und Revolten

Die ausgebeuteten Bauern griffen in ihrer Not zu dem einzigen Mittel, das ihnen geblieben war: zur Verminderung des nicht arbeitsfähigen Nachwuchses durch Abtreibung und Kindesaussetzung, was oft erschreckende Ausmaße annahm und gleichzeitig wieder zu einer weiteren Abnahme der Produktionskräfte und damit des Volkseinkommens führte, die Situation also noch verschlechterte.
Immer häufigere Bauernaufstände (insgesamt über 1000) richteten

sich im 18. und 19. Jahrhundert gegen Geld- oder Saatgutverleiher, Gewerbetreibende und korrupte Beamte. Da jedoch keine der Revolten die wirtschaftliche Lage besserte, wurden die Kleinbauern weiterhin Pächter, Schuldner, Tagelöhner oder wanderten in die Stadt ab, wo sie von den Besitzern der Baumwollspinnereien, Sake (Reiswein)-brennereien und Papierfabriken als Arbeiter eingestellt wurden und wo sich damit frühkapitalistische Arbeitsverhältnisse herstellten.

Gewinner waren die Kaufleute

Die eigentlichen Gewinner dieser Entwicklung waren die Kaufleute. Selbst der Shogun zeigte sich ihnen gegenüber ohnmächtig. Wenn er, um den Samurai und Daimyo zu helfen, die Herabsetzung der Zinssätze für Kredite und die Senkung der Tuchpreise um 50 Prozent anordnete, hatte das eine augenblickliche Verknappung von Leihgeld und Waren zur Folge. Nach kurzer Wartezeit gingen die Zinssätze und Warenpreise noch mehr in die Höhe. Das Kriegersystem zeigte sich ohnmächtig den allmächtigen Kaufleuten gegenüber, die immer häufiger in die mächtigen Familien einheirateten oder sich von den Samurai gegen Schuldenerlaß adoptieren ließen. Im Anfang des 19. Jahrhunderts gab es bereits eine festgesetzte Summe für die Aufnahme eines Städters in eine Samurai-Familie.

Kaufleute werden Großgrundbesitzer

Der Ankauf von Bauerngütern durch Kaufleute führte zu einem neuen Großgrundbesitzertum, das immer mehr wirtschaftliche Macht gewann. So gab es bald zwei neue Klassen: Leute, die Land besaßen, das sie nicht bestellten, und Leute, die das Land bestellten, das ihnen nicht gehörte.

Die neue aufsteigende Klasse der finanzstarken Kaufleute konnte sich so bald mit der zwar finanzschwachen, aber ranghohen Adelsklasse der Samurai arrangieren und sogar verbinden.

Anders sah es mit ihrem Verhältnis zu den Bauern, Handwerkern und städtischen Arbeitern aus: Immer häufiger richteten sich Bauernaufstände gegen den Wucher der Geld- oder Saatgut verleihenden Händler und Kaufleute und immer häufiger kam es zu Aufständen in den Städten, in denen die Kaufleute die Reispreise manipulierten und sie bei Mißernten um 200 bis 300 Prozent emporschnellen ließen.

Versagen des Shogunats

Von gelegentlichen Preis- und Zinsstops abgesehen, die sich immer als wirkungslos erwiesen, griff das Shogunat nur mit Steuererhöhungen in das Wirtschaftssystem ein. Diese trafen jedoch vor allem die Kleinbauern und führten so zu einer verstärkten Verelendung des Bauerntums bzw. Landflucht. Das Wirtschaftsungleichgewicht wurde nicht erkannt, die Ursache der wirtschaftlichen Schwierigkeiten nicht gesehen. Jeder Aufstand führte zu immer härterer Unterdrückung, wodurch die Spannungen noch verstärkt wurden.

Widersprüche zwischen Ideologie und sozialer Realität

So konnte das Shogunat infolge der wirtschaftlichen Machtverteilung weder die Preiskontrolle noch die strenge Abgrenzung der Stände voneinander aufrechterhalten. Auch die immer stärker propagierte Verbreitung der konfuzianischen Ideale konnte daran nichts ändern, denn es handelte sich ja nicht um die Lösung eines ethischen, son-

dern eines sozio-ökonomischen Problems: das Volkseinkommen war aus den genannten Gründen zu gering, um eine so große unproduktive Herrenschicht zu ernähren, und zum anderen war es falsch verteilt.
Verarmte Samurai heirateten Bürgertöchter, Kaufleute erwarben Bauernland und stiegen durch Geldzahlungen in den „Adelsstand" auf. Die Naturalwirtschaft war weitgehend durch die Geldwirtschaft abgelöst. **Die Grenzen zwischen Samurai, Bürgern und Bauern wurden fließend.**

Ohnmacht des Tokugawa-Shogunats

Der absolutistische Beamtenstaat der Tokugawa, der zu seiner Unterhaltung viel Geld benötigte, blieb in ständiger Finanznot und damit in ständiger Abhängigkeit von den immer reicher werdenden Bankiers und Kaufleuten, die natürlich auch an einer Ausweitung des Handels nach „Übersee" interessiert waren. Bezeichnend ist der Ausspruch des Kumpei Gamo (um 1800): „Wenn die reichen Kaufleute von Osaka in Zorn geraten, so zittern die Fürsten im ganzen Reich."

Konkurrierende Fürstenhäuser

Doch traf das nicht für alle Fürsten zu: gerade die Fürsten des Südwestens (von Kyushu und Südhonshu) und des Nordostens wurden im Gegensatz zu den Gefolgsleuten der Tokugawa immer reicher. Der Daimyo von Satsuma wurde finanziell saniert durch den Zugang zum Handel mit Nagasaki und zum Zucker der Ryukyu-Inseln, der von Tosa besaß reiche Fischereigebiete und wertvolle Papierfabriken. Gerade diese Daimyo aber leisteten um die Mitte des 19. Jahrhunderts den Tokugawa den stärksten Widerstand, und von hierher kamen die Führungskräfte der Bewegung, die das Regime stürzten.

Die strenge Ordnung, die die Tokugawa-Regierung Staat und Gesellschaft gegeben hatte, war im 19. Jahrhundert von der Entwicklung überholt und es bedurfte nur eines äußeren Anlasses, um den Sturz dieses nicht mehr funktionierenden Systems herbeizuführen.

1.7 Die Öffnung des Landes

Äußerer und innerer Druck auf das Shogunat

Der äußere Anlaß war der Druck der Außenwelt, die Japan als Objekt ihrer Handelsinteressen benötigte. Die USA waren 1848 an den Pazifischen Ozean vorgestoßen und brauchten nun eine Versorgungsbasis auf dem Weg des Chinahandels. Auch englische und russische Schiffe tauchten auf, um Japan in ihr Handelsnetz einzubeziehen.
Den eigentlichen Anstoß gaben die Amerikaner, die um 1853 die Öffnung des Landes erzwingen wollten. Die Situation war für sie günstig, denn fast alle Schichten der Bevölkerung waren mit der Shogunatsherrschaft schon lange unzufrieden:

- die Daimyo verlangten mehr Unabhängigkeit und Außenhandel,
- die Samurai wollten ihre Kenntnisse und Fähigkeiten als Soldaten oder Beamte einsetzen und dafür angemessen entlohnt werden,
- Kaufleute forderten politisches Mitspracherecht,
- Bauern und Handwerker wünschten bessere Lebensbedingungen,

– und Gelehrte suchten mehr über die westlichen Wissenschaften zu erfahren.

Vorbereitung des Umsturzes

Doch weder die Bauern und Handwerker noch die Kaufleute erhoben sich gegen das Regime. Alle einzelnen Revolten waren nur Proteste gegen bestimmte Mißstände. Allein eine kleine, besonders selbständige Gruppe des Kriegeradels bereitete den Widerstand gegen das Shogunatsregime vor. Unterstützt wurde sie darin vom entmachteten Hofadel um den Tenno und von Gelehrten, die meist dem Samurai-Stande angehörten und ihre aus historischen Studien gewonnene Erkenntnis verbreiteten, daß der eigentliche Herrscher nicht der Shogun, sondern der Tenno sei, dem daher auch die tatsächliche Macht gebühre.

Sehr bald ergab sich eine Interessengemeinschaft zwischen Hofadel, Daimyo, Samurai und Samurai-Gelehrten mit dem Ziel der Restauration der Tenno-Herrschaft und – indirekt – ihrer eigenen Macht. Bei diesen Daimyo und Samurai handelte es sich fast ausschließlich um Männer des Südens und Südwestens, die der Kontrolle des Shogunats kaum noch unterlagen (die Anwesenheitspflicht der Daimyo in Edo wurde nicht mehr gefordert) und auch wirtschaftliche Selbständigkeit erlangt hatten. Die zunehmende Stärke der wirtschaftlich bevorzugten Süd-Daimyate und die offensichtliche Schwäche des Shogunats ließen eine Herrschaftsablösung als möglich erscheinen.

Schwäche des Shogunats

Die Aufhebung des Büchereinfuhrverbots, die Untätigkeit gegenüber öffentlicher Kritik am Shogunat durch Theater und Publizistik, die stillschweigende Duldung der Tenno-Bewegung, die von immer breiteren Kreisen unterstützt wurde, und der Verzicht darauf, die ständige Anwesenheit der potentiellen Feinde in Edo zu erzwingen – all das ließ die innere Unsicherheit der Regierung erkennen.

Das Zurückweichen des Shogun vor den Kanonen der amerikanischen Kriegsschiffe – er unterzeichnete **„ungleiche Verträge“**, die ausländischen Schiffen bestimmte japanische Häfen öffneten und den „Barbaren“ Sonderrechte in Handel und Rechtsprechung zusicherten – ließ das Shogunat als ohnmächtig, unpatriotisch und unfähig erscheinen.

Fremdenfeindlichkeit

Die Ergebnisse des Opium- und Lorcha-Krieges (Niederlage Chinas), die Besetzung Vietnams durch die Franzosen und das Vordringen Rußlands in Ostasien vor Augen, sah die Mehrzahl der Kriegerkaste (ca. 1 750 000 Mann) in den Verträgen den Ausverkauf Japans an den Westen, den Anfang der Kolonialisierung ihres Landes durch die Westmächte.

Der Tenno als Zentrum der Widerstandsbewegung

Als auch noch der Tenno sich weigerte, die Verträge gutzuheißen, hatten die zur Macht drängenden Adligen ihren Führer gefunden.

Der Kaiserpalast in Kyoto wurde zum Hauptquartier der Verschwörer. Die von hier ausgehende Parole „Ehret den Tenno, vertreibt die Barbaren“ (Sonno-joi) ergriff weite Teile der Bevölkerung und führte zu einem allgemeinen Fremdenhaß. Der Shogun, der die Verträge unterzeichnet hatte, um Japan das auch ihm drohende Schicksal der Kolonialisierung zu ersparen, wurde Gegenstand des allgemeinen Hasses. 1860 wurde sein Minister, der die Verträge unterzeichnet hatte, ermordet,

ausländische Gesandtschaften und Ansiedlungen wurden erstürmt und verbrannt, der Kaiser stellte sich mit dem Befehl an den Shogun, die Barbaren zu vertreiben, sichtbar an die Spitze der Bewegung.
Ausländer wurden getötet, ausländische Kriegs- und Handelsschiffe von den Küstenbatterien der Daimyo unter Feuer genommen. Vergeltungsaktionen der Westmächte verstärkten den Fremdenhaß noch mehr. Schließlich kam es 1864 zum offenen Bürgerkrieg zwischen den Daimyo und Samurai des Südwestens und der Tokugawa-Regierung, die noch einmal siegen konnte.
In dem 1866 erneuten Bürgerkrieg unterlag schließlich der Shogun dem Samurai-Heer der Tenno-Bewegung und wurde zur Abdankung gezwungen.

Restauration der Tenno-Herrschaft

Die Herrschaft übernahm der 15jährige Tenno Mutsuhito, von dem die meisten seiner Anhänger erwarteten, daß er den Krieg eröffne, um die „fremden Barbaren" zu vertreiben, und daß sie selbst damit Aufstiegschancen erhielten.
In der Umgebung des Tenno setzten sich jedoch die Männer des Ausgleichs durch, die nicht nur aus den Niederlagen gegen die westlichen Kriegsschiffe, sondern auch aus den Berichten der aus dem Westen heimgekehrten Kundschafter gelernt hatten. Die Führungsspitze einigte sich darauf, den Krieg vorläufig zu vermeiden, indessen alles zu tun, um möglichst bald so stark zu sein, daß man sich von den „fremden Barbaren" befreien könnte. So hatte also der Kampf gegen das Shogunat, der im wesentlichen aus außenpolitischen Gründen geführt worden war, zwar zur Zerstörung des Shogunats und zur Machtübernahme durch eine neue Gruppe geführt, aber nicht zu einer Änderung der bisherigen, von ihr selbst bekämpften Außenpolitik.

2. Restauration und Reform in der Meiji-Periode (1868 – 1890)

2.1 Gesellschaftswandel von oben

Das Programm

Der junge Tenno gab seiner Regierungszeit den Namen „Meiji" (erleuchtete oder glänzende Regierung) und verkündete 1869 als neue Grundsätze:

1. Einberufung von Versammlungen aus allen Kreisen des Volkes mit dem Ziel der Erneuerung und Reorganisation des Staates.
2. Einheitliches Bemühen aller, ohne Unterschied des Ranges, für den Staat das Beste zu leisten.
3. Gleiche Ausbildungs- und Aufstiegsmöglichkeiten für alle ohne Ansehen von Herkunft und Besitz.
4. Abschaffung aller schlechten Gewohnheiten und Leitung des Staates nach den Grundsätzen der Sittlichkeit und Gerechtigkeit.
5. Erwerb von Kenntnissen aus allen Teilen der Welt, um den kaiserlichen Staat mächtig zu machen.

Aufhebung der starren Standesschranken

So allgemein diese Leitsätze auch waren, eines wurde doch deutlich: die starren Standesschranken der Tokugawa-Zeit wurden beseitigt. Damit war die Grundlage für die Modernisierung Japans gegeben. Der Immobilismus, der die Gesellschaft über zwei Jahrhunderte lang gelähmt und jede fruchtbare Weiterentwicklung verhindert hatte, war aufgehoben und damit konnten sich die Produktivkräfte in einer Weise entfalten, die zum Aufstieg des modernen Japan führte.

Neue Ständegliederung

Gleichheit gab es allerdings nur als rechtliche Gleichheit vor dem Tenno, der jenseits aller Standesschranken stand; in der gesellschaftlichen Wirklichkeit gab es weiterhin noch Rangunterschiede, wenn diese auch auf drei eingeschränkt wurden:

1. Hofadel und Grundadel (Kuge und Daimyo),
2. die Samurai und ihre Nachkommen,
3. Bürger (Kaufleute, Handwerker, Arbeiter, Bauern etc.).

Doch formelle Standesgrenzen bestanden nicht mehr, da die Angehörigen aller Stände unmittelbare Untertanen des Kaisers waren. Sie konnten sich ihren Beruf frei wählen. Alle Heiratsschranken zwischen ihnen waren aufgehoben. **Das Feudalwesen wurde abgeschafft,** der gesamte Grund und Boden wieder kaiserliches Eigentum.

Die Meiji-Restauration

Damit war in den Augen der meisten Japaner der Staat wieder eine Einheit geworden, an dessen Spitze der Priesterkönig und Stammvater aller Japaner, der Tenno, stand, der als Nachfahr der Sonnengöttin göttliche Verehrung genoß und den Shintoismus auch folgerichtig als Staatsreligion wieder zu neuer Blüte führte. Nach 500jähriger Herrschaft einzelner Feudalherrscher war damit die Herrschaft des Tenno wiederhergestellt.

Aber auch der Blick des einzelnen wurde von seinem persönlichen Glücksstreben auf die Vergangenheit und Zukunft der Nation gelenkt, deren Größe nun immer wieder in amtlichen Verlautbarungen als höchstes Ziel genannt wurde. Zur Sicherung dieser „ewigen Nation" vor den weißen Barbaren konnten von dem einzelnen auch ungeheure Opfer verlangt werden. Und Opfer hatten die meisten zu bringen.

Der Adel im Meiji-Staat

Nur zwei Gruppen hatten offensichtlich durch den Machtwechsel gewonnen, der Hochadel und die Kaufleute.

Der alte Hofadel wurde in den Peersstand erhoben, erhielt einen beschränkten Grundbesitz und hatte die Möglichkeit, als Regierungsmitglied, als Berater des Tenno oder auch nur als erbliches Mitglied des Oberhauses politische Macht auszuüben.

Die Daimyo wurden ebenfalls in den erblichen Peersstand erhoben, konnten in hohen Staatsämtern oder im Oberhaus politisch wirken und erhielten eine reichliche Entschädigung für ihre enteigneten Ländereien. Damit konnten sie entweder selbst zu kapitalistischen Unternehmern werden, ihre ehemaligen Samurai mit dem Aufbau eines Unternehmens beauftragen oder bürgerliche Handelshäuser mit dem Geld arbeiten lassen.

Die Kaufleute und Unternehmer

Die Kaufleute, Händler und wohlhabenden Handwerker, also die gleiche Gruppe, die bereits vor dem politischen Machtwechsel die Wirtschaft des Landes gelenkt hatte, besaßen in dem nun einsetzenden Industrialisierungsprozeß die Schlüsselstellung. Sie allein und sonst nur einige ehemalige Daimyo verfügten über Kapital, Handelsbeziehungen, Produktionsanlagen, Arbeiterschaft und ein Verteilernetz zum Verkauf der Produkte. So war es selbstverständlich, daß sich aus ihnen die neue Führungsschicht des Meiji-Staates bildete. Wenn sie zunächst auch wieder von der Teilhabe an der politischen Macht ausgeschlossen waren, schufen sie sich doch sehr bald über die politischen Parteien (siehe 9.2.1) und das neu errichtete Parlament ein Instrument zur Beeinflussung der Regierungspolitik, so daß sie schließlich an der politischen Machtausübung mitbeteiligt waren. Sie waren ein wesentlicher Motor zur Industrialisierung Japans aus eigener Kraft.

Die Samurai

Gewonnen hatten durch den Machtwechsel auch ein Teil der Samurai, nämlich diejenigen, die die „Reform" selbst vorangetrieben hatten und nun im neuen Staat die höchsten Führungspositionen einnahmen, sowie die führenden Samurai aus den südwestlichen Daimyaten, die dem Tenno in den Schlachten gegen den Shogun die Herrschaft gesichert hatten und dafür in wichtige Ämter als Offiziere oder Staatsbeamte eingesetzt wurden.

Da für alle diese Aufgaben jedoch anfangs nur eine geringe Anzahl von geeigneten Leuten benötigt wurde, blieb der größte Teil der Samurai beschäftigungslos, und das hieß sehr bald auch brotlos.

Denn nachdem ihnen das Recht zur Schwertführung aberkannt war, erhielten sie eine Jahresrente als Ausgleich für ihre einstige Bezahlung durch ihre Daimyo, diese wurde bald halbiert und 1876 in Staatsanleihen umgewandelt, da die neue Regierung sich aufgrund spärlicher Steuereinnahmen in einer Finanzkrise befand. Über eine Million ehemaliger Samurai sahen sich damit ihrer Lebensgrundlage beraubt.

Sie setzten sich deshalb in mehreren Aufständen zur Wehr – wohl auch im Glauben, daß der Tenno durch falsche Berater irregeleitet und sie selbst einer tennofeindlichen Kampagne zum Opfer gefallen seien. Erst im Jahre 1877 wurden sie von dem modernen Bauernheer unter Leitung von regierungstreuen Samurai endgültig geschlagen.

Ihre Führer, die zu den ersten Reformern gehört hatten, wurden jedoch noch posthum vom Tenno geehrt und werden noch heute als vorbildlich in den japanischen Geschichtsbüchern dargestellt.

Die Kleinbauern und Arbeiter

Überhaupt keinen Gewinn vom Machtwechsel hatten die Kleinbauern und Arbeiter. Die Bauern stellten die Masse der Steuerzahler, auf die der neue Staat mit seiner Fülle von Beamten, Soldaten und staatseigenen Unternehmen mehr als früher angewiesen war. So gingen alle Steuererhöhungen zu Lasten der Bauernschaft. Gleichzeitig wurden die Preise der bäuerlichen Produkte so niedrig wie möglich angesetzt, um die Löhne der städtischen Arbeiterschaft in den neuen Industriebetrieben entsprechend niedrig zu halten und so die privaten Unternehmer zu größeren Investitionen zu bewegen.

Ständisch-frühkapitalistische Gesellschaftsordnung

So führte der Machtwechsel von einer feudalistischen zu einer ständisch-frühkapitalistischen Gesellschaftsordnung, die noch für lange Zeit beherrscht sein sollte vom politischen Vorrang der ehemaligen Kriegerkaste. Freie Berufswahl, Aufhebung der Heiratsschranken, Abschaffung des feudalistischen Großgrundbesitzes, Ausbau des Bildungssystems (7.4.1), insgesamt die Beseitigung formeller Schranken gesellschaftlichen Aufstiegs kamen vor allem dem Bürgertum zugute, das im Laufe der Zeit durch Integration ehemaliger Samurai verstärkt wurde.
Auf dem Lande führte die Steuer- und Ausgabenpolitik der Regierung zu einer starken Belastung des Bauerntums und in den Städten zur Verelendung der Arbeiterschaft. Die materielle Ausbeutung ging einher mit einer spezifisch japanischen Form der Verantwortlichkeit des Unternehmers für seine Arbeiter und des Grundbesitzers für seine Pächter. Das mag darin seine Erklärung finden, daß in der Oberschicht noch ständisch bestimmte Verhaltensweisen vorherrschten.

2.2 Der Westen als Vorbild

Einfluß des Westens vor den Reformen

Der Westen war bereits lange vor der Öffnung des Landes vielen Politikern und Gelehrten als Vorbild erschienen. Den meisten wurde durch den Ausgang des britisch-chinesischen „Opiumkrieges“ (1839–1842) klar, daß die westliche Wissenschaft der chinesischen und japanischen überlegen sei.

So wurde die Übersetzung holländischer Bücher und die Herausgabe von holländisch-japanischen Wörterbüchern gefördert; es wurden sogar Übersetzungsstellen eingerichtet. Den Schwerpunkt beim Studium westlicher Werke bildeten Bücher über Technik (Schiffsbau und Kanonengießerei) und Militärwesen.

Mit Hilfe holländischer Ingenieure wurden Werften, Schmelz- und Hochöfen errichtet, so daß Japan seit 1850 Geschütze und Munition sowie Dampfschiffe selbst herstellen konnte. Doch bremste das Shogunat selbständige Unternehmen dieser Art in nicht mehr von ihm kontrollierten Gebieten, aus Furcht, daß sich die militärische Stärke der einzelnen Daimyo eines Tages gegen es selbst richten könnte (was später auch geschah).
Der Abschluß der ungleichen Verträge führte jedoch zu einer Ernüchterung und Umkehrung der ursprünglichen Auslandsbegeisterung, so daß das Schlagwort der Zeit lautete: „Östliche Ethik, westliche Wissenschaft“. Dieses Schlagwort behielt auch für viele während der Meiji-Reformen Gültigkeit, wenngleich die Philosophie, das Recht und die Bildungsformen des Westens immer mehr Anhänger, auch im Beraterkreise des Kaisers, fanden.
Ihr Einfluß hatte bald sehr sichtbare Auswirkungen auf Japan:

1870 begann die Justizreform mit der Trennung von Gericht und Verwaltung nach preußischem Vorbild. Außer der Einführung des Gregorianischen Kalenders war von besonderer Wichtigkeit die Einführung der allgemeinen Wehrpflicht nach europäischem Vorbild, die sowohl aus innenpolitischen Gründen (zur Verhinderung innerer Kämpfe, zur Stärkung der Regierungsgewalt und als Reservoir ehemaliger Samurai) wie aus außenpolitischen Gründen (nationale Verteidigungspolitik) notwendig erschien.

Die Modernisierung des Staates mit Hilfe des „Westens“

Alle Reformer, die europäische Sprachen beherrschten, wurden zum Studium von Verwaltung, Justiz, Politik, Wirtschaft und Militär ins Ausland entsandt. Ausländische Experten wurden ins Land gerufen; 1875 verfügte die Regierung bereits über 500–600 dieser ausländischen Berater, bis 1890 erhöhte sich die Zahl auf 3000.
So halfen beispielsweise die Deutschen beim Aufbau von Universitäten und medizinischen Schulen, die Amerikaner bei der Gründung landwirtschaftlicher Zuchtanstalten, eines nationalen Post- und eines umfassenden Schulwesens. die Engländer bei der Entwicklung des Eisenbahnnetzes, der Telegraphie und der Kriegsmarine. Das Heer wurde zunächst von französischen, nach 1871 von preußischen Instrukteuren aufgebaut.

„Amerika als Mutter und Frankreich als Vater“

Für viele Reformer war der Wille zur radikalen Erneuerung Japans entscheidend, „mit Amerika als einer Mutter und Frankreich als einem neuen Vater“. Ihre Begeisterung für alles Westliche war groß – bis hin zur Verachtung der alten japanischen Sitten und Gebräuche, der Kleidung und der Religion. Man forderte sogar die Aufgabe der japanischen Schrift zugunsten der lateinischen, ja einige gingen sogar so weit, die Aufgabe der japanischen Sprache zugunsten des Englischen zu fordern.

Einfluß des Christentums

1873 wurde das Christentum als Religion offiziell anerkannt, und es kam zur Gründung vieler christlicher Schulen, von denen einige später berühmte Universitäten wurden. Der Übertritt zum Christentum galt als Ausdruck einer „modernen Gesinnung“, denn „wenn die Europäer Erfolg hatten, dann aufgrund des Christentums, ihrer Sitten, Denk- und Lebensformen“. Bis 1880 gab es 30 000 Übertritte zum Christentum, bis 1890 etwa 190 000. Werke über Europa und Amerika wurden begierig gelesen, es schien ein unstillbarer Nachholbedarf an Kenntnissen über die „weißen Barbaren“ vorhanden zu sein.

Aufklärerische Ideen

Vor allem die Intellektuellen griffen aufklärerisches Gedankengut auf, wie folgende Aussprüche japanischer Reformer zeigen: „Der Himmel schuf keinen Menschen vornehmer oder geringer als den anderen“ oder „Ist der Mensch frei, dann gibt es nichts, was dem Mut und Verstand des Menschen widerstehen kann.“ (Fukuzawa Yukichi)

1877 wurde die kaiserliche Universität in Tokyo im wesentlichen nach deutschen Vorbildern organisiert. Aus ihr kommen noch heute etwa 80 Prozent aller höheren Regierungs- und Verwaltungsbeamten. Anfangs kam die überwiegende Mehrzahl der Graduierten aus dem Kriegerstand: 1880 waren 77,6 Prozent ehemalige Samurai.

2.3 Wachsender Einfluß des Staates

Verschmelzung von Staats- und Tennoidee

Das Ziel all dieser Maßnahmen war in erster Linie, die Macht des Staates zu vergrößern. Dies wurde auch deutlich durch die Erklärung aller Bürger als Untertanen des Tenno und durch die Reinigung des Shintoismus von allen buddhistischen Einflüssen und seine Verkündung als Staatsreligion, wobei die Bindung des einzelnen an die Person des Kaisers, dem göttliche Verehrung zuteil wurde, besonders betont wurde.

Schulpflicht dient der Staatserhaltung

Die 1880 eingeführte Schulpflicht (7.4.1) sollte nicht nur westliches Wissen vermitteln, sondern vor allem in den Schulen die „Chuko", die Treue zum Herrscher und die Verehrung der Eltern, als selbstverständliche Verhaltensformen einüben. Da die Mehrzahl aller Lehrer aus dem Samuraistande kam, war es verständlich, daß dieses Ziel ihren eigenen Vorstellungen entsprach.

Entwicklung der Landwirtschaft

Die Landwirtschaft wurde von der Regierung durch Einführung von Kunstdünger und durch Anreize zum Ausbau der Bewässerungsanlagen, zur Einführung der Obstzucht und zum Anbau neuer Kulturen gefördert. Die Zahl der selbständigen Bauern nahm jedoch rasch ab.

So gab es 1868 nur 20 Prozent unselbständig in der Landwirtschaft arbeitende Personen, 1890 war ihr Anteil bereits auf 40 Prozent gestiegen und der Pachtzins auf die Hälfte der Ernteerträge.

Die Produktivität der Landwirtschaft stieg kontinuierlich.

So wurde beispielsweise der Ertrag an Rohseide aus der Seidenraupenzucht von 287 Tonnen im Jahre 1868 auf 3740 Tonnen im Jahre 1900 gesteigert.

Industrialisierung auf Kosten der Landwirtschaft

Doch die Umstellung auf neue Kulturen konnte sich gerade der Kleinbauer nicht leisten, und so wurde er das Opfer der großen Steueranforderungen des Staates für die Industrialisierung und den Ausbau des Verwaltungs- und Bildungssystems.

Bis 1880 stammten 85 Prozent aller Staatseinnahmen aus den Steuern der Bauernschaft, erst seit 1894 sank ihr Anteil auf 60 Prozent.

Da der Staat anfangs die Initiative zur Industrialisierung übernahm und die Bauern im wesentlichen die Steuern aufbringen mußten, trugen sie die Kosten der beginnenden Industrialisierung. Der Staat beteiligte sich an der Schiffsbau- und Eisenbahnindustrie, er baute Musterwerkstätten, Seidenspinnereien und Baumwollspinnereien ebenso wie Brennereien für Ziegel, Keramik und Glas, so daß sich in größerem Umfang **eine Art staatskapitalistischer Wirtschaft** ergab. Auch ihre Spuren sind heute noch in dem starken Staatseinfluß auf die Wirtschaft erkennbar.

2.4 Industrialisierung und Verstädterung

Da die Fabriken zunächst mit Verlust arbeiteten, wurden sie bald vom Staat an Privatpersonen veräußert. Hier wurde der Grundstock zu den späteren Familienkonzernen gelegt: die entmachteten Samurai und Daimyo entdeckten in der Industrie neue Erwerbsmöglichkeiten und wurden nicht selten erfolgreiche Industriebarone.

Herausbildung einer neuen wirtschaftlichen Führungsschicht

Von den Präsidenten der 200 größten Firmen war jeder vierte ehemaliger Samurai, jeder zweite Kaufmann, und ein Viertel kam aus der reichen Landbevölkerung.

Die **Zaibatsu** (Großbetriebe in den Händen einzelner Familien), wie z. B. die Mitsubishi, die Mitsui und die Sumitomo, wuchsen schnell zu mächtigen Konzernen heran, die bald Verbindung mit den politischen Parteien aufnahmen und diese unterstützten.
Die Armut in den Dörfern und der Kinderreichtum, die zu einer Landflucht führten, waren den großen Konzernen sehr willkommen, denn sie brauchten billige Arbeitskräfte in den Städten.
Der Anstieg der Bevölkerungszahl seit Beginn der Meijiperiode war gewaltig, verglichen mit der Bevölkerungsvermehrung in der Tokugawa-Zeit.

Bevölkerungsanstieg

So hatte sich die Bevölkerung Japans in den Jahren von 1780 bis 1847, also in 67 Jahren, um nur eine Million vermehrt, von 1847 bis 1887 aber, also in 40 Jahren, um zwölf Millionen. 1907 erreichte Japan sogar eine Bevölkerungszahl von 49 Millionen und 1925 eine solche von 62 Millionen, d. h., die Bevölkerung hatte sich in den 60 Jahren nach der Meiji-Reform verdoppelt.

Das bemerkenswerte Städtewachstum der Tokugawa-Zeit verstärkte sich noch in der Meiji-Zeit infolge der neu einsetzenden Industrialisierung. Mit der Aufhebung der Provinzgrenzen und dem ungehinderten Massengüterverkehr, wie er bald durch Erweiterung des Eisenbahnnetzes möglich wurde, erhielten die Städte eine ganz neue Aufgabe, denn die Autarkie (= wirtschaftliche Selbstversorgung) der einzelnen Provinzen war beseitigt und die landesweite Verflechtung von Handel und Verkehr hergestellt.

Städtewachstum

2.5 Entwicklung aus eigener Kraft

Wir werden später die Gründe für das „Wirtschaftswunder" Japans nach dem Zweiten Weltkrieg untersuchen (siehe 8.3.3). Bereits in der japanischen Geschichte des 19. Jahrhunderts gibt es aber Faktoren, die Japans Aufstieg aus eigener Kraft vom Entwicklungsland zur Industriemacht miterklären. Dazu gehören unter anderem:

Kein Objekt des westlichen Imperialismus

- Japan wurde nicht zum Objekt des Imperialismus der westlichen Großmächte. Dies ist nicht nur durch das Fehlen von wichtigen Rohstoffen (wie Eisen, Kupfer, Nickel, Gold, Silber) und durch die Attraktivität des chinesischen Marktes zu erklären, sondern vor allem durch die geschickte Außenpolitik der Regierung, die eine kriegerische Auseinandersetzung mit den Industriemächten vermied und durch eine Reihe von wirtschaftspolitischen Bestimmungen den Einfluß der westlichen Wirtschaft stark beschränkte.

Landwirtschaft mit hoher Produktivität

- Japan verfügte über eine Landwirtschaft mit hoher Produktivität, mit der die ersten Industrialisierungsphasen finanziert werden konnten.

Frühe Überwindung des Analphabetismus

- Die staatliche Bildungspolitik konnte sich auf eine relativ breite Gebildetenschicht (ehemalige Samurai und konfuzianische Lehrer) stützen und so den Analphabetismus der bäuerlichen Bevölkerung sehr bald beseitigen.

Staatliche Kontrolle der Investitionen

- Der Staat ergriff die Initiative zur Industrialisierung und kontrollierte – auch nach der baldigen Reprivatisierung – stark die Investitionen, vor allem durch die Kreditpolitik.

Spezifische Entwicklungsbedingungen

Dies sind spezifische Faktoren der japanischen Geschichte, und es ist ausschlaggebend für die weitere Entwicklung, daß sie im 19. Jahrhundert vorhanden waren, in dem z. B. der technologische Unterschied zwischen den entwickelten Ländern und einem unterentwickelten Land wie Japan weitaus geringer war als heute zwischen Industriegesellschaften und Entwicklungsländern – was die Entwicklungschance unter den genannten günstigen Voraussetzungen erhöhte. Dies erklärt gleichzeitig, warum Japan heutigen Entwicklungsländern nicht als Modell des kapitalistischen Entwicklungsweges dienen kann.

2.6 Verfassung und Verfassungswirklichkeit

Soziale Voraussetzungen der Demokratie fehlen

Die Innenpolitik duldete nur in sehr bescheidenem Maße die Entwicklung der politischen Freiheit des Einzelnen. Eine – an modernen Maßstäben gemessen – demokratische Entwicklung war auch gar nicht zu erwarten bei einer Gesellschaft, deren Sozialstruktur geprägt war durch das starre Ständesystem der Tokugawa-Zeit, durch die geringen Möglichkeiten politischer Kommunikation und schließlich durch das Fehlen sozialer Mobilität.

Parlamentarische Regierung galt als modern

Die neue herrschende Oligarchie nahm jedoch nach einiger Zeit die Vorarbeiten zu einer Verfassung auf, die zu einer parlamentarischen Regierung führen sollte. Sie tat das nicht aus einer Einsicht in die politische Notwendigkeit des parlamentarischen Kontrollsystems – die zu dieser Zeit auch in Europa nicht weit verbreitet war (Bismarck) – sondern weil einige ihrer einflußreichen Mitglieder aus ihrem Studium westlicher politischer Institutionen zu dem Schluß gekommen waren, daß zur Modernisierung eines Staates auch eine Verfassung gehöre und daß irgendeine Form von parlamentarischer Regierung auch notwendiger Bestandteil der politischen Maschinerie war, die die Westmächte so stark gemacht hatte.

Die Verfassung

1889 übergab der Kaiser dem Premierminister die Verfassung in einer feierlichen Zeremonie als ein Geschenk der Krone an das Volk.

An der Spitze des Staates stand der **Tenno** als heilige und unverletzliche Person. Er hatte das Recht,

Die Rechte des Tenno

- Gesetze zu verkünden,
- die Premierminister zu berufen und zu entlassen,
- das Unterhaus einzuberufen oder aufzulösen,
- Offiziere zu ernennen und zu entlassen,
- Krieg zu erklären und Frieden zu schließen
- und den Oberbefehl über die Streitkräfte zu führen.

Das war eine einzigartige Macht, die der Kaiser in der gesamten japanischen Geschichte nie besessen hatte.

Das Parlament

Die **Legislative**, der Reichstag, bestand aus zwei Kammern, dem Ober- und dem Unterhaus. Das Recht auf einen Sitz im Oberhaus hatte der gesamte Adel, eine Anzahl bestimmter wegen ihrer Verdienste vom Kaiser auf Lebenszeit zu Mitgliedern des Oberhauses ernannter Personen und einige Repräsentanten der höheren Steuerklasse (Unternehmer). Die Mitglieder des Unterhauses wurden (erstmals 1890) nach einem sehr hoch angesetzten Zensuswahlrecht gewählt.

Die Regierung

Die **Exekutive** bestand aus dem Premierminister und den Kabinettsmitgliedern, die jedoch alle nur dem Kaiser, nicht dem Reichstag verantwortlich waren; das entsprach der preußischen Verfassung, die weitgehend als Vorbild diente und die ebenfalls dem Volke vom König verliehen war. Im allgemeinen schlug das Kabinett Gesetze vor, die zunächst vom Unterhaus gebilligt werden mußten, um dann an das Oberhaus weitergeleitet zu werden.

Konstitutionelle Monarchie mit starkem Monarchen

Formal ist also dem Tenno der entscheidende Platz im Regierungssystem gesichert: er ernennt die nicht erblichen Mitglieder des Oberhauses, die des Kabinetts und des Kronrats. Das kann er tun, weil er – nach der Staatstheorie – nicht die Interessen irgendeiner Gruppe vertritt, sondern die der ganzen Nation. Das Kabinett wiederum ist nur dem Tenno, nicht dem Reichstag Rechenschaft schuldig. Doch ist es abhängig von der Bewilligung seiner Gesetzesvorlagen durch den Reichstag, um überhaupt regieren zu können. Insgesamt ergibt sich so das Bild einer konstitutionellen Monarchie mit starker Prärogative (Vorrecht) des Monarchen – wie etwa im Preußen Bismarcks – nur in Japan noch durch den Glauben an die Göttlichkeit des Kaisers verstärkt.

Gefangener im goldenen Käfig

Selbst Kaiser Meiji, „theoretisch ein Abkömmling der Himmlischen, mit unbeschränkter Machtfülle und mit göttlichen Ehren ausgestattet, war in Wirklichkeit nicht viel mehr als ein Gefangener in einem goldenen Käfig, ohne jeden Einfluß auf die Geschichte seines Landes" – so schreibt ein Augenzeuge, der deutsche Arzt Erwin Bälz.

Weiterbestand der Adelsherrschaft bei demokratischer Fassade

Die Verfassungswirklichkeit unterschied sich jedoch weitgehend von der Verfassungstheorie. Der Kaiser war keineswegs die unabhängige und unparteiische Instanz, als die ihn die wirklichen Macht-

Theoretische Machtverteilung im Meiji-Staat
(Abbildung 3)

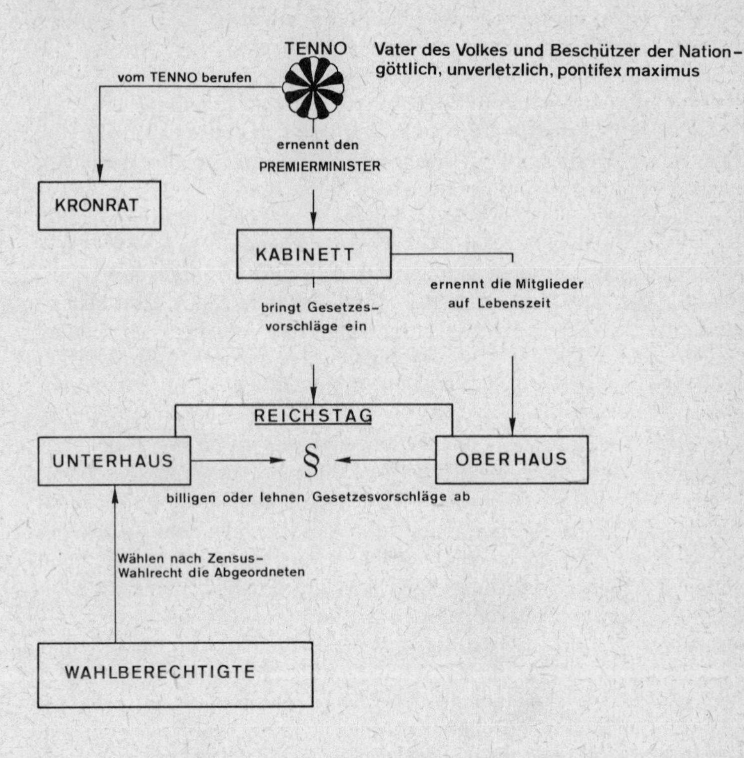

haber hinstellten. Von ganz wenigen Ausnahmen abgesehen, folgte er den Entscheidungen von Beratern und Kabinett.
Auch nach dem Tode Kaiser Meijis war der Tenno mehr eine religiöse Symbolfigur für den Bestand des Reiches als der allmächtige Herrscher, als den ihn die Verfassung erscheinen läßt.
In Wirklichkeit lag die Macht bei dem von der Oberherrschaft der Tokugawa befreiten **Hof- und Schwertadel**, der eine neue Oligarchie bildete. Die Macht des Kaisers wurde nominell aufs äußerste verstärkt, damit die neuen Männer in seinem Namen umso ungestörter ihre Macht ausüben konnten.

Mächtiges Oberhaus

Sie waren im wesentlichen im **Oberhaus** zu finden, das als House of Peers eine ganz besondere Machtstellung innehatte, weil es
- unauflösbar war,
- durch sein wiederholtes Veto jeden Premier zum Rücktritt zwingen konnte
- und die Mehrzahl der Kabinettsmitglieder stellte.

Das **Kabinett** wurde zunächst von Prinzen und später von Verwaltungsfachleuten, d. h. in den Staatsdienst eingetretenen ehemaligen Samurai, geleitet. Es stützte sich fast immer auf das Oberhaus; wandte es sich von diesem ab und dem Unterhaus zu, wurde es mit Sicherheit gestürzt.
Eine weitere Stütze der Regierung waren die höheren Verwaltungsbeamten, die den Parteipolitikern ablehnend oder doch mindestens verständnislos gegenüberstanden.

1871 gehörten davon 18,2 Prozent zum Hochadel, 78,9 Prozent zur Kriegerklasse (ehemalige Samurai) und nur 0,7 Prozent zum Bürgerstand.

Vorherrschaft des Militärs

Die beiden stärksten Ämter im Kabinett hatten der **Armee- und der Marineminister**, die immer aktive Offiziere sein mußten. Sie unterstanden unmittelbar dem Kaiser, hatten direkten Zugang zu ihm und konnten ihn damit unter Umgehung ihrer Ministerkollegen beeinflussen. Von einem Rücktritt des Kabinetts waren sie nicht betroffen und überdauerten damit manchen Regierungswechsel, womit ihre Chance, Premierminister zu werden, beträchtlich stieg. Dagegen bedeutete ein Rücktritt des Armee- oder des Marineministers die Auflösung der Regierung, da sich dann mit Sicherheit kein General oder Admiral bereitfand, den Posten des aus Protest zurückgetretenen Kameraden zu besetzen.
Der **Kronrat**, der den Tenno beriet, setzte sich nur aus verdienten Staatsbeamten oder Militärs, d. h. ehemaligen Samurai, zusammen. Der erst 1917 ins Leben gerufene Rat für auswärtige Angelegenheiten, der noch bestimmenderen Einfluß auf den Tenno hatte, bestand nur aus Mitgliedern des Oberhauses, der Regierung, des Kronrates und den Genro, d. h., auch er war eine Adelsinstitution.

Die Macht des Schwertes
Als die politischen Parteien einmal die Genro aufforderten, die Macht, die sie besäßen, dem Volk und d. h. für sie dem Unterhaus zurückzugeben, lautete die Antwort bezeichnenderweise: „Wir haben unsere Macht durch das Schwert gewonnen und Sie können sie uns auch nur durch das Schwert nehmen."

Herrschaft der Oligarchie

Die wichtigste Gruppe schließlich, die die unsichtbare Leitung des Staates in ihren Händen hielt, stand außerhalb der Verfassung, war also niemandem verantwortlich: die **Genro** (= die älteren Staatsmänner). Sie gehörten fast ausschließlich den Samuraifamilien des Choshu- und des Satsuma-Klans an, die die Meiji-Reform unterstützt und gefördert hatten. Sie berieten den Kaiser bei der Auswahl des Premierministers, was praktisch bedeutete: sie sorgten dafür, daß der Premier im Wechsel nur aus einer von ihren Sippen stammte.

Ohnmacht des Unterhauses

Gegenüber diesen selbstbewußten Führungskräften war die Macht der **politischen Parteien**, wie sie sich im Unterhaus repräsentierte, mehr eine Ohnmacht zu nennen:
– Sie konnten zwar ein Gesetz ablehnen, aber es nutzte nicht viel.

Handelte es sich um den Haushaltsplan, so führte die Regierung den vorjährigen durch. Handelte es sich um ein Einzelgesetz, so machten sie sich bei der Regierung unbeliebt und mußten mit der Auflösung des Unterhauses rechnen.
- Jede Kritik an der Regierung wurde ihnen untersagt, da sie als Kritik am Kaiser, der die Regierung ja ausgewählt und eingesetzt hatte, aufgefaßt werden könnte.

Parteien repräsentieren nicht das Volk

Schließlich ist zu fragen, ob das Unterhaus wirklich die Interessen des Volkes vertrat. Anfangs war das schon wegen der geringen Zahl der Wahlberechtigten (1–2,2 Prozent) zu verneinen: waren die Parteien doch ursprünglich nur Vertreter der entmachteten kleinen Samurais und der Landbesitzer, die sich gegen eine höhere Besteuerung auflehnten. Später gesellten sich ihnen auch Kaufleute und Industrielle bei, die sich ebenfalls gegen Steuererhöhungen in Handel und Industrie wandten. Die Interessen der Bauern, Handwerker und Arbeiter wurden von keiner der Parteien wahrgenommen, sie interessierten diese überhaupt nicht.

Neue Institutionen verdecken die Kontinuität der gesellschaftlichen Machtgruppen

Staatlich-politisch führten die Meiji-Reformen also nur zu einer Machtübertragung von einer herrschenden Schicht auf die andere, und die Gruppen, die siegreich aus diesen Kämpfen hervorgingen, hatten schon in der Zeit vor der Revolution zur Oberschicht gehört.

Das System politischer Kontrollen war in der scheindemokratischen Form einer konstitutionellen Monarchie wiederhergestellt: Adel und Kriegerklasse hielten die wichtigsten Ämter in ihren Händen, nur waren sie Bestandteil einer neu organisierten Verwaltungsbürokratie geworden. **Das ganze System war hierarchisch strukturiert** mit
- dem Kaiser als vermeintlicher,
- den Genro als wirklicher Spitze,
- unter diesen das Kabinett, das sich meist aus dem Oberhaus ergänzte,
- darunter die Gruppe der Verwaltungschefs
- und schließlich das Unterhaus als Vertretung einer kapitalkräftigen Oberschicht der Bevölkerung.

Autoritäre Struktur – dynamische Führung

Der neue Staat besaß jedoch im Gegensatz zur konservativen Führung der Tokugawa eine junge und zielbewußte Führungsgruppe, die es unternahm, Japan zu modernisieren und die Stärke Japans der des Westens anzugleichen. Dafür mußte der Gesellschaft eine gewisse Mobilität zugestanden werden, die mitunter als Demokratisierung mißverstanden wird.

Keine Demokratisierung

Von einer Demokratisierung der Gesellschaft kann jedoch in der Meiji-Zeit noch weniger als in der Wilhelminischen Ära gesprochen werden. Die breite Masse der Bevölkerung war von der politischen Mitbestimmung ausgeschlossen. Die „Reformen" stellten die Weichen für die wirtschaftlich-gesellschaftliche Entfaltung des Bürgertums, machten ihm politisch aber nur sehr begrenzte Zugeständnisse. Der Staat blieb im wesentlichen in der Gewalt der traditionellen feudalistischen Führungsgruppen mit dem Tenno als Aushängeschild und vor-

Wirkliche Machtverteilung im Meiji-Staat
(Abbildung 4)

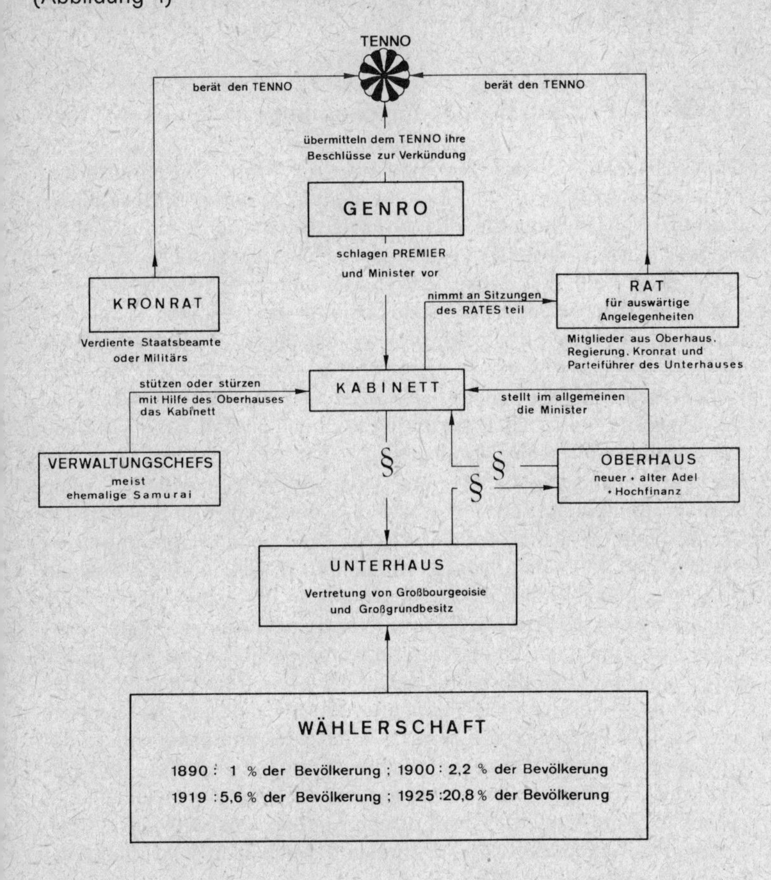

züglichem Integrationsinstrument sowie mit einem weitestgehend machtlosen Parlamentarismus.

Macht des Militärs

Verhängnisvoll für die weitere Entwicklung sollte sich vor allem die starke Stellung der Armee- und Marineminister erweisen, die den Tenno unmittelbar für ihre Pläne gewinnen konnten, ohne der Kritik ihrer Ministerkollegen ausgesetzt zu sein. So erreichten die Militärs immer wieder ihre Ziele mit Rückendeckung durch den Kaiser, was schließlich zur Herrschaft des Militärs in den 30er Jahren führen sollte.

3. Der japanische Imperialismus (1894 – 1945)

3.1 Die Entfaltung des japanischen Imperialismus bis 1920

Ausgreifen nach China und Südostasien

Die japanische Industrie arbeitete bald mit Profit, die Importe von Fertigwaren sanken und die Exporte stiegen. In den neunziger Jahren machte die Textilindustrie riesige Fortschritte. Die Seide trat ihren Siegeszug an, und Japan verdrängte nahezu alle anderen Erzeuger auf diesem Feld. Zu Beginn des 20. Jahrhunderts vergrößerte sich die japanische Industrie in kaum geahnter Schnelligkeit und überschwemmte China und Südostasien mit ihren Produkten. Diese Gebiete spielen seitdem eine ganz entscheidende Rolle für die japanische Wirtschaft als Rohstofflieferanten und als Absatzmärkte.
So entwickelte sich Japan immer mehr zu der großen Fabrik Südostasiens, aber auch zum Fabrikherrn.

Rohstoffmangel und Überbevölkerung

Bereits im Jahre 1900 hatte Japan kein Außenhandelsdefizit mehr, aber der Mangel an Rohstoffen und die Überbevölkerung wurden zu einem immer größeren Problem, das die japanischen Regierungen mit militärischen Mitteln zu lösen versuchten. Sie konnten dabei auf Vorbilder in der Meiji-Zeit zurückgreifen, in der Japan die Ryukyu-(Okinawa) und die Bonin-Inseln annektiert und in der es gegen China einen Krieg um die Vorherrschaft in Korea geführt hatte. Im Frieden von Shimonoseki (1895) erhielt Japan nicht nur freie Hand in Korea, sondern auch Formosa, die Pescadoren, Port Arthur und die Halbinsel Liao-tung. Aber damit hatte Japan bereits in die Interessensphäre der europäischen imperialistischen Mächte störend eingegriffen. Rußland, Frankreich und Deutschland zwangen es, die Liao-tung-Halbinsel einschließlich Port Arthur an China zurückzugeben, was zu einer heftigen Abneigung gegen die drei Mächte und schließlich zum Bund mit Großbritannien führte (1902).

Sieg gegen Rußland

Als gleichberechtigter Partner einer europäischen Großmacht anerkannt, entsprach Japan den Zielsetzungen dieses Bündnisses in seinem Kriege mit Rußland, der für Rußland mit dem Verlust seiner Flotte und seines Ansehens als militärische Großmacht endete. Es mußte im Frieden von Portsmouth (1905) Port Arthur, die Liao-tung-Halbinsel, die südliche Hälfte von Sachalin und die Mandschurische Eisenbahn an Japan abtreten. Japan erhielt darüber hinaus „freie Hand“ in Korea und gewann die unverhohlene Bewunderung der Welt, weil es als erste asiatische Macht eine europäische Großmacht geschlagen hatte.

Japanischer Imperialismus im Vormarsch

Der japanische Imperialismus, der sich nun immer unverhüllter zeigte, war nichts anderes als der Versuch, es dem europäischen Imperialismus gleichzutun, der seit der zweiten Hälfte des 19. Jahrhunderts zu einem Wettrennen auf die noch nicht eroberten Gebiete Afrikas und

Asiens angesetzt hatte. „Die japanischen Staatsführer mit ihrer Samurai-Vergangenheit folgten begeistert dem Vorbild des europäischen Imperialismus und hatten die Westmächte in ihrer Entschlossenheit, Kolonien zu erwerben, bald übertroffen." (Reischauer, Japan, Tokyo 1968, S. 135).

- 1910 nahm Japan die Ermordung eines führenden Politikers durch einen Koreaner zum Vorwand für die **Annexion Koreas**, das nunmehr für 35 Jahre zum japanischen Kaiserreich gehören sollte.
- Im **Ersten Weltkrieg** gewann Japan von den Deutschen Kiautschou und besetzte die Halbinsel Shantung (1914).
- Von dieser Machtposition aus richtete es ein Jahr später an das im Bürgerkrieg befindliche **China** die unglückseligen 21 Forderungen (die auf ein japanisches Protektorat über China hinausliefen), was ihm die endgültige Feindschaft Chinas und das Mißtrauen der USA eintragen sollte.
- Während der bolschewistischen Revolution besetzte Japan unter der Tarnung einer kombinierten alliierten Expedition zur Rettung tschechoslowakischer Kriegsgefangener die **Mandschurei** und weite Teile Sibiriens bis hin zum Baikalsee, Gebiete, in denen es noch lange nach Abzug der alliierten Streitkräfte seine Besatzungsstreitkräfte aufrechterhielt.
- Als einer der „Großen Fünf" nahm Japan 1919 an den Pariser Friedensverhandlungen teil und erhielt als Beute die ehemaligen deutschen Schutzgebiete im **Südpazifik**: die Karolinen, Marianen und Marshall-Inseln.

Damit hatte sich Japan in 50 Jahren von einem Objekt des westlichen Imperialismus zu einer imperialistischen Führungsmacht im Pazifik gewandelt. Der Artikel 5 der Meiji-Proklamation – die Stärkung der kaiserlichen Macht und der Nation – war damit verwirklicht.

3.2 Die konstitutionelle Periode der zwanziger Jahre

Parteien werden Teilhaber der Macht

Zeigte die erste Phase der japanischen Parteienentwicklung nur schwache Ansätze zu einer parlamentarischen Mitbestimmung, so gelang es den Parteien in einer zweiten Phase, Teilhaber der Macht zu werden.

Erstes Zeichen des Erfolgs war die Wahlrechtsreform von 1900, durch die nahezu eine Million neue Wähler zugelassen wurden. (Allerdings betrug die Wählerschaft auch jetzt nicht mehr als 2,2 Prozent der Gesamtbevölkerung.)

Aufstände in vielen Städten Japans infolge drastischer Reispreiserhöhungen zwangen die Genro 1918, von ihrem bisherigen Verfahren abzuweichen, einen Angehörigen des Choshu oder Satsuma-Klans zum Premierminister zu ernennen. Gleichzeitig schien der Sieg der parlamentarischen Demokratie über die autokratischen Mittelmächte in Europa die größere Stärke und Effizienz der parlamentarischen

Japan nach dem Ersten Weltkrieg
(Abbildung 5)

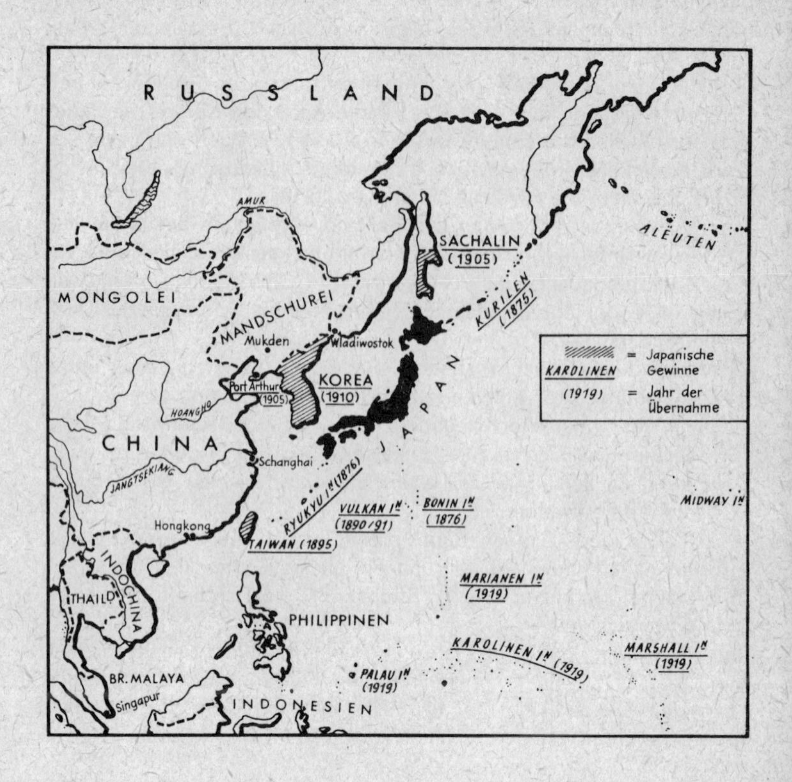

Regierung zu zeigen, so daß die reinen Verwaltungschefs zum Nachgeben gezwungen waren, und schließlich fehlte den „Bürokraten" der Nachwuchs aus den alten Samuraifamilien, deren Söhne oft in die Parteien eintraten, um bald deren Leitung zu übernehmen.

Erste bürgerliche Regierung

So wurde 1918 erstmals ein Bürgerlicher, Hara Takashi, Führer der stärksten Partei, der Seiyukai (Grundbesitzerpartei), zum Premierminister gewählt. Hara, obwohl Bürgerlicher, verfügte über gute Beziehungen zum Kreis der Genro, zu den Militärs und zur höheren Bürokratie. Das ist ein Moment, das bis zur Gegenwart für jeden Politiker Japans entscheidend ist. Er war konservativ und in keinem Falle ein Demokrat im westlichen Sinne, doch wurde er vom Volke begrüßt und in weiten Kreisen als „progressiv" angesehen.
Ihm ist die 2. Wahlrechtsreform (1919) zu verdanken, durch die der Anteil der wahlfähigen männlichen Bevölkerung auf über drei Millionen

anwuchs – auch das waren erst 5,6 Prozent der Gesamtbevölkerung.
Seine Amtszeit war nur von kurzer Dauer, denn er wurde 1921 auf dem Bahnhof in Tokyo von einem radikalen Nationalisten ermordet. Dem waren der Zusammenbruch der Kriegskonjunktur und die Niederlage der japanischen Regierung im Washingtoner Flottenabkommen vorhergegangen, in dem Japan sich mit einer Flottenstärke von 3:5:5 gegenüber den USA und Großbritannien begnügen mußte. Außerdem mußte es die Shantung-Halbinsel an China zurückgeben und eine Ablehnung Englands, den Bündnisvertrag zu verlängern, hinnehmen. Derartige innen- und außenpolitische Niederlagen führten zu einer starken Radikalisierung vor allem unter den Nationalisten, die die Schwäche der „liberalen" Regierung als Verrat ansahen.

Verbeamtung der Parteien

Die Macht der Parteien wurde allerdings durch ein solches Ereignis nicht gemindert, da inzwischen die Verbeamtung der großen Parteien begonnen hatte: Führende Mitglieder der Verwaltung und ehemalige Regierungsmitglieder traten in die Parteien ein, rückten bald an ihre Spitze, holten viele ihrer ehemaligen oder gegenwärtigen Untergebenen nach und setzten sie in wichtige Parteiämter ein. Damit konnten die Parteien Regierung und Verwaltung beeinflussen, ebenso wie das auch umgekehrt der Fall war. All dies traf natürlich nur für die konservativen Parteien zu, die dadurch sehr bald einen bedeutenden Einfluß auf die Regierung gewannen.

Einfluß von außen

Die Machtverstärkung der Parteien wurde von den Zaibatsu (Finanzkonzernen wie Mitsubishi oder Mitsui) sehr schnell begriffen, weshalb sie auch mit finanziellen Spenden nicht zurückhielten und eigene Vertreter in die konservativen Parteien entsandten, um sicher zu sein, daß kein Gesetzesvorschlag zu ihren Ungunsten eingebracht würde. Auf Spenden angewiesen waren die Parteien von Anfang an, da sie den Wahlkampf selbst finanzieren mußten. Jetzt aber wurde ein Führungsposten in einer Partei wie der der Industriellen (der Kenseikai) von den Wirtschaftsbaronen mit gut bezahlten Posten (Eisenbahndirektor oder Direktor eines Stahlwerks) belohnt. Die Parteien wurden so zu reinen Interessengruppen, und die Verflechtungen von Wirtschaftsgruppen und Parteien wurden so eng, daß die Parteien auch nichts gegen imperialistische Kriege der Regierung einzuwenden hatten – vorausgesetzt, es half ihren Interessenten, von denen sie sichere Belohnung erwarten konnten. So ergab sich eine **enge Verzahnung von Industriekapital, Regierungsgewalt und Parteispitzen.** Die Politik in der parlamentarisch-demokratischen Phase der 20er Jahre wurde unmittelbar von der Industrie kontrolliert. Auch die Grundbesitzer stellten bei den Wahlen einen nicht zu unterschätzenden Machtfaktor dar.

Unterstützung der Parteien durch Industrie und Landwirtschaft

Die „Seiyukai", die auch die „Großgrundbesitzerpartei" genannt wurde, vereinigte 1920 auf sich 85,2 Prozent der Landbesitzerstimmen, wohingegen ihre Konkurrenzpartei, die Kenseikai, sich auf die Kaufleute und Industriellen in den Städten konzentrierte, bei denen sie 83,3 Prozent der Stimmen gewann.

Da die Parteien so die gesamten wirtschaftlich herrschenden Mächte repräsentierten, mußten Kabinett und Oberhaus von nun an die Meinung des Unterhauses respektieren.

Sozialistische Parteien

Es gab auch bescheidene Ansätze zur Bildung von sozialistischen Parteien, von denen die „Rominto" (Arbeiter- und Bauernpartei) 1922 zugelassen wurde. Die kommunistische Partei (KPJ) mußte als Untergrundorganisation arbeiten, wurde aber von vielen Intellektuellen unterstützt.

Uneinigkeit dieser Parteien vor allem in der Frage, ob die Zeit für eine proletarische Revolution bereits gekommen sei, schwächte die sozialistische Bewegung. Ein erfolgreicher politischer Kampf zur Verbesserung der Lage der Bauern und Arbeiter war deshalb nicht möglich, zumal sich die KPJ an den Bauern uninteressiert zeigte und die Arbeiterschaft überwiegend konservativ war. Auch drohte ein Gesetz mit zehn Jahren Gefängnis allen denjenigen, die sich zusammenschlossen, um die Verfassung, die Regierungsform oder die bestehenden Formen des Privateigentums zu ändern. Mit diesem Gesetz wurde in späteren Jahren die Politik der Masseneinkerkerung eingeleitet (siehe 3.3.1).

Gewerkschaften

Zwar war im Ersten Weltkrieg eine japanische Gewerkschaftsbewegung entstanden, doch zählte sie 1937 erst 400 000 Mitglieder, also nur 6,9 Prozent aller Arbeitnehmer. Außerdem waren die Gewerkschaften nur auf betrieblicher Basis organisiert, so daß die Parteien sich auch nicht auf große Gewerkschaftsverbände stützen konnten.

Wahlrechtsreform

1925 wurde das allgemeine Wahlrecht für Männer eingeführt, das die Zahl der Wahlberechtigten auf 12,2 Millionen ansteigen ließ. Gleichzeitig wurde das Mehrheitswahlrecht so modifiziert, daß in einzelnen Wahlkreisen je drei bis fünf Mandate zu gewinnen waren, so daß sich die Aussichten auch kleinerer Parteien vergrößerten. Das erhöhte – über die oben genannten Tendenzen hinaus – die Bedeutung der Parteien für Regierung und Industrie.

Die Veränderung der Sozialstruktur, die sich im Bevölkerungswachstum, der Industrialisierung und damit in der zunehmenden Verstädterung Japans ausdrückte, blieb nicht ohne politische Folgen:

- Die Parteien, die bis dahin elitäre Gruppen gewesen waren, erkannten nun die Notwendigkeit, sich in stärkerem Maße als bisher mit dem Bürgertum zu verbinden. Dafür waren jedoch hohe Ausgaben erforderlich, die die Parteien nicht allein finanzieren konnten.
- Die Zaibatsu ihrerseits erkannten, daß sie nicht nur mit der Regierung, sondern auch mit den Parteien zusammenarbeiten mußten.

So ergab sich eine **enge Verflechtung von Industriekapital, Regierungsgewalt und Parteispitzen.** Oft fand man die Führer konservativer Parteien und Regierungsmitglieder in den Vorständen der großen Industriebetriebe.

Sinkender Einfluß des Militärs

Zwischen 1924 und 1931 stellten abwechselnd die Führer der beiden größten Parteien (Kenseikai und Seiyukai) die Regierung, d. h., die ehemals die Regierung beherrschende Staatsbürokratie wurde geschwächt. In dem Maße, wie sich die Macht der Parteien verstärkte, ging auch der Einfluß der Armee zurück, so daß man für die zwanziger Jahre von einer Parteienregierung bzw. einer konstitutionellen Periode sprechen kann. Im Grunde bedeutete es jedoch die **Herrschaft von Wirtschaftsgruppen, d. h. des Kapitals,** das die Militärs abgelöst hatte.

Sieg der liberalen Kräfte?

Die Parteienregierung schien sich endgültig durchgesetzt zu haben, als es der führenden Oppositionspartei (aus der ehemaligen Industriellenpartei hervorgegangen) gelang, die Regierungspartei (Großgrundbesitzerpartei) durch öffentliche Diskussion ihrer Fehler zum Rücktritt zu zwingen und selber mit der Regierung betraut zu werden. Dies wurde als ein Sieg der liberalen über die konservativen Kräfte gefeiert. Der Führer der Konservativen, General Tanaka, ein Vertreter der Adelsklasse und der expansionistischen Kräfte, konnte sich nicht gegenüber den Liberalen durchsetzen.

Auswirkungen der Weltwirtschaftskrise

Entscheidend war nun, daß das letzte noch lebende Mitglied der Genro eine Machtübertragung (ohne Wahlen) von der Großgrundbesitzer-(Adels-) zur Industriellen-(Bürger-)Partei befürwortete. Darin lag eine Anerkennung der progressiven Kräfte des Bürgertums, wie sie in dem antimilitaristischen Programm der neuen Regierung zum Ausdruck kamen. Deren Machtübernahme traf aber zeitlich mit den ersten Auswirkungen der Weltwirtschaftskrise zusammen, die die Beamtenschaft durch die Kürzung der Gehälter, viele Arbeiter durch den Verlust ihrer Arbeitsplätze, die Unternehmer durch große Absatzschwierigkeiten und weite Kreise der Bauernschaft durch den Rückgang des Rohseidenexports schwer traf.

Die Seidenproduktion war für fast die Hälfte aller Bauern Japans das einzige Mittel, um schwerer Verschuldung zu entgehen. Als die Kaufaufträge vor allem aus den USA nicht mehr eingingen, gerieten sie in eine katastrophale Lage, die oft nur durch den Verkauf ihrer Töchter an die Tee- und Freudenhäuser in den Städten zu meistern war.

Radikalisierung des Offizierskorps

Wenn man bedenkt, daß der größte Teil der Soldaten und Offiziere aus dem Bauerntum oder den Kreisen der Landbesitzer stammte, kann man verstehen, daß die Unzufriedenheit mit der neuen Regierung in der Armee zu einer revolutionären Stimmung und zur Gründung von Geheimbünden führte. Diese sahen in dem Bündnis zwischen den Industriebaronen (Zaibatsu) und den liberalen Politikern – nicht ohne Grund – einen Verrat am Volke und strebten eine Militärdiktatur unter Anerkennung des Kaisers als oberstem Herrscher an.

Verbreiteter Antiparlamentarismus

Wenn man ferner bedenkt, daß das Parlament bei der Masse der Bevölkerung kaum noch Ansehen besaß, da die Fälle von Korruption, Stimmen- und Ämterkauf und Einflußnahme des „Big Business" allen bekannt waren und die Politiker bei ihren persönlichen Angriffen im Parlament „würde-" und „ehrlos" erschienen, ist es nur zu natürlich, daß man das Parlament als anscheinend unumgängliches Übel, keinesfalls aber als die Vertretung des Volkes ansah. So entstand bald

eine mit Verachtung gemischte Gleichgültigkeit der Bevölkerung, die erklärt, warum man die spätere Aufhebung der parlamentarischen Regierungsform nicht als einen schweren Verlust empfand.
Die Unterzeichnung des Londoner Flottenabkommens, das Japan weiterhin zwang, seinen Flottenbau zu beschränken, galt als Akt des nationalen Verrats. So ist es nicht erstaunlich, daß der Premierminister im November 1930 das Opfer eines Attentats wurde. Ein bevorstehender Staatsstreich der Armeeoffiziere konnte nur durch eine nachdrückliche Mißbilligung seitens des Kriegsministers vermieden werden.

Ende der zivilen Kabinette

Wenn auch noch mehrere zivile Kabinette folgten, wuchs die Macht der Militärs doch immer mehr, die nun auch in der Mandschurei und in China auf eigene Faust Operationen unternahmen und damit die Regierung wiederholt vor vollendete Tatsachen stellten (siehe 3.3.1), so daß diese in internationalen Verhandlungen unglaubwürdig wirken mußte. Morde an liberalen Politikern und Industriellen durch nationalistische Rechtssozialisten (Angehörige der „Blutliga") wurden kaum noch gesühnt, und mit der Ermordung des Premierministers Inukai durch junge Offiziere (1932) endete, nun für alle sichtbar, die Herrschaft des Bündnisses von bürgerlichen Parteien und Industrie, die sogenannte „konstitutionelle Periode", und machte einer Herrschaft des Militärs Platz.

3.3 Höhepunkt und Scheitern des japanischen Imperialismus

3.3.1 Der Weg zur Militärherrschaft

Bevölkerungsexplosion

Die Bevölkerung Japans war von 1887 bis 1925 von 39 Millionen auf 62 Millionen angewachsen und nahm jährlich um eine weitere Million zu. Durch Urbarmachung bisher unbebauten Landes konnten jedoch im gleichen Zeitraum nur 30 Prozent mehr an Ackerfläche, noch dazu von sehr geringem Ertragswert, gewonnen werden.

Einwanderungsverbote in Übersee

Der durch die Bevölkerungsexplosion entstandene Landmangel machte sich in einer verstärkten Auswanderungswelle bemerkbar, die jedoch bald von vielen der Einwanderungsstaaten (wie Brasilien, den USA, dem britischen Commonwealth) durch Einwanderungsverbote gestoppt wurde.

Wirtschaftskrise

Zum Landmangel kam noch ein beträchtlicher Rohstoffmangel: so mußte Japan 80 Prozent seines Eisen- und Erdölbedarfs importieren. In der Weltwirtschaftskrise wurden auch der japanischen Exportindustrie wichtige Absatzmärkte durch Einführung von Schutzzöllen und Einfuhrverboten in den wichtigsten Abnehmerstaaten in Amerika und Europa versperrt.

Soziale Unruhe

Das alles führte zu fortschreitender Verelendung des Bauerntums (siehe 3.2), zu Arbeiterentlassungen und zu Kurzarbeit, was wiederum die sozialistische Gewerkschaftsbewegung in Japan rasch anwachsen ließ, worauf die Regierung mit Massenverhaftungen reagierte.

Geheimbünde

Rechtsradikale, national-sozialistische Geheimbünde bildeten sich, deren gemeinsames Ziel die Beseitigung der „kapitalistischen Ausbeutergruppe" und der liberalen „Verräter" war sowie die Bildung einer wirklich nationalen Regierung, am besten unter Führung der „nicht-korrupten" Militärs. Der wohl bekannteste Geheimbund nannte sich nach einem Ereignis der japanischen mittelalterlichen Geschichte „Gesellschaft des Himmelsschwertes". Die Geheimbünde wollten die „Heilung der kranken Nation" durch direkte Aktion, die zur Zerstörung des bestehenden Systems führen sollte.

Antiliberalismus

So wie Kaiser Meiji durch die Restauration der kaiserlichen Macht den Feudalismus beseitigt hatte, so erwarteten die jungen Offiziere von dem seit 1926 herrschenden Kaiser Hirohito, der seiner Regierungsperiode den Namen Showa (leuchtender Friede) gegeben hatte, eine Showa-Restauration, die den üblen Auswüchsen des Kapitalismus und Liberalismus ein Ende setzen sollte.

Eine Lösung der wirtschaftlichen Probleme (Land- und Rohstoffmangel, fehlende Absatzmärkte) sahen die Militärs nur in der Eroberung Chinas, das bereits der Hauptlieferant Japans für Kohle, Eisen und Baumwolle war und über 50 Prozent der japanischen Textilproduktion abnahm.

Die Herrschaftsübernahme durch die Militärs

1929 bereits entwarfen die Militärs Pläne für eine Herauslösung der Mandschurei und der Mongolei aus dem chinesischen Reichsverband und ihre Einbeziehung in das japanische Wirtschaftsgebiet.

Attentate auf japanische Truppen in der Mandschurei nahmen die Militärs zum Vorwand, in selbständigen Aktionen das ganze Land zu besetzen. Erst nachträglich informierten sie die Regierung. Von nun an schrieben die Militärs die Politik vor, und das zivile Kabinett diente nur noch dazu, ihr Vorgehen zu decken. Die Ermordung japanischer Geschäftsleute und ein Boykott japanischer Waren in Shanghai führten zu einer militärischen Strafaktion gegen Shanghai.

1932 rief Japan das Kaiserreich „Mandschukuo" aus und stellte es unter seinen Schutz, machte es also zu einem japanischen Protektorat. Als Ziel seiner Außenpolitik gab Japan die Schaffung eines „Großostasiatischen Wirtschaftsblocks" aus.

Militärkabinette

Ein Militärputsch, der zur offenen Machtübernahme durch das Militär führen sollte (1933), scheiterte zwar an der Mißbilligung des Kaisers, doch wurden seither die Kabinette von Militärs geführt, die anfangs versuchten, einen mäßigenden Einfluß auf die Radikalen auszuüben, doch schließlich selbst von dem Rufe nach einem Großjapan mitgerissen wurden. So verschärfte sich die Lage Schlag auf Schlag:

Der Weg zum Zweiten Weltkrieg

- Zunächst versuchte sich Japan von den Auswirkungen der Weltwirtschaftskrise zu befreien durch die Aufgabe des Goldstandards und die Durchführung von Dumping-Geschäften im großen Stil.
- Im Jahre 1933 erklärte die japanische Regierung ihren Austritt aus dem Völkerbund, ein Jahr später ihren Rücktritt von den Washingtoner und Londoner Flottenabkommen, um freie Hand zu haben beim Aufbau der Flotte.

- 1936 ermordete die Tokyoer Garnison unter Führung radikaler Offiziere die prominentesten Politiker in einem Blutbad. Erst die Verurteilung ihrer Tat durch den Kaiser veranlaßte die Garnison, sich den Regierungstruppen zu ergeben.
- Auf Rat der immer mächtigeren Militärs hin trat Japan aus der Abrüstungskonferenz aus und schloß 1936 mit Deutschland, ein Jahr danach auch mit Italien den Antikomintern-Pakt, wofür es von beiden Staaten die Anerkennung Mandschukuos erhielt. Es war deutlich, daß auch Japan einen nationalistischen aggressiven Kurs steuern wollte.
- 1940 unterzeichneten Japan und die „Achse" ein Militärbündnis (Dreimächtepakt).
- Als Japan daraufhin nach Frankreichs Niederlage 1940 das nördliche Indochina besetzte, kündigten die USA den Handelsvertrag mit Japan, das nun ohne die amerikanischen Erdöllieferungen in eine schwierige Lage geriet.

Beginn der Besetzung Südostasiens

- 1941 besetzten japanische Truppen auch den südlichen Teil von Französisch-Indochina, woraufhin England, die Niederlande und die USA ein Handelsembargo verhängten. Nunmehr fehlten der japanischen Industrie: Erdöl, Eisenerz, Kautschuk und fast alle Metalle.

Entscheidung für den Krieg

Diese unhaltbare Lage führte zum Rücktritt der japanischen Regierung, General Tojo übernahm die Regierungsgeschäfte. Damit war die Entscheidung für den Krieg gefallen.
Die nun angesetzten Verhandlungen in Washington führten zu keinem Ergebnis, da Roosevelt vor jeder Verhandlung den Rückzug der Japaner aus China und Indochina forderte und sich aus einer verhängnisvollen Unterschätzung der militärischen Stärke Japans zu keinem Kompromiß geneigt zeigte.

Eröffnung des Krieges mit China

Zum neuen Premierminister wurde 1937 der Präsident des Oberhauses, Fürst Konoe, gewählt: ein hochgebildeter, von fast allen verehrter, trotz seiner gemäßigten Einstellung auch von den Militärs respektierter Mann, der nur den Fehler hatte, allzu nachgiebig zu sein. So konnte er auch den Ausbruch des Krieges mit China nicht verhindern, der sehr schnell zur Eroberung von Peking, Shanghai, Nangking. Kanton und Hankou führte. Mit diesen Städten hatte Japan die großen Handelszentren und Umschlagplätze in der Hand, die es für seinen Export von Fertigwaren und den Import von Rohstoffen brauchte.
Mit der Eröffnung des Krieges gegen China hatte Japan sich aber endgültig die USA und Großbritannien zu Feinden gemacht.

Interessengegensatz zwischen japanischem und amerikanischem Imperialismus

Asien war „spätestens seit Mitte des 19. Jahrhunderts zu einem Hauptschauplatz amerikanischer Interessenwahrnehmung geworden ... Spätestens seit Mitte der 30er Jahre jedoch begann das imperiale Japan den amerikanischen (und den mit ihm verbündeten englischen) Führungsanspruch in Asien zu bedrohen durch die Politik der Schaffung einer japanisch dominierten „Neuen Ordnung", die im Effekt darauf hinauslief, asiatische Märkte (China) und Rohstoffquellen (Indonesien) den westlichen Industrienationen streitig zu machen. Der Druck, den die amerikanische Regierung in Form ökonomischer Sanktionen auf Japan ausübte als Warnung vor weiteren militärischen Aggressionen, zwang Japan in einer kaum noch indirekt zu nennenden Weise in den Krieg, in deutlichem Unterschied zum bis dahin erheblich geringeren amerikanischen Engagement gegen das Dritte Reich und das faschistische Italien". (E. Krippendorff, Die amerikanische Strategie, Frankfurt 1970, S. 31).

Gleichschaltung

1940 lösten sich unter dem Druck der Militärs die Parteien auf. An ihrer Stelle wurde eine ,,Vereinigung zur Verwirklichung des kaiserlichen Gesetzes" gegründet, in der die Rechtsradikalen und die Militärs die aktiven Elemente darstellten. So kam es zur Herrschaft der Militärs, die glaubten, den bewaffneten Konflikt mit den USA und Großbritannien in Kauf nehmen zu können.

3.3.2 Japanischer Faschismus?

Eine Definition des Faschismus

Der Begriff Faschismus wird „zur Kennzeichnung von Herrschaftsbestrebungen verwendet, die ... aus einem extremen Nationalismus erwachsen, ... die Begründung eines autoritären oder totalitären Einparteistaates nationaler Prägung ... (zum Ziel haben) und sich damit als revolutionärer Gegenschlag gegen kommunistische wie gegen sozialistische und liberal-demokratische Staats- und Gesellschaftsordnungen (verstehen)" (Staat und Politik, Fischer Lexikon, Frankfurt 1970, S. 82).

Differenzierung notwendig

Die Tatsache, daß ,,der Faschismus weder als historische Erscheinung noch als aktuelle Qualität der bürgerlich-kapitalistischen Gesellschaft sich durch einfache Schemata fassen läßt", weil dazu ,,der Entwicklungsgrad der einzelnen Staaten zu verschieden" ist (J. Agnoli, Zur Faschismusdiskussion, in: Berliner Zeitschrift für Politologie, 9. Jg. (1968), H. 4, S. 32), hat den Autor veranlaßt, hier anstelle einer bloßen Gleichsetzung der autoritären Regime in Japan und Deutschland die Gemeinsamkeiten und Unterschiede beider Bewegungen sichtbar zu machen:

Ähnlichkeiten

1. In Deutschland wie in Japan entwickelten sich während der kurzen Zeit der ,,Parlamentarischen Demokratie" (1918–1933) radikale Rechtsbünde als Oppositionsgruppen zur Regierung, deren Mitglieder von ihnen als ,nationale Verräter' angesehen und des öfteren durch Mord beseitigt wurden.
2. Durch die Weltwirtschaftskrise kam es um 1930 zur Verelendung breiter Massen in beiden Ländern und damit zur ,,Proletarisierung" der Rechtsbewegungen, die nunmehr neben der antiparlamentarischen auch eine eindeutig antikapitalistische Tendenz zeigten. In Japan entstanden die ,,Nationalsozialistische Bewegung", die ,,Neue Nationalsozialistische Partei", die ,,Nationale Arbeiter- und Bauernpartei", die ,,Soziale Massenpartei" (die sich antikapitalistisch, anti-

faschistisch und antikommunistisch nannte), die „Partei des Proletariats" und die „Großjapanische Produktionspartei".

3. Die faschistischen Bewegungen in beiden Ländern propagierten nationalistische Ideologien, die die Auserwähltheit und den Führungsanspruch des jeweiligen Volkes begründen sollten.
4. Sie forderten eine stärkere Einflußnahme des Staates auf die Wirtschaft im Sinne eines Staatssozialismus, die Auflösung des Parteienstaates und der Gewerkschaften sowie die Militarisierung der Gesellschaft.
5. Die Industriekonzerne in Deutschland und Japan standen den faschistischen Bewegungen wohlwollend und unterstützend gegenüber, weil durch die Stärkung des Faschismus die Gefahr einer zukünftigen Sozialisierung gemindert wurde.

Unterschiede

1. Alle faschistischen Bewegungen waren Massenbewegungen mit einer Massenpartei und einem Führer. Da es in Japan keinen Führer gab und geben konnte (siehe 7.1), gab es auch keine Massenpartei. Der Kaiser war kein revolutionärer Führer von proletarischer Herkunft, sondern traditionelles Oberhaupt des Staates, Oberpriester und von heiliger Herkunft. So fehlten in Japan die entscheidenden Elemente des europäischen Faschismus: der plebejische, demagogische „Führer" und die Einheitspartei.
2. In Europa wurde der Faschismus von einer großen Anzahl von Intellektuellen und der Mehrheit der Studenten unterstützt. In Japan standen die Intellektuellen voller Verachtung beiseite, da sie weitgehend westlich orientiert waren und die Ablehnung von Liberalismus und Demokratie als Rückfall in die Vor-Meiji-Zeit empfanden.
3. Der japanische Faschismus lehnte, etwas anders als der europäische, die Demokratie völlig ab. Er konnte das mit Leichtigkeit tun, weil die Demokratie hier noch keine allgemein akzeptierte Einrichtung war. Dagegen lehnte der deutsche Faschismus auch die Monarchie ab.
4. In Deutschland standen sich Teile der faschistischen Bewegung und die Armee feindselig gegenüber (SA–Reichswehr), in Japan genossen die nationalistischen, antiliberalen und antikapitalistischen Gruppen die Sympathie und Unterstützung des Militärs, die selbst für einen „Staatssozialismus" plädierten und ihn dann auch später in der Mandschurei zu verwirklichen suchten.
5. Der japanische Faschismus ist vor allem eine Bauernbewegung. Er ist ländlich, antistädtisch und fordert gegenüber dem Zentralismus des Staates Autonomie für die Gemeinde und Selbstbestimmung für das Landvolk.
6. In den Programmen der faschistischen Gruppen in Japan gab es keine Aufforderung zur Vernichtung bestimmter Teile der Gesellschaft im Unterschied zu Deutschland (Juden, Bolschewisten).

7. Der Hauptunterschied zwischen europäischem und japanischem Faschismus besteht jedoch darin, daß der europäische in revolutionsartigen Staatsstreichen selbst die Regierung übernahm und neue totalitäre Staatssysteme aufbaute, während die japanischen faschistischen Bewegungen, in sich uneins und mit utopischen Zielen ohne die Unterstützung der Intellektuellen und der großen Massen des Volkes, nicht zur „Machtergreifung" gelangten. Sie dienten im Grunde nur der immer mächtiger werdenden Militärclique, der Staatsbürokratie und der Großindustrie als ideologisches Alibi, hatten selbst aber keinen Teil an der Machtausübung.

Der eigentümliche Charakter der Ideologie wird deutlich an einigen ausgewählten Zeugnissen. So versucht der Führer einer dieser Bewegungen eine Gleichsetzung von Kapitalismus und Sozialismus, um beide abzuwerten:

„Der Kampf zwischen Kapitalismus und Sozialismus ist kein prinzipieller. Beide gehen vom gleichen Prinzip aus, und der Kampf geht nur um dessen praktische Verwirklichung ... Der Kapitalismus versucht, den Besitz von materiellen Gütern auf eine kleine Anzahl von Menschen zu beschränken, ... der Sozialismus versucht, materiellen Reichtum auf eine möglichst große Anzahl von Arbeitern auszudehnen. Beides sind jedoch nur Versuche, diesen angebeteten Reichtum ... besser zu verteilen ... .
Wenn diese Denkweise, die materielle Dinge über die Ausprägung der Persönlichkeit stellt, nicht verändert wird, kann nichts Gutes von den Versuchen erwartet werden, das kapitalistische Wirtschaftssystem umzustürzen und in ein sozialistisches System zu überführen." (Okawa Shumei in: Masuo Maruyama, Thought and Behaviour in Modern Japanese Politics, Oxford University Press, London, Oxford, New York 1969, S. 35.)

Der Führer der „bäuerlichen Selbsthilfepartei" drückt seine Ablehnung des zentralistischen Verwaltungssystems folgendermaßen aus:

„Wenn man den gegenwärtigen Zustand unserer Selbstverwaltung betrachtet, die Entwicklung der Parteienregierung und die Moral der zivilen und militärischen Leiter, dann ist es völlig offensichtlich, daß wir uns in einer Sackgasse befinden, in die uns die Herrschaft der Bürokratie geführt hat, die ihrerseits ihren Ursprung im preußischen Nationalismus hat ...". (M. Maruyama, a.a.O., S. 39/40.)

Die antikapitalistische und antiparlamentarische Haltung der radikalen Offiziersbünde kommt in den Worten ihrer Verteidiger vor Gericht (nach dem mißglückten Putschversuch vom 15. 5. 1931) zum Ausdruck:

„Die politischen Parteien, die Zaibatsu und eine kleine Gruppe von Privilegierten, die mit der herrschenden Klasse verbunden ist, sind alle korrupt. Sie arbeiten in Parteien nur, um ihre eigenen egoistischen Interessen und Wünsche weiterverfolgen zu können, zum Nachteil der nationalen Sicherheit und zur Verwirrung der Regierung. Als Folge davon haben wir im Ausland unsere nationale Würde verloren, während zu Hause die Moral des Volkes unterminiert wurde; die Dörfer werden ausgesaugt und die Angehörigen der Klein- und Mittelindustrie und des Handels gegen die Wand gedrückt." (Maruyama, a.a.O., S. 45.)

Die herrschenden Mächte (Staatsbürokratie und Militär) ließen nach der Ausschaltung des gefährlichsten Gegners, nämlich der Parteien

(1936), alle populistischen Elemente der bisher von ihnen geförderten nationalistischen Bewegungen fallen und benutzten diese selbst nur noch zur Propagierung des Nationalismus, der sich zur Disziplinierung der Bevölkerung als wirksamstes Mittel erwies.
Großindustrie und Großfinanz arrangierten sich sehr schnell mit diesen einzigen Machtgruppen, da sie von der Ausschaltung der Sozialisten und der Gewerkschaften sowie von einer kriegerischen Expansion das beste erhofften. Zwar entmachtete auch der NS-Staat sehr bald das antikapitalistische Element und propagierte nur noch den Nationalismus. Aber da sich in Deutschland eine neue Führungsschicht aus Angehörigen der faschistischen Bewegung bildete, die das ganze Volk organisatorisch zu erfassen und ideologisch zu dirigieren suchte, konnte hier ein totalitärer Staat entstehen, der in Japan nicht möglich war, wo es weder einen „Führer" noch eine Massenpartei gab, die durch ihre Organisationen das ganze Volk ideologisch hätte beeinflussen können.
Entscheidend war jedoch, daß in Deutschland kleinbürgerliche Gruppen mit radikalen Theorien und Methoden den Staatsapparat eroberten und beherrschten, während in Japan die entsprechenden kleinbürgerlichen Gruppen von der Machtausübung ausgeschlossen blieben. Die Machtträger blieben die gleichen wie vor der Ausschaltung der Parteien: Staatsbürokratie und Militär. So ist es wohl angebrachter, das **japanische Staatssystem der 30er und 40er Jahre** als **autokratisch-militaristisch** zu bezeichnen. Seine Herrschaftsform erinnert eher an den Staat der Tokugawa-Zeit als an den der modernen Massendiktatur.

3.3.3 Japan im Zweiten Weltkrieg

Der pazifische Krieg

Da Japans Rohstoffvorräte beschränkt waren, gelang es den Generälen, den Kaiser zu überzeugen, daß Japan sich binnen kurzem jeder Forderung der USA beugen müsse, wenn es nicht versuche, die Rohstoffquellen selbst in die Hand zu bekommen. So stimmte der Kaiser, wenn auch widerwillig, der Kriegseröffnung zu.
Die amerikanische Pazifikflotte wurde durch den japanischen Angriff auf Pearl Harbour am 7. 12. 1941 völlig ausgeschaltet. Damit hatte Japan den Rücken frei für seine strategischen Operationen zur Schaffung der „Ostasiatischen Wohlstandssphäre" – wie es seinen Eroberungsfeldzug nannte.

Japan beherrscht Ost- und Südostasien

In sechs Monaten war nahezu ganz Ost- und Südostasien in japanischer Hand (1942); Chiang-kai-cheks Nachschub wurde durch die Sperrung der Burmastraße abgeschnitten; damit und mit der Eroberung von Hongkong, Malaya, Singapur und Burma war der Kampf auf dem Festland beendet. Nach der Eroberung der Philippinen, Guams, Wakes, Indonesiens und Neuguineas blieben nur noch Australien und die USA als nicht besetzte Feindgebiete übrig. Die Bombardie-

Japan im Zweiten Weltkrieg
(Abbildung 6)

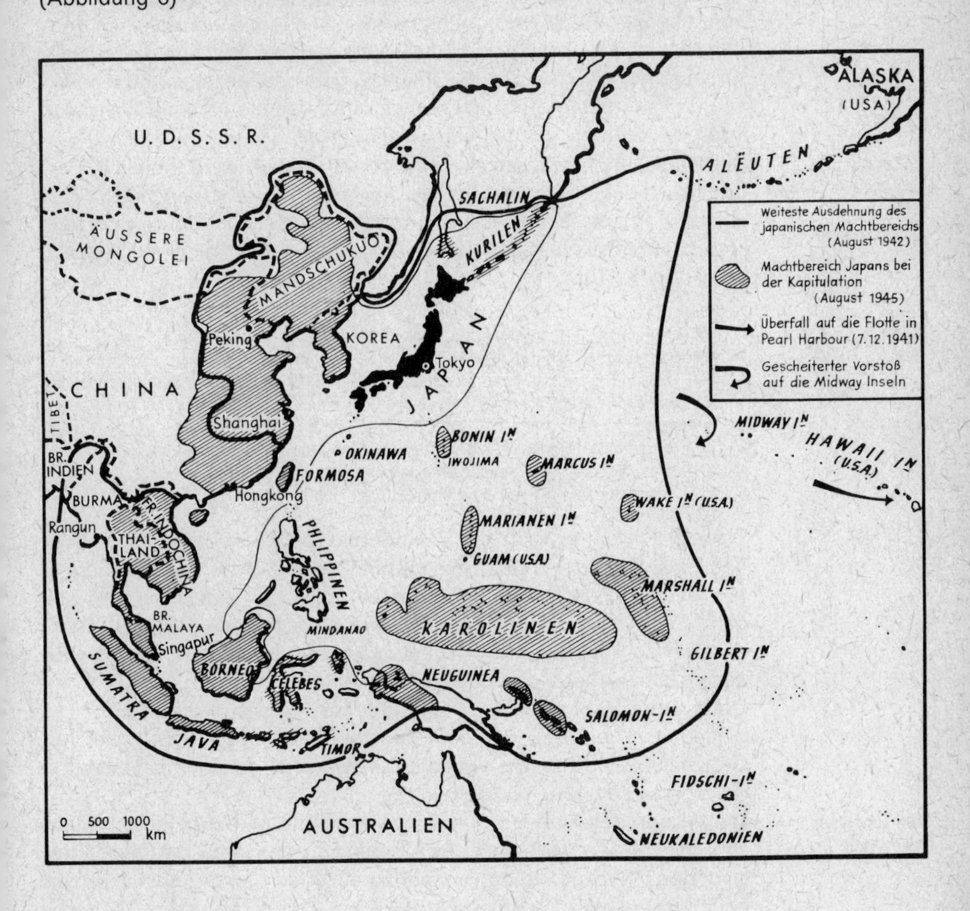

rung Australiens und die Besetzung einiger Alëuten-Inseln zeigte, daß Japan auch diese Ziele anvisierte.

Mitte 1942 hatte Japan den Höhepunkt seiner Macht erreicht:

- 500 Millionen Menschen standen unter seiner Herrschaft,
- 95 Prozent der Weltproduktion an Rohgummi, je 70 Prozent an Zinn und Reis waren zu seiner Verfügung. Der Besitz der Mandschurei und Nordchinas hatte Japan einen ausreichenden Vorrat an Kohle und Eisenerz verschafft, die Besetzung Borneos ausreichende Ölvorräte.

Das Verhalten der japanischen Truppen in den besetzten Gebieten hatte unterschiedliche Auswirkungen. Zum Teil führte die japanische Anschauung, die in einem Gefangenen nur einen ehr- und schamlosen Menschen erblickte, zu ähnlichen Grausamkeiten wie die Herrenmenschenideologie der Nationalsozialisten Deutschlands, die auch von manchen Offizieren geteilt wurde. Doch muß festgehalten werden, daß die Brutalität und Rücksichtslosigkeit, mit der die Japaner Kriegsgefangene wie Zivilbevölkerung behandelten, weit entfernt war von der perfekten Unmenschlichkeit, mit der die Nationalsozialisten ihren Völkermord planten und durchführten.

Bedeutung des japanischen Sieges über die Kolonialmächte

Die Härte und Grausamkeit ihres Vorgehens gegen Saboteure, Partisanen und Geiseln machte die japanische Besatzungsmacht fast überall verhaßt; andererseits ermutigte sie Kollaborateure und versprach ihnen die Selbständigkeit und Unabhängigkeit ihrer Gebiete nach dem Kriege.

Japan „entkolonialisiert"

Japan
- erklärte Burma für selbständig,
- förderte Subhas Chandra Boses Aktionen für ein freies Indien,
- ließ Thailand seine Selbständigkeit und gab ihm einige Gebiete im Osten zurück, die es unter französischem Druck an Französisch-Indochina hatte abtreten müssen,
- unterstützte in Indonesien eine nationale Einheitspartei unter Sukarno,
- errichtete auf den Philippinen eine japanfreundliche Regierung,
- gründete Vietnam als selbständigen Staat.

Wenngleich die japanischen Militärs und Industriellen im Augenblick der Eroberung nur an die Ausbeutung der besetzten Gebiete dachten, hat doch die Vertreibung der europäischen Kolonialherren aus ganz Südostasien durch eine asiatische Macht eine nicht zu unterschätzende Rolle bei den Unabhängigkeitsforderungen und -kämpfen dieser Länder nach dem Kriege gespielt.

Doch aufs Ganze gesehen war es der japanischen Militärmacht nicht gelungen, sich einen Rückhalt bei der Bevölkerung der besetzten Gebiete zu schaffen, wie beim Partisanenkampf der Vietnamesen und Philippinos seit 1942 deutlich wurde.

Überlegenheit der Amerikaner

Die Wende des Krieges wurde verursacht durch die technische und strategische Überlegenheit der Amerikaner, denen es fast immer gelang, den Geheimcode der Japaner zu entziffern, so daß sie im voraus über deren Absichten unterrichtet waren. Außerdem waren sie flexibler in der Kriegsführung und konnten sich schneller den Gegebenheiten anpassen. Das zeigte bereits die Schlacht bei den Midwayinseln im Sommer 1942, in der die Japaner fünf Flugzeugträger durch die amerikanischen Trägerflugzeuge verloren, ohne daß ihre elf Schlachtschiffe auch nur ein amerikanisches Kriegsschiff zu Gesicht bekommen hätten. Diese Einbußen haben die Japaner nie wieder aufholen können. Mit dem Verlust von drei weiteren Trägern gegen Ende des Jahres hatten sie die entscheidende Waffe des Seekrieges und damit den Krieg selbst verloren.

Die Niederlage

Wenn es auch noch nahezu drei Jahre dauern sollte, ehe Japan kapitulierte, so war der Ausgang des Krieges hier schon bestimmt. Die Amerikaner gewannen unter dem Riesenschirm ihrer Luftwaffe im Inselsprung einen Teil des Pazifik nach dem anderen zurück, bis sie

schließlich im Februar 1945 mit der Eroberung der Insel Iwo-jima einen riesigen Flugzeugträger in Besitz nahmen, von dem aus sie jeden Ort in Japan bombardieren konnten. Nach dem Gewinn Okinawas standen die Amerikaner unmittelbar vor den japanischen Inseln und konnten nun von hier und von den befreiten Gebieten in Nordchina aus ihre Terrorangriffe durchführen: im Mai wurden 24 000 Tonnen, im Juni 40 000 Tonnen Spreng- und Brandbomben über Japan abgeworfen, die Japan 600 000 Tote, 10 Millionen Obdachlose, 3 Millionen Wohnhäuser und die wichtigsten Produktionsstätten der Rüstungsindustrie kosteten.
Von der 10 Millionen Tonnen starken japanischen Handelsflotte waren 9,5 Millionen Tonnen versenkt, von der 2,2 Millionen Tonnen starken Kriegsmarine nur noch 0,2 Millionen Tonnen übrig.

„Bedingungslose Kapitulation“ gefordert

Angesichts der Tatsache, daß der europäische Krieg beendet war und die USA jetzt ihre gesamte Militärmaschinerie gegen Japan einsetzen konnten, versuchte die Regierung über Moskau, Friedensmöglichkeiten zu sondieren. Aber sie stieß immer wieder auf die für sie unannehmbare Forderung nach „unconditional surrender“.
Erst der **Atombombenabwurf auf Hiroshima,** der 120 000 Tote forderte, brachte die Regierung zur Annahme der amerikanischen Bedingungen, wenn nur die Einrichtung der Monarchie nicht angetastet würde. Gerade dies wurde aber nicht zugestanden.

Kapitulation nach der zweiten Atombombe

Die Kriegserklärung der UdSSR und deren rascher Vormarsch in der Mandschurei sowie der Abwurf einer zweiten Atombombe bewogen den Kaiser, nach langen Kabinettssitzungen ein Machtwort zu sprechen: er wolle seinem Volk ersparen, als Nation ausgelöscht zu werden, deshalb müsse Japan kapitulieren. Die Regierung beugte sich seinem Wort, und der Kaiser sprach den Aufruf zur Niederlage der Waffen auf Tonband, das am nächsten Tag über Rundfunk gesendet werden sollte.

Eine kleine Gruppe von Stabsoffizieren versuchte noch, das Tonband zu rauben und so eine Übertragung unmöglich zu machen. Sie wurden jedoch von einem älteren Offizier überzeugt, daß der Wille des Kaisers zu geschehen habe, und begingen auf der Stelle den rituellen Selbstmord (seppuku).

Am Morgen des 15. August 1945 ertönte überall dort, wo Japaner waren, die bisher noch nie gehörte Stimme des Kaisers aus dem Radio. Die Rede, im preziösen Stil der Hofsprache gehalten, wurde vom einfachen Mann in ihren Einzelheiten kaum verstanden, aber jeder begriff, daß der Krieg verloren und beendet war und man dem Kaiser zu gehorchen hatte.

Die wichtigsten Worte aus dieser Rede: „Die Kriegslage hat sich nicht unbedingt zu unserem Vorteil verändert ... Wir sind Uns über euer aller, Unserer Untertanen, innerste Gefühle völlig klar. Jedoch dem Befehl der Zeit und des Schicksals gehorchend, haben Wir Uns entschlossen, einem großen Frieden für alle kommenden Generationen den Weg zu bereiten, indem Wir das Unerträgliche ertragen und erdulden, was man nicht erdulden kann." Der letzte Satz wiederholt genau die Worte seines Großvaters, die dieser anläßlich der Intervention der drei Westmächte gegen die Bestimmungen des Friedens von Shimonoseki 1895 gebrauchte.

Der Kaiser hat mit seiner Entscheidung, selbst den Thron zu opfern, die Nation gerettet und so das Fundament bewahrt, von dem aus der Neuaufbau Japans sich später vollziehen konnte.
Am 2. September 1945 unterzeichnete die japanische Regierung an Bord des amerikanischen Schlachtschiffes „Missouri" die Kapitulationsurkunde. Damit ging alle Gewalt auf die amerikanische Besatzungsmacht über.

4. Wiederaufstieg nach dem Kriege

4.1 Besatzungsherrschaft und Reformen (1945–1948)

4.1.1 Kriegsverluste

Die Folgen des großasiatischen Traums

Der Traum von einem Großasien unter japanischer Führung war mit der Kapitulation Japans ausgeträumt.
Zurückgeblieben war ein Trümmerhaufen:
- 95 Großstädte und 21 Mittelstädte waren großenteils zerbombt, davon Nagasaki, Hiroshima, Yokohama und Kobe völlig, Tokyo und Osaka zu 80 Prozent. Die meisten Städte waren menschenleer und funktionsunfähig, ohne Lebensmittelversorgung und Verkehrsmittel.
- Die Industrie war weitgehend zerstört, die Handelsflotte versenkt.
- 3,1 Millionen Japaner waren umgekommen, 30 Prozent der Bevölkerung waren obdachlos.
- Das Verkehrs- und Transportsystem war völlig zusammengebrochen, die Bevölkerung hungerte.
- 4,6 Millionen Soldaten strömten aus den Okkupationsgebieten wieder in die Heimat zurück, mit ihnen 2 Millionen Auslandsjapaner, die aus den ehemals japanischen Gebieten ausgewiesen worden waren. Zusammen mit den 4 Millionen in Japan stationierten und ebenfalls entlassenen Soldaten ergab das 10 Millionen japanische Männer ohne Arbeit und Verdienst.

Gebietsverluste

- Dazu kam noch die sofortige Aufgabe von 312 000 qkm (wesentlich mehr als das gesamte Gebiet der BRD = 248 000 qkm) an Außenbesitzungen, die zum Teil seit 50 Jahren zum japanischen Wirtschafts- und Staatsbereich gehört hatten:

1. Korea, das neben Taiwan Japans wichtigster Reis- und Fischlieferant gewesen war, aus dem Japan Steinkohle und Wolfram bezogen hatte und das sein umfangreichster Absatzmarkt gewesen war,
2. Taiwan, das ein Drittel des japanischen Reisbedarfs gedeckt hatte sowie vier Fünftel seines Zuckerbedarfs und das alle seine Fertigwaren aus Japan importiert hatte,
3. Die Mandschurei mit ihren 40 Millionen Menschen als Absatzgebiet der japanischen Industrie und gleichzeitig als eines der bedeutendsten Schwerindustriezentren Japans,

4. Südsachalin mit seinen umfangreichen Kohlengruben und Zellstoffwerken,
5. die Inseln der Südsee, die eine Meeresfläche von 8 Millionen qkm umschlossen und ebenso unersetzliche Fischgründe darstellten wie
6. die Kurilen und das Ochotskische Meer, aus dem Japan bisher einen großen Teil seines Fischbedarfs gedeckt hatte.

Zusammenbruch der Wirtschaft

Diese Verluste allein hätten schon die japanische Wirtschaft zusammenbrechen lassen müssen. Hinzu kam jedoch noch, daß sich die japanische Wirtschaft auf Kriegsproduktion umgestellt hatte und infolgedessen fast alle Großbetriebe als Rüstungsbetriebe einem Produktionsverbot der Amerikaner bzw. der Demontage unterlagen.

4.1.2 Demokratisierung durch Gesellschaftsreform

Eingriffe in die Wirtschaftsstruktur

Die Amerikaner zerschlugen die Zaibatsu, die Konzerne, in denen sie zu Recht Förderer und Nutznießer des japanischen Imperialismus und Militarismus sahen. Die 14 größten Konzerne wurden aufgelöst, 100 weitere enteignet. Tausende von Wirtschaftsführern erhielten wegen Unterstützung der Kriegspolitik der kaiserlichen Regierung Arbeitsverbot. Damit schien den Amerikanern jede Gewähr gegen ein Wiederaufleben einer imperialistischen Wirtschaftspolitik durch Japan gegeben zu sein. Mit der Unterstützung der Klein- und Mittelbetriebe suchten sie ein demokratisches Bollwerk gegen alle marktbeherrschenden Kräfte aufzubauen. Diese Maßnahmen führten jedoch auch zu einer vollständigen Funktionsunfähigkeit der japanischen Industrie, da die Klein- und Mittelbetriebe bisher nur als Zulieferer der Großkonzerne gearbeitet hatten und ihnen jede Organisationserfahrung für die neue Aufgabe fehlte.

Dezentralisierung

Die Dezentralisierung der Wirtschaft erfolgte Hand in Hand mit der Dezentralisierung des Staates. Alle diese Maßnahmen wurden von der amerikanischen Besatzungsmacht angeordnet, die nach der Kapitulation die oberste Gewalt in Japan darstellte, auch wenn sie neben sich eine japanische Regierung amtieren ließ, die für die Aufrechterhaltung von Ruhe und Ordnung zu sorgen und in allen wichtigen Angelegenheiten den Beschlüssen des Oberkommandos zu folgen hatte. General Mac Arthur, als Oberkommandierender der alliierten Streitkräfte, glaubte, durch einen föderalistischen Aufbau Japans Impulse zur Demokratisierung geben zu können. So wurden überall selbständige Präfekturen eingerichtet, die sich selber verwalten sollten, alle Parteien wurden zugelassen und die Gewerkschaften ermutigt, sich ihre Rechte zu erkämpfen. Die Polizei wurde nach amerikanischem Vorbild ebenfalls rigoros dezentralisiert und der Befehlsgewalt der Zentralregierung entzogen.

Demilitarisierung

Neben der Dezentralisierung als dem einen vermeintlichen Weg der Demokratisierung erfolgte die Demilitarisierung als sichtbares Zeichen der Veränderung. Die Amerikaner beschränkten sich nicht darauf, die kaiserliche Armee zu demobilisieren, sondern zielten darauf

ab, den Militarismus selbst, der als Primat des Militärs über die Politik und als Übertragung militärischen Denkens auf das gesamte öffentliche Leben (Wirtschaft, Erziehungswesen etc.) wirksam gewesen war, von Grund auf zu zerstören.
Zu diesem Zweck wurden die Ministerien für Heer und Marine aufgelöst, alle Schwerindustrien auf ein Zehntel des Vorkriegsstandes reduziert, Luftfahrt und Handelsmarine verboten, wurden über 200 000 verdächtige Personen aus Regierung, Armee und Erziehungswesen entlassen, 5 000 Kriegsverbrecher verurteilt, davon 900 hingerichtet, unter ihnen 25 Hauptkriegsverbrecher.
Zur Demokratisierung gehörte jedoch nach Auffassung von General Mac Arthur und seiner Berater nicht nur die Bestrafung der Schuldigen, sondern vor allem die Gewinnung der Verführten, d. h. der Bauern, der Arbeiter und der Jugend.

Konstruktive Maßnahmen

Drei Maßnahmen sollten weiterhelfen:

1. eine **Landreform,**
2. eine **neue Arbeitsgesetzgebung** mit ausdrücklichem Recht zur gewerkschaftlichen Betätigung und
3. eine **Erziehungsreform.**

Die amerikanischen Reformer hatten ganz richtig erkannt, daß ohne eine radikale Änderung der Rechts- und Besitzverhältnisse vor allem im bäuerlichen Bereich keine grundlegende Änderung der Gesellschaft zu erreichen sei. Die Reformen der Meiji-Zeit hatten weitgehend nur eine Umverteilung der Macht innerhalb der privilegierten Schichten gebracht. Die Masse der Bevölkerung, die 1868 wie 1945 von den in der Landwirtschaft Tätigen gebildet wurde, hatte von keiner Reform profitiert. Das sollte nun radikal anders werden.

Radikale Reformer?

„Hier war eine Radikalität am Werke, die nur selten das amerikanische Denken oder Tun gekennzeichnet hat. Die USA, die gewöhnlich die Vertreter des Status quo auf der ganzen Welt zu sein scheinen, zeigten sich in Japan ganz offen als eine revolutionäre Macht. Es war eine überraschende Situation, die vielleicht nur erklärt werden kann durch zwei allgemeingültige Vorstellungen der Zeit, die aus der Kriegserfahrung entstanden waren: Die eine bestand darin, daß die Niederlage von Deutschland und Japan alle wesentlichen Probleme der Welt gelöst hatte und daß nun nur noch die Umerziehung der beiden Schuldigen notwendig war. Die andere bestand darin, daß Japan als Friedensbrecher durch und durch schlecht war und drastische Reformen benötigte. Ein weit verbreitetes Argument lautete: daß eine extreme Politik, die in der gesünderen Gesellschaft der USA weder wünschenswert noch gerechtfertigt erschien, notwendig war, um die schlimmsten Mißstände der japanischen Gesellschaft zu beseitigen." (Reischauer, a.a.O., S.120.)

Landreform

Der japanische Bauer, der während und nach den Meiji-Reformen immer mehr seine Selbständigkeit verloren hatte und zum bloßen Pächter herabgesunken war, der bis zu 60 Prozent seiner Ernte hatte abliefern müssen, wurde nun zum Herrn seiner selbst und des von ihm bearbeiteten Landes.

Die Großgrundbesitzer, die meist in den Städten wohnten, mußten alles nicht selbst bearbeitete Land, soweit es einen Hektar überstieg, gegen eine geringfügige Entschädigung dem Staat übereignen, der es dann zum gleichen Preise den bisherigen Pächtern übertrug. Die Höchstgrenze für selbstbewirtschafteten Grundbesitz wurde dabei auf 3 ha (Hokkaido 12 ha) festgesetzt.

Die Kleinheit der Ackerflächen erklärt sich aus der Geländebeschaffenheit, die den Terrassenanbau erzwingt, der nur kleine Reisparzellen ermöglicht.

So ergab sich eine bedeutende soziale Verschiebung auf dem Lande: Über zwei Millionen Hektar, d. h. fast ein Drittel der gesamten landwirtschaftlichen Nutzfläche, wurden auf diese Weise den bisher als Pächtern arbeitenden Bauern übergeben. Damit stieg der Anteil der selbständigen Bauern unter den in der Landwirtschaft Tätigen, der 1945 nur 31 Prozent betragen hatte, sprunghaft auf 70 Prozent an und erreichte 1965 sogar 80 Prozent. Die Pächter, die früher die Pacht in Naturalabgaben hatten abliefern müssen, wurden jetzt nur in angemessener Weise besteuert, was einen beträchtlichen Anreiz zur Mehrarbeit darstellte. Gleichzeitig wurden Produktionsgenossenschaften gegründet, über die der Staat dem einzelnen Bauern Kredite zu einem niedrigen Zinssatz gab, die im wesentlichen zur Anschaffung von Maschinen verwendet wurden. Diese Landreform, die gegen den hartnäckigen Widerstand der japanischen „Großgrundbesitzer" von den Amerikanern erzwungen wurde, hat die japanische Gesellschaftsstruktur ganz besonders nachhaltig verändert und gehört zu den eindrucksvollsten Leistungen der Reformer.

Gewerkschaften

Das Gegenstück zur Landreform war die Reform des Arbeitsrechts, wozu der Aufbau von Gewerkschaften gehörte, die ja seit den 30er Jahren in Japan verboten waren. Die Besatzungsmacht begünstigte mit allen Mitteln den Aufbau der Gewerkschaften, rehabilitierte die bisher gefangengehaltenen Gewerkschaftsmitglieder, zu denen auch eine Gruppe von Kommunisten gehörte, bis 1949 schließlich 6,5 Millionen Arbeiter sich gewerkschaftlich organisiert hatten (siehe 8.6.1). Die weiteren Versuche, eine Arbeitszeitbeschränkung, Sozialversorgung und stärkere Berücksichtigung der Arbeitnehmerrechte zu erreichen, konnten angesichts der katastrophalen Notlage am Arbeitsmarkt in einer nach wie vor privatkapitalistisch organisierten Wirtschaft nicht gelingen.

Bildungsreform

Um so mehr Erfolg konnten die Besatzer bei der Durchführung der Bildungsreform (siehe 7.4.2) buchen. Zunächst gelang die Trennung von Religion und Staat.

Dies kommt in der Neujahrsansprache des Kaisers zum Jahre 1946 zum Ausdruck, in der dieser selbst ganz eindeutig von der Vergöttlichung des Kaisers abrückt: „Die Beziehungen zwischen Uns und Unserem Volk gründeten sich seit je auf gegenseitiges Vertrauen und gegenseitige Zuneigung. Sie sind nicht von bloßen Legenden und Mythen abhängig. Sie kommen nicht von der falschen Vorstellung her, daß der Kaiser göttlicher Abstammung und daß das japanische Volk anderen Völkern rassisch überlegen und dazu bestimmt sei, die Welt zu beherrschen."

Damit war der Anfang der Re-education-Phase gegeben. Die Erziehung wurde von dem Ziel gelöst, einen jederzeit diensteifrigen, gehorsamen Staatsbürger heranzuziehen, der bereit ist, alles zu tun und zu erleiden für die Allmacht des Staates – sie erhielt hingegen das Ziel, den mündigen, sich selbst und der Gemeinschaft verantwortlichen Bürger heranzubilden. Aufgabe des Lehrers sollte es nicht mehr sein, zu vermitteln, was der Schüler denken soll, sondern wie er denken könnte.
Alle Lehrbücher wurden (ähnlich wie im besetzten Deutschland) umgeschrieben und jede Spur militärischen und nationalistischen Denkens daraus entfernt. Die alte Moralkunde, die eigentlich Erziehung zum Nationalismus gewesen war, wurde abgeschafft, Elternräte wurden gebildet, die beim Neuaufbau des Schulwesens mitbestimmen sollten. Das Schulsystem wurde wie die Verwaltung föderalisiert, um es so vor staatlicher Bevormundung zu bewahren, und das ganze Schulsystem nach dem Vorbild des amerikanischen aufgebaut.
Das alte Prinzip der Elitenauslese wurde nun durch das neue Prinzip der Breitenbildung abgelöst, womit die Voraussetzung für eine moderne, selbstbewußte Industriegesellschaft geschaffen wurde.
Hunderte von amerikanischen Professoren und Pädagogen halfen mit persönlichem Engagement bei der Durchführung dieser Reform, mit der sie verhindern wollten, daß je wieder eine Clique von machthungrigen Politikern und Militärs ein nur zum Gehorsam erzogenes Volk in einen neuen Weltkrieg führen könnte.

4.1.3 Die auferlegte Verfassung

Diese erste Phase der Besatzung, die man besser die „Zeit der Reformen" nennen sollte, erhielt ihre Krönung durch die Verfassung vom Mai 1947.

Besatzungsmacht setzt neue Verfassung durch

Die japanische Regierung hat zwar die Verfassung als ihr eigenes Werk veröffentlicht, aber es ist ein offenes Geheimnis, daß nur äußerster Druck des alliierten Oberkommandierenden sie zur Annahme der Verfassung geführt hat. Wenn man bedenkt, daß alle Nachkriegsregierungen und Parlamente bis 1947 sich im wesentlichen aus Politikern der Kriegs- und Vorkriegszeit zusammensetzten, die man zumindest als sehr konservativ bezeichnen muß, daß weiterhin die Struktur des Staates und der Gesellschaft noch unverändert und daß die Bürokratie die des kaiserlichen Staates geblieben war, so ist es leicht verständlich, daß eine solche für Japan revolutionäre Verfassung nur von der Besatzungsmacht durchgeführt werden konnte.

Kommunistischer Alternativentwurf

Von den Japanern selbst hätte man nur eine Neuauflage der Meiji-Konstitution erwarten können. Die einzige innenpolitische Alternative kam von der Kommunistischen Partei (KPJ), die einen Gesamtentwurf zu einer „Volksrepublik Japan" vorlegte, der allerdings auch ohne den Widerspruch der amerikanischen Besatzungsmacht keine Chancen gehabt hätte, angenommen zu werden. Dem stand neben dem eingefleischten Antikommunismus die enge Bindung der KPJ an die Sowjetunion entgegen. Gegenüber dieser gab es außerhalb der KPJ einmütige Ablehnung.

Die unprovozierte Wegnahme der Kurilen, Südsachalins, Nordkoreas und der Mandschurei, die Festhaltung von über einer Million Japanern in Sibirien ohne Begründung, die Unpopularität der KP-Funktionäre aufgrund ihrer so ganz unjapanischen Denk- und Sprechweise – all das ließ einen Vorschlag der KPJ ohne Chancen.

Inhalt der neuen Verfassung

So war die von den Amerikanern ausgearbeitete Verfassung das Bestmögliche zu dieser Zeit: Sie
- gestand den Japanern erstmals in ihrer Geschichte bürgerliche Grundrechte zu,
- unterstellte das Kabinett der Kontrolle des Parlaments,
- ersetzte das adlige Oberhaus durch einen Senat mit gewählten Mitgliedern,
- löste die Justiz von der Exekutive und verselbständigte sie,
- stärkte die Selbstverwaltung
- und hob vor allem das Recht zur Kriegführung und damit zur Bewaffnung auf.

Die politische Klugheit der amerikanischen Verfassungsväter zeigte sich darin, daß sie die Monarchie, die einen festen Rückhalt im Volke besaß, nicht zerstörten, sondern weiterhin bestehen ließen, wenn auch entmachtet und weitgehend nur mit den Rechten einer „Präsidialmonarchie".

4.1.4 Grenzen der Reformen

Reformen sollen Neuflage des Imperialismus verhindern

Es sollte jedoch nicht übersehen werden, daß alle Reformen zunächst darauf abzielten, einen Wiederaufstieg des japanischen Imperialismus und d. h. eine Bedrohung der USA durch Japan auf lange Zeit unmöglich zu machen.

Übertragung des amerikanischen Wirtschafts- und Gesellschaftsmodells

Inhaltlich entsprachen die Reformen den herrschenden amerikanischen Grundvorstellungen bzw. Postulaten über
- den Staat (z. B. Grundrechte, Dezentralisierung und Parteienkonkurrenz),
- die Wirtschaft (z. B. Privateigentum an Produktionsmitteln, freies Unternehmertum und – in diesem System – Gewerkschaften)
- und die Gesellschaft (z. B. ein Bildungssystem, das durch Breitenbildung die Voraussetzungen für das Funktionieren einer parlamentarischen Demokratie schaffen soll).

Diese Reformen waren bestimmt, Japan zu „liberalisieren", d. h. die nationalistischen, militaristischen und autoritären Strukturen zurückzudrängen und dafür das amerikanische Wirtschafts- und Gesellschaftsmodell auf Japan zu übertragen.
Anders als in den Besatzungszonen Westdeutschlands, wo sich ein

Den Japanern erschienen die Amerikaner als progressiv

Wettkampf zwischen sozialistischen und kapitalistischen Kräften entwickelte und sich ein kapitalistisches System erst allmählich und mit massiver Unterstützung der Besatzungsmächte bilden konnte, existierte in Japan aufgrund der Schwäche der sozialistischen Kräfte eine solche Alternative überhaupt nicht. So mußten die Amerikaner mit ihrer liberalen Demokratie den von einem autoritären Militärregime befreiten Japanern als Progressive erscheinen.

4.2 Die Restauration

Wandel amerikanischer Interessen

Die Lähmung der Großkonzerne, die Ausschaltung vieler vorheriger Wirtschaftsführer, die Zerstörung der Produktionsstätten und vor allem das Fehlen der wichtigsten Rohmaterialien führte zu einem Stagnieren der japanischen Wirtschaft, deren Produktivität selbst 1948 erst 35 Prozent der Vorkriegsleistung erreichte. So konnte das japanische Volk nur durch die Hilfeleistung der USA am Leben erhalten werden. Das kostete den amerikanischen Steuerzahler jährlich eine halbe Milliarde Dollar.

Gleichzeitig nahm der kalte Krieg immer bedrohlichere Formen an, und der heiße Krieg in China neigte sich einem schon voraussehbaren Sieg der Kommunisten zu. Daraus ergab sich die neue Einstellung der amerikanischen Regierung, die nunmehr im Kampf gegen den Kommunismus eines der Hauptziele ihrer Außenpolitik sah. An Reformen, wie den in Japan begonnenen, schien sie nicht mehr interessiert zu sein. Vielmehr kam es ihr jetzt darauf an, die am Rande der kommunistischen Machtzone gelegenen Länder politisch und wirtschaftlich so zu stärken, daß sie in der Lage wären, ein weiteres Vordringen des Kommunismus zu verhindern. Zu diesen Ländern gehörte neben Westdeutschland vor allem Japan, für das nun nach der Zeit der Reformen eine Periode des wirtschaftlichen Aufbaus beginnen sollte.

Mit den Unternehmern gegen die Gewerkschaften

Die Periode der Restauration begann bereits Ende 1948 mit der Einstellung aller Demontagen und dem Auftrag an die japanische Regierung, mit dem Wiederaufbau der japanischen Wirtschaft zu beginnen, um in naher Zukunft von amerikanischen Hilfslieferungen unabhängig zu werden. Dazu gehörten auch eine veränderte Haltung der an Unternehmerinteressen orientierten Regierung gegenüber den Gewerkschaften, die bisher von den Besatzungsbehörden ermuntert worden waren, alle Mittel, auch das des Streiks einzusetzen, um bessere Arbeitsbedingungen für ihre Mitglieder zu erreichen. Jetzt wurde ihnen aber, sowohl aus ökonomischen als auch aus politischen Gründen (Kommunistenfurcht), nahegelegt, Streiks und Demonstrationen zu vermeiden – der indirekte Druck reichte aus siehe 8.6.1). So zeigte sich schon hier, daß die Periode des Wiederaufbaus untrennbar verbunden war mit restaurativen Tendenzen, die vieles vom Werk der Reformer rückgängig machten.

Dabei wurde sichtbar, was man im Zuge der Reformen allzu leicht geneigt war zu vergessen: daß zwar das amerikanische Oberkommando die oberste Befehlsgewalt in Japan ausübte, daß es aber neben ihm – im Gegensatz zum besiegten Deutschland – eine japanische Regierung und eine voll funktionierende japanische Bürokratie gab und daß keine einzige Maßnahme der Besatzungsbehörden als direkter Befehl an das japanische Volk ging, sondern alle Befehle als Empfehlungen der japanischen Regierung zugeleitet wurden, die dann ihrerseits alle notwendigen Schritte ergriff, um diese Empfehlungen als Gesetze oder Verordnungen der japanischen Regierung zu verwirklichen (so auch bei der Verabschiedung der Verfassung). Natürlich war die Regierung in vielen Fällen von untergeordneter Bedeutung auch selbst weisungsberechtigt.

Begrenzte Selbständigkeit der japanischen Bürokratie

Dies mag dazu beigetragen haben, daß es keinen Widerstand gegen die Anordnungen der Besatzungsmacht gegeben hat. Es hatte aber auch zu einer gewissen Verselbständigung von Regierung und Verwaltung geführt, die den amerikanischen Reformern zunächst begrüßenswert erschien, mit der sie jetzt aber in ungewohnter Weise zu rechnen hatten.

Wiedererwachendes Nationalgefühl

In den wenigen Jahren der Nachkriegszeit hatte sich nach der Verzweiflung und Verwirrung bei Kriegsende langsam ein erwachendes Selbstbewußtsein und eine kritische Haltung gegenüber der Besatzungsmacht in Japan entwickelt.

„Man hatte bemerkt, daß nicht alles Japanische nur deshalb schlecht war, weil es japanisch war und nicht alles, was die Amerikaner versuchten, sehr vernünftig war." (Reischauer, a. a. O., S. 225 f.). So kritisierte man die Lebensweise der Amerikaner, deren Nachahmung durch die eigene Jugend, man schimpfte auf ihre Privilegien und wunderte sich über ihren Mangel an Bildung und Wissen und über ihre schlechten Manieren.

Restauration der Wirtschaft

Man wagte es nun auch wieder, den Amerikanern selbst Hinweise zu geben, beispielsweise wie die Wirtschaft am besten wieder in Gang zu bringen sei. Das hatte zur Folge, daß die nur langsam anlaufende Kampagne zur Dekonzentration der Wirtschaft eingestellt wurde und alte Konzerne wie Mitsui, Mutsubishi, Sumitomo und andere wiedererstanden, die heute zusammen über 40 Prozent der Großindustrie beherrschen. Zwar waren die besitzenden Familien enteignet worden, aber die Großbanken, die man hatte bestehen lassen, traten nun an ihren Platz und übernahmen das Management. So wurden von den insgesamt 325 Unternehmen in Industrie und Handel, die unter das Auflösungsgesetz fielen, definitiv nur 18 aufgelöst. Gleichzeitig wurden die bei der „Säuberung" der Nachkriegszeit entlassenen Wirtschaftsfachleute (einige Zehntausend) wieder eingestellt.
Der Erfolg ließ nicht lange auf sich warten: setzt man das Jahr 1935 als Ausgangsjahr für einen Vergleich der Leistungen in Bergbau und Maschinenindustrie mit 100 an, so ergibt sich für 1946 ein Produktionsindex von 24, für 1950 aber bereits einer von 73.

Eine Abwertung des Yen (1 Dollar = 360 Yen) durch die Regierung, die ihre Ausgaben nur durch immer neue Bankkredite decken konnte, hatte eine ähnliche Wirkung auf die Produktivität wie die Währungsreform in Deutschland – aber das Defizit der Regierung stieg dennoch bei steigenden Ausgaben zu gefährlicher Höhe an.

Koreaboom

Der Beginn des Koreakrieges im Juni 1950 beseitigte mit einem Schlage alle finanziellen Nöte. Japan selbst wurde zur Nachschubbasis für die militärischen Operationen, die japanische Wirtschaft wurde zum Zulieferanten der amerikanischen Armee. Die ehemalige Kriegsindustrie, die sich auf die Produktion von Haushaltsgegenständen und Motorrollern umgestellt hatte, erzeugte wieder Kriegsgüter. Die Eisenbahnen, die die GIs zu den Nachschubhäfen transportierten, wurden in Dollars bezahlt, die GI-Urlauber brachten hunderte Millionen von Dollars ins Land. Die japanische Industrie produzierte pausenlos und verdiente genauso wie die deutsche am Koreakrieg.

Wiederbewaffnung

Die Restauration wurde zu einer Rehabilitation, als Mac Arthur alle verfügbaren Einheiten nach Korea werfen mußte und deshalb die japanische Regierung bat, eine nationale Polizeireserve von 75 000 Mann aufzustellen. Das war die Geburtsstunde der japanischen Selbstverteidigungsstreitkräfte, die heute – in eindeutiger Verletzung des Artikels 9 der japanischen Verfassung – eine modern ausgerüstete Armee, Marine und Luftwaffe von über 300 000 Mann umfassen (siehe 9.1.8). Zum Aufbau der Polizeistreitkräfte wurden viele ehemalige Offiziere der kaiserlichen Armee benötigt, und so begann die Rehabilitierung der „Mitläufer und Kriegsverbrecher", von denen alle 10 900, die noch in Gefängnissen saßen, wieder freigelassen und mit wichtigen politischen, militärischen und wirtschaftlichen Aufgaben betraut wurden.

Unterdrückung der Kommunisten

Gleichzeitig entfernte man alle Kommunisten aus öffentlichen Ämtern und verbot die kommunistische Parteizeitung, d. h., die Vorkriegszustände schienen mit Hilfe der Amerikaner vollständig wiederhergestellt zu werden. Daß dies jedoch nicht eintrat, ist den Auswirkungen der „Demokratisierung" zu verdanken, die vor allem den japanischen Intellektuellen ein klares Bewußtsein ihrer demokratischen Rechte vermittelt hatte, in dessen Namen sie nun gegen die Verfolgung einer politischen Partei protestierten.

Friedensvertrag 1951

Als abzusehen war, daß die UdSSR nicht bereit war, den vorbereiteten Friedensvertrag mit Japan abzuschließen, beendeten die USA und 47 andere ehemalige Feindstaaten am 8. 9. 1951 in San Francisco den Kriegszustand durch Unterzeichnung eines Friedensvertrages.

Mit diesem Friedensvertrag war allerdings (wie mit dem Deutschlandvertrag) ein Sicherheitsvertrag verbunden, der den USA ständige Stützpunkte in Japan einräumte und Japan verpflichtete, „in steigendem Maße selbst die Verantwortung für seine Verteidigung zu übernehmen" (was im Widerspruch zu Artikel 9 der Verfassung steht). Die amerikanischen Truppen erhielten (wie in Deutschland) ein Notstandsrecht, und gleichzeitig verpflichtete sich die japanische Regierung, niemals fremden Truppen auf seinem Territorium Stützpunkte zu überlassen.

Restauration der alten Formen

Die Polizeireserve wurde in „Selbstverteidigungsstreitkräfte" umbenannt und von den Amerikanern mit Panzern und Kriegsschiffen ausgerüstet. Die Rangabzeichen, die vorher den Jugendgruppen entliehen waren, glichen sich wieder denen der alten kaiserlichen Armee an. Hatte bisher als Wahrzeichen der Streitkräfte die Taube gedient, so wurde sie nun durch den Adler ersetzt. Das Verteidigungsamt bezog den modernsten und repräsentativsten Neubau in Tokyo.
Aber noch andere Ziele der Restauration wurden sichtbar:

- Der Kaiser wurde wieder in den Mittelpunkt des Interesses gerückt, Verlautbarungen aus dem Kaiserhause erschienen in der Presse,
- der Shinto schien wieder seine alte Position im Denken und Fühlen der Japaner einzunehmen: der Meiji-Schrein, ein Symbol für die Verbindung von Kaisertum und Shinto-Glauben, wurde wiederum das Ziel von Millionen von Besuchern.

Latenter Antiamerikanismus ...

Am 28. 4. 1952 trat der Friedensvertrag von San Francisco in Kraft, und am 1. Mai 1952 wurde in Japan die wiedergewonnene Souveränität verkündet. Hunderttausende von Japanern zogen jubelnd zum Kaiserpalast, dabei stießen sie amerikanische Wagen um und setzten sie in Brand. Die Amerikaner waren zutiefst betroffen, daß ein Volk, dem sie die Unabhängigkeit zurückgegeben hatten, seine Abneigung gegen sie auf diese drastische Weise ausdrückte. Die bescheidenen, höflichen und disziplinierten Japaner zeigten auf einmal ein Gesicht, das die Amerikaner nur im Kriege gesehen und das sie schon längst vergessen hatten.

und Amerikabewunderung

Der latente Antiamerikanismus, der sich hier entlud, war nach Jahren der Besatzungsherrschaft verständlich; ihm stand aber auch eine offene Amerikabewunderung, vor allem unter den Studenten, Technikern und Wirtschaftlern gegenüber. Der Einfluß Amerikas und damit des Westens war jedenfalls so stark, daß er sich den restaurativen Tendenzen entgegenstellen konnte. So führte die Restauration zwar zur Wiederherstellung des Nationalstaates und zur Wiederbelebung alter Einrichtungen und Werte – die konservativ-militärische Herrschaftsstruktur schien aber endgültig einer liberal-kapitalistischen Platz gemacht zu haben. Eine neue Rationalität hatte das mythische Denken abgelöst, westliches Konsumverhalten die lange Zeit erzwungene Askese, das Bewußtsein des eigenen Wertes die Untertanengesinnung.

Wiedereintritt in die Weltpolitik

Ein verändertes Japan strebte danach, einen ihm zukommenden Platz in einer veränderten Welt einzunehmen, was ihm auch recht bald gelingen sollte: Bereits 1956 wurde Japan Mitglied der UNO, kurz darauf sogar Mitglied des Sicherheitsrates. Seinen wirklichen Platz in der Welt sollte es jedoch erst in den 70er Jahren finden, als es zur drittgrößten Industriemacht der Welt aufgestiegen war.

ZWEITER TEIL

Das heutige Japan

5. Natur

5.1 Land und Landschaftsgliederung

Eine Inselgruppe

Japan oder Nippon ist die Sammelbezeichnung für einen Territorialverband, der aus den vier Hauptinseln **Hokkaido, Honshu, Shikoku, Kyushu** und mehr als 3000 kleineren Inseln besteht.
Diese Inselgruppe zieht sich in einem langgeschwungenen Bogen über 2400 km (mit den Ryukyus 3800 km) von Sachalin im Norden bis nach Taiwan im Südwesten vor der Ostküste des asiatischen Festlandes hin. Die **Gesamtfläche** des Inselreiches beträgt 377000 qkm, d. h. etwas mehr als BRD und DDR. Der nördlichste Punkt in Japan liegt etwa bei 45 Grad nördlicher Breite und der südlichste Ausläufer (der Ryukyu-Inseln) bei 25 Grad (BRD von 55 Grad bis 48 Grad nördlicher Breite).
Die japanischen Inseln sind geologisch nichts anderes als die Gipfelregionen mehrerer Gebirgsketten, deren Spitzen über 3000 m hoch aus dem Meer aufragen. Dabei handelt es sich im wesentlichen um zwei große Gebirgszüge, von denen der eine sich von Norden über Sachalin, Hokkaido und Nordhonshu nach Süden bis auf die Höhe von Tokyo erstreckt, während der andere von Westen über Taiwan, die Ryukyus und Kyushu bis nach Zentralhonshu streicht.

Vulkanismus und Erdbeben

Dort, wo sich beide Gebirgssysteme begegnen, im Zentrum der Hauptinsel Honshu, ist ein Grabenbruch, die Fossa Magna, entstanden, durch den Nordostjapan von Südwestjapan getrennt wird. In diesem Grabenbruch ist die Vulkantätigkeit besonders lebhaft, wie die häufigen größeren und kleineren Erdbeben in diesem Raum, die vielen heißen Quellen und die Existenz des höchsten Vulkankegels und Nationalheiligtums, des Fuji-san (3776 m), dort beweisen.

Die Bebenanfälligkeit der Hauptinsel hat ihre Ursache einmal in der komplizierten geologischen Struktur der Insel mit der Fossa Magna als einem Hauptgefahrenpunkt und andererseits in der Tatsache, daß parallel zu den beiden Gebirgszügen, die den Grundstock der Inselkette darstellen, sich ein großer Tiefseegraben im Pazifik erstreckt. Schon wenige Kilometer östlich von Tokyo sinkt der Meeresboden steil ab und erreicht nach 200 km im Japangraben eine Tiefe von über 9000 Metern. Der schmale „Landsockel", auf dem die Oberfläche der japanischen Inseln ruht, kann bei tektonischen Beben, von denen in Japan pro Jahr mehr als 1000 zu spüren sind, keine große Stabilität verbürgen. Der Druck der gewaltigen Gebirgsmassen auf den nach Osten steil abfallenden Sockel verstärkt noch die Bebenempfindlichkeit des Landes und bedeutet eine ständige Gefährdung vor allem der stark besiedelten Ostküste. Das letzte große Erdbeben, das Tokyo und Yokohama fast völlig zerstörte und 150000 Menschenleben kostete, traf Japan erst vor knapp 50 Jahren.

Oberflächengestalt der japanischen Inseln
(Abbildung 7)

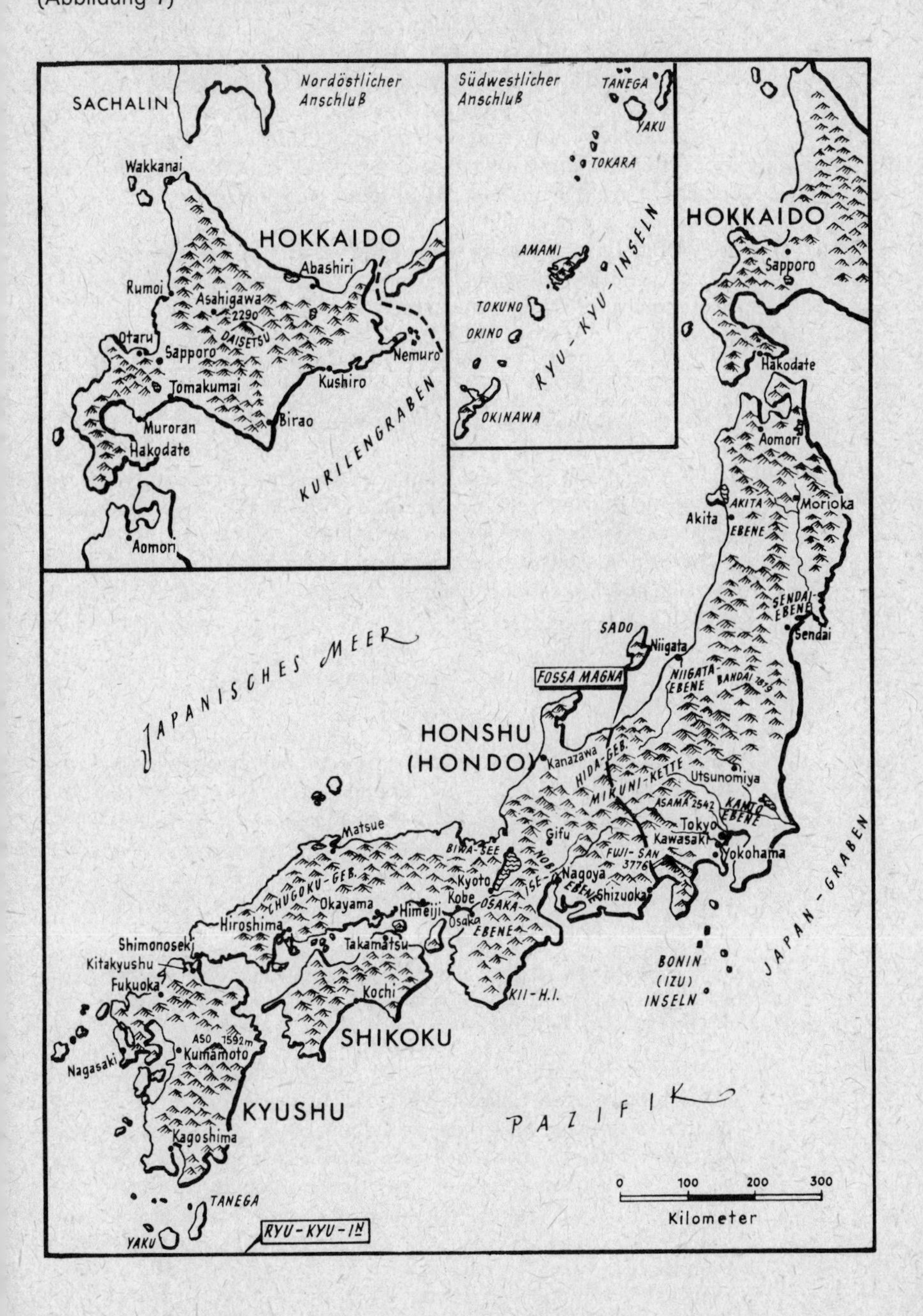

Landschaftsform

Die Gebirge sind die beherrschende Form der japanischen Landschaft. Von der gesamten Oberfläche Japans sind vier Fünftel von Gebirgen bedeckt, so daß für Siedlung und Fruchtanbau nur die wenigen alluvialen Aufschüttungsflächen am Unterlauf der Flüsse und die 30 bis 200 m hohen diluvialen Terrassen zur Verfügung stehen. Weiter im Inneren des Landes liegen Becken, die im Laufe der Jahrtausende durch quartären Schwemmsand aufgefüllt wurden. Nur diese Ebenen und Becken sind die eigentlichen Siedlungs- und Anbaugebiete, die insgesamt nicht mehr als 62000 qkm, also knapp 17 Prozent der Gesamtfläche umfassen.
Die größten dieser Ebenen, von denen nur 16 einen größeren Umfang als 1000 qkm haben, sind gleichzeitig Gebiete größter Bevölkerungsdichte und Zentren von Industrie, Verwaltung und Handel:

- Die Kanto-Ebene an der Tokyo-Bucht (13200 qkm),
- die Nobi- und Ise-Ebene mit Nagoya (über 3000 qkm),
- die Osaka-Ebene mit dem Kyoto-Becken (1300 qkm) und
- die Niigata-Ebene an der Japansee (2000 qkm).

Mangel an Bodenschätzen

Zu dem Mangel an Anbau- und Siedlungsfläche kommt noch der Mangel an Bodenschätzen; nur Kupfer, Zink und Schwefel gibt es in größeren Mengen; Kohle ist zwar reichlich vorhanden, aber nur in schlechter Qualität, die industriell schwer zu verwerten ist; alle anderen Rohstoffvorkommen können nur einen Bruchteil des Bedarfs decken.

5.2 Klima

Das Klima in Japan ist weder rein tropisch noch subtropisch, sondern weitgehend gemäßigt. Auf dem langen Inselbogen von 2600 km Ausdehnung variiert das Klima verständlicherweise von „sibirischer Kälte“ in Hokkaido und Nordwestjapan bis zu „tropischer Hitze“ in Südkyushu.

Verschiedenartige Einflüsse

Diese krassen Unterschiede ergeben sich jedoch nicht nur aus der Nord–Süd-ausdehnung Japans, sondern auch aus dem Einfluß der Japan umfließenden Meeresströmungen, aus seiner Lage zwischen dem asiatischen Kontinent und dem Pazifik mit den verschiedenen Monsunwinden und schließlich aus der Aufgliederung des Landes durch die Gebirgszüge.

Bedeutung der Ostküste

Nur an der klimatisch begünstigten pazifischen Seite liegen die großen Kulturstätten, Hauptstädte und Industriezentren. Hier, zwischen Tokyo und Kyushu, verlaufen die Lebensadern dieses Inselreiches: die Schiffahrts-, Flug- und Eisenbahnlinien, die Autobahnen und großen Überlandstraßen; hier liegt der Städtegürtel mit den weltberühmten Namen (Tokyo, Yokohama, Nagoya, Osaka, Kyoto, Hiroshima, Nagasaki) und mit über 70 Prozent der gesamten Wohnbevölkerung Japans.

Doch auch diese Sonnenseite Japans hat ihre Schattenseiten: Bei Erdbeben im Pazifik entstehen Seebeben, die als 10 bis 15 m hohe Flutwellen die Ostküste erreichen und dort schon viele Häfen verwüstet haben.

Seebeben

Eine weitere Gefährdung der Ostküste ergibt sich durch die aus dem südchinesischen Meer alljährlich im Spätsommer und Herbst über Japan hereinbrechenden Taifune.

Taifune

5.3 Natur und Gesellschaft

Geographische Lage, geologische Struktur und das Klima haben so in besonderem Maße auf das Verhalten des Japaners eingewirkt: Die Abgeschlossenheit des Landes förderte

- bei aller kontinentalen Beeinflussung die Entwicklung einer eigenständigen, kaum jemals durch Fremdinvasionen gestörten Kultur
- und, nach Abschließung des Landes gegen die Fremden, ein Bewußtsein der Auserwähltheit und Einzigartigkeit des eigenen Volkes.

Eigenständige Kultur und Bewußtsein der Einzigartigkeit

Ihrer Abhängigkeit von der Natur (Sommermonsun mit dem zur Reisauspflanzung notwendigen Regen, Erdbeben und Taifune) bewußt, verehrten die Japaner besonders die Naturkräfte und entwickelten eine Naturbeschwörungsreligion, den Shintoismus, der auch nach der Einführung des Buddhismus nichts von seiner Kraft einbüßte. Die Verehrung der Sonne und der Ahnen ließ einen Mythos entstehen, der

- das Inselreich selbst als göttlichen Ursprungs deutete
- sowie den Kaiser als Abkömmling der Sonnengöttin und Ahnherrn aller Japaner nahezu vergöttlichte
- und so eine hierarchische Ordnung mitzubegründen half.

Verehrung der Naturkräfte – Shintoismus

Das Klima mit seiner ausgeprägten Winterperiode zwang zu systematischer Vorratswirtschaft, der Mangel an nutzbarem Land zu äußerstem Energieaufwand und zur Intensivierung der Landwirtschaft. Die meist durch die Gebirgsform vorgegebene Zersplitterung des Ackerlandes in Kleinstparzellen führte zu einer Härte des Daseinskampfes, der planvolle Arbeit mit kontinuierlichem Fleiß nicht als besondere Tugenden erscheinen ließ, sondern als Mittel zum Überleben erzwang.

Auch wirtschaftliches Verhalten durch Natur mitgeprägt

Zähigkeit, Fleiß, Umsicht und Disziplin in der Arbeit, Sparsamkeit und Einfachheit in der Lebensführung wie in der Kunst und betonter Nationalstolz als Außenhaltung – das sind Eigenschaften des Japaners, deren Entwicklung durch die natürlichen Gegebenheiten der Umwelt gefördert wurde.

6. Bevölkerung

6.1 Bevölkerungsentwicklung

Phasen der Bevölkerungsentwicklung

Die Bevölkerungszahl war in der Tokugawazeit ziemlich konstant geblieben, d. h. es gab eine Stagnation, die sich wahrscheinlich aus dem staatlich verordneten Immobilismus erklären läßt.
Die Öffnung des Landes im 19. Jahrhundert (siehe 1.6) und, noch mehr, die Befreiung der Bevölkerung von Berufs- und Wohnzwängen durch die Meiji-Reformen (siehe 2.1) wirkten explosionsartig auf den Bevölkerungsanstieg, der durch die beginnende Industrialisierung noch verstärkt wurde.
In der Zeit der Weltwirtschaftskrise verringerte sich die Zuwachsrate stark, in der Kriegszeit fiel sie fast auf Null.
Der berühmte „Babyboom" der ersten Nachkriegsjahre, erklärlich durch die Rückkehr der Männer von allen Kriegsschauplätzen, wich sehr bald, mit Beginn der Prosperität, einer sorgsamen Familienplanung, die eines der geburtenfreudigsten Länder der Welt auf eine Zuwachsrate brachte, die sich nicht wesentlich von der westeuropäischer Nationen unterscheidet.

Tabelle 1: **Bevölkerungszuwachs**

Jahr	Bevölkerung in 1000	jährlicher Zuwachs je 1000 Einwohner	Einwohner je qkm
1750	25 000	?	?
1847	27 000	(3,0)	?
1872	34 806	6,5	91
1900	43 847	9,5	115
1925	59 737	13,1	157
1930	64 450	15,3	169
1935	69 254	14,5	181
1940	71 933	7,6	188
1945	71 998	1,8	195
1950	84 115	(29,3)	227
1955	90 077	13,8	242
1960	94 302	9,2	254
1965	99 209	10,2	267
1970	104 665	10,8	281
1971	105 959	12,4	284
1972			
1973			

An der Spitze der überbevölkerten Großstaaten

Mit 107,4 Millionen Einwohnern Ende 1972 ist Japan nach Bevölkerungszahl das sechstgrößte Land der Welt. Seiner Ausdehnung nach steht es jedoch erst an 50. Stelle. Dieses Mißverhältnis zwischen Bewohnern und Fläche ist das eigentliche Problem Japans: Etwa 288 Menschen drängen sich auf einem Quadratkilometer. Japan ist eines der am dichtesten besiedelten unter den größeren Ländern der Erde, nur noch übertroffen von den Niederlanden, Taiwan, Belgien und Südkorea.

Rechnet man die Bevölkerungszahl jedoch nicht auf das Gesamtterritorium um, sondern – wirklichkeitsangemessener – nur auf die landwirtschaftlich nutzbare und besiedlungsfähige Fläche (17 Prozent des japanischen Bodens), so steht Japan mit Abstand an der Spitze der übervölkerten größeren Länder.

Einwohner je qkm landwirtschaftlich nutzbarer Fläche

Japan 1970: 1685 Belgien 1969: 595 BRD 1970: 456

6.2 Bevölkerungsbewegung

Wenig Auswanderer

Daß die Bevölkerung bei beginnender Industrialisierung ungewöhnlich rasch zunimmt, ist eine Erfahrung aller Industrienationen. Für die meisten von ihnen minderte sich der Bevölkerungsdruck durch die Auswanderung größerer Volksteile. Bezeichnenderweise wählten die Japaner diese Lösung nicht, selbst nicht in der Zeit der absoluten politischen und militärischen Vorherrschaft Japans auf dem Kontinent und in Formosa. So wurden 1945 auch nur zwei Millionen Übersee-Japaner aus ganz Ost- und Südostasien nach Japan zurückgeführt.
Die Ursache für dieses ungewöhnliche Verhalten mag einmal die Ablehnung des härteren Klimas auf dem Kontinent gewesen sein, vor allem aber die Mentalität des Japaners, der über Jahrhunderte hinweg gezwungen war, auf seiner Insel, ja sogar an seinem Wohnort zu bleiben und sich ein Leben außerhalb seiner Gruppe und unter anderen Bedingungen als den gewohnten gar nicht vorstellen konnte. Außerdem stand die Sprachbarriere als schwer überwindliches Hindernis zwischen ihm und den Bewohnern eines fremden Landes. So kam es also zu keinen nennenswerten Auswanderungsströmen.

Binnenwanderung

Um so bedeutender wurde die Binnenwanderung, vor allem nach dem Kriege. Gab es auch im Kriege und unmittelbar nach dem Kriege eine Stadtflucht, so nahm die schon seit 1900 in Gang befindliche Landflucht immer stärker zu: die Landbevölkerung wanderte zur Industrie, d. h. in die Städte mit den höheren Löhnen und den angenehmeren Lebensbedingungen, ab. Heute leben nur noch 25 Prozent der Bevölkerung auf dem Lande. Diese Wanderungsbewegung läßt sich nicht mehr aus dem unerträglichen Bevölkerungsdruck in den Bauerndörfern erklären, der in der ersten Hälfte des Jahrhunderts zur Abwanderung in die Stadt geführt hatte. Heute, bei allgemein durchgeführter Familienplanung, ist es mehr die Anziehungskraft der Stadt mit mehr Freizeitmöglichkeiten, besseren Heiratschancen, die zur Landflucht führt.

Konzentration der Bevölkerung in den Großstädten

Doch die Wanderungsbewegung findet nicht nur in der Landflucht ihren Ausdruck, sondern ebenso in einer städtischen Bevölkerungsverschiebung, die zu einer Konzentration der Bevölkerung in den Großstädten führt.

Millionenstädte
(Einwohnerzahl im November 1972 in Millionen)

Tokyo:	8,80	Yokohama:	2,44	Kobe:	1,33
(mit Vorstädten:	11,9)	Nagoya:	2,07	Kitakyushu:	1,05
Osaka:	2,89	Kyoto:	1,43	Sapporo:	1,01

Städte zwischen 500000 und einer Million Einwohnern scheinen die größte Anziehungskraft zu besitzen, Gemeinden unter 30000 Einwohnern werden langsam zu Geistersiedlungen. Wenn man bedenkt, daß von den insgesamt 3300 japanischen Gemeinden über 2500 zu dieser letztgenannten Gruppe gehören, so werden Ausmaß und Gefahr dieser Bewegung sichtbar, die zu einer Entvölkerung ganzer Gebiete führen kann. Andererseits kommt es zu einer Konzentration großer Bevölkerungsteile in Ballungsgebieten, ohne daß gleichzeitig für ausreichende Arbeits-, Wohn- und Transportmöglichkeiten gesorgt werden kann. Erst die Regierung Tanaka versucht hier Abhilfe zu schaffen: sie hat eine neue „Behörde für die Umgestaltung Japans" geschaffen, die die in Tanakas Buch „Die Reorganisation des japanischen Archipels" ausgesprochenen Ideen verwirklichen soll.

Bevölkerungsverteilung

Ballungsgebiete hat es in Japan schon immer gegeben, da infolge der besonderen Oberflächengestalt der Inseln nur wenige Ebenen und Becken zur Besiedlung zur Verfügung standen. Bereits in der Tokugawazeit hatten sich die auch heute noch entscheidenden Zentren Japans herausgebildet mit Kyoto als Kultur-, Osaka als Handels- und Tokyo als Regierungszentrum. Heute lebt über die Hälfte der Gesamtbevölkerung (55 Millionen) in den drei großen Küstenebenen Honshus, die weniger als 5 Prozent der Gesamtfläche ausmachen:

- In der Kanto-Ebene mit ihrem nahezu geschlossenen Siedlungsraum der Industrie- und Verwaltungszentren Chiba-Tokyo-Kawasaki-Yokohama über 30 Millionen,
- in der Osaka-Ebene und dem Kyotobecken im Städtedreieck Kobe–Osaka–Kyoto über 15 Millionen
- und in der Verbindung der Nobi- und Ise-Ebene mit Nagoya als Mittelpunkt mehr als 5 Millionen Menschen.

Zum Vergleich: Im Ruhrgebiet wohnen heute 5 Millionen Menschen auf einer Fläche von etwa 5000 qkm, d. h. 1000 Einwohner je qkm. In der Kanto-Ebene hingegen drängen sich heute 30 Millionen Menschen auf 13200 qkm zusammen, das ergibt fast 2300 Einwohner je qkm, also eine mehr als doppelt so große Dichte.

Diese Ballungsräume bestimmen das Schicksal ganz Japans: Sie sind heute genauso wie in der Vergangenheit die administrativen, wirtschaftlichen und kulturellen Zentren des Landes.

Bevölkerungsverschiebungen
(Abbildung 8)

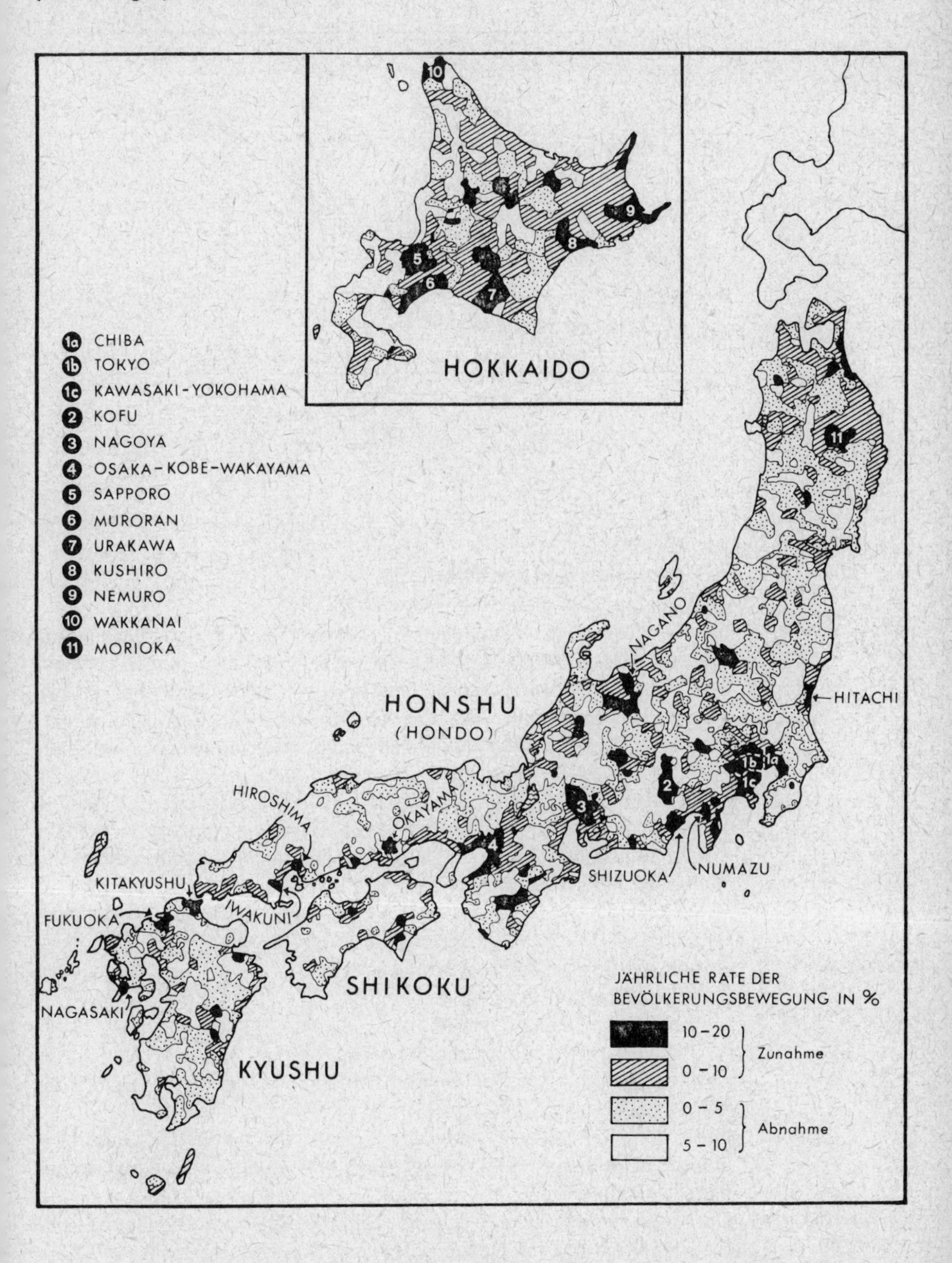

Überblick über die Bevölkerungsbewegungen von 1920 bis 1970
(Abbildung 9)

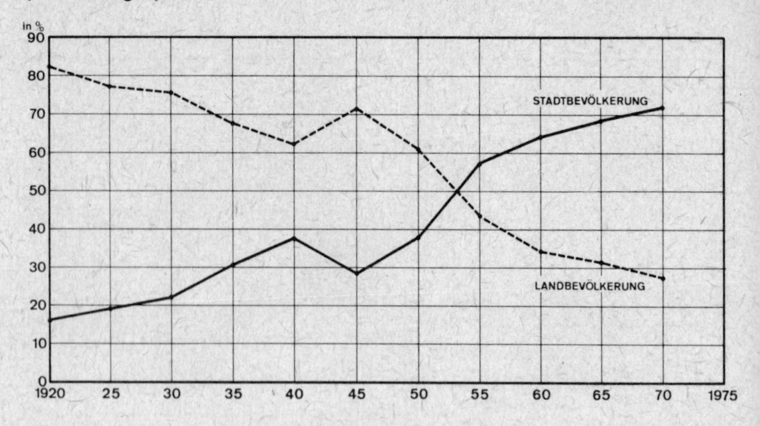

6.3 Bevölkerungspolitik

Bevölkerungspolitik setzt erst spät ein

Eine Bevölkerungspolitik hat es in Japan erst in jüngster Zeit gegeben. Bis zum 20. Jahrhundert führte die Bevölkerung, in dieser Hinsicht durch keine religiösen Tabus behindert, weniger eine Geburtenkontrolle als eine Familienplanung durch, d. h. in Notzeiten wurde das „Reisjäten", wie man das Aussetzen der überflüssigen oder schwächlichen Neugeborenen nannte, praktiziert.

Am Ende der Meiji-Zeit begann die Geburtenzahl zu steigen, bis sie 1930 mit 32 Lebendgeburten pro 1 000 Einwohnern ihren Höhepunkt erreichte. Weltwirtschaftskrise und kriegerische Abenteuer führten wieder zu einer drastischen Senkung der Geburtenziffer (siehe 6.1). Erst jetzt griff die Regierung ein, da sie mehr Soldaten und Arbeiter brauchte: Sie

Geburtenanreiz

- gab Kinderprämien und Mutterschutz,
- senkte das Heiratsalter beträchtlich,
- führte eine „Ledigensteuer" ein
- und verbot Verhütungsmittel.

Sehr großen Erfolg scheinen die Maßnahmen jedoch nicht gehabt zu haben (siehe 6.1).

Nach dem Kriege war eines der größten Probleme der Geburtenüberschuß in einem verkleinerten Land ohne ausreichende Nahrungsmittel und Rohstoffe.

Familienplanungsprogramm

Die Regierung wandte sich der Aufgabe der Familienplanung und Geburtenkontrolle mit Nachdruck zu: die Zuwachsrate sank innerhalb

Bevölkerungsdichte
(Abbildung 10)

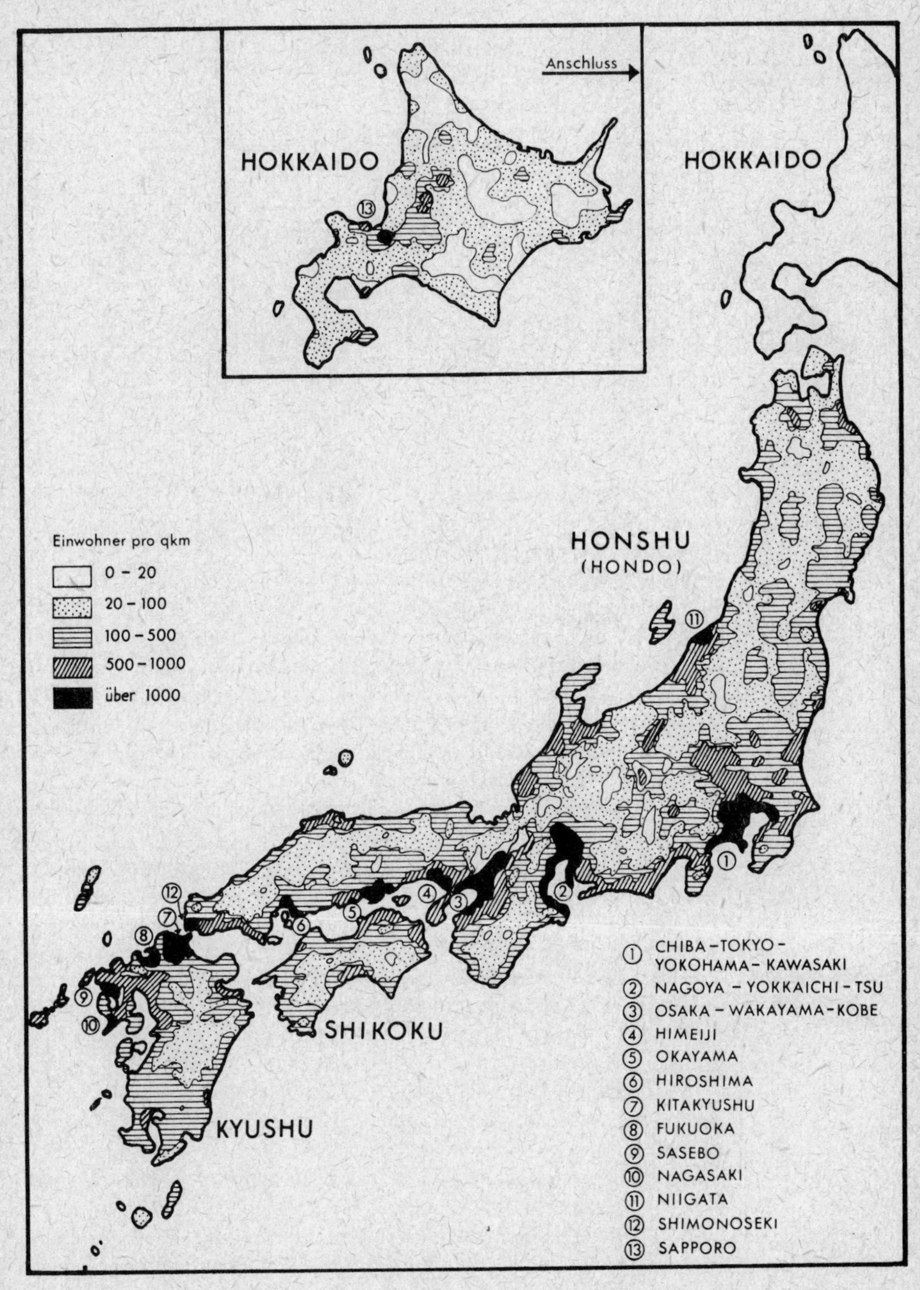

Bevölkerungsaufbau Japans
(Abbildung 11)

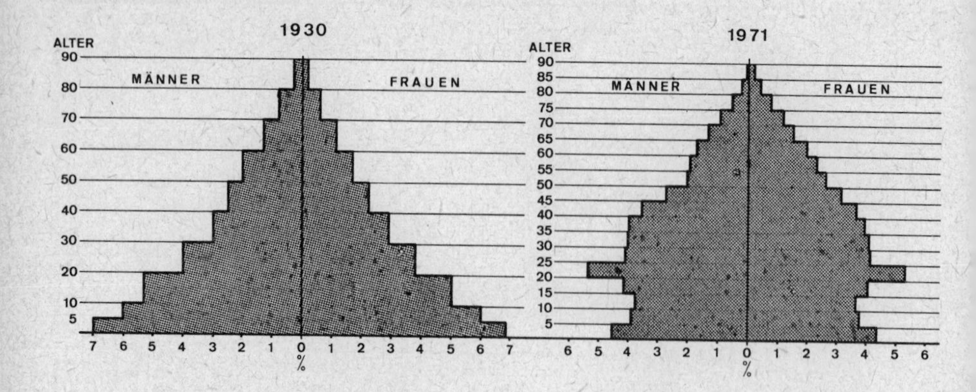

von fünf Jahren von 29,3 pro Tausend auf 13,9 pro Tausend und scheint sich heute bei 12 pro Tausend eingependelt zu haben.
Dieser einzigartige Erfolg war
- der gesetzlichen Freigabe der Verhütungsmittel,
- der offiziellen Erlaubnis der Sterilisation
- und der Schwangerschaftsunterbrechung
- sowie der gezielten Informationspolitik der Regierung

zu verdanken. Jahr für Jahr gibt es etwa 1,2 Millionen offizieller Abtreibungen und 500–800 000 inoffizielle, so daß man für die letzten 25 Jahre mit etwa 40–50 Millionen nichtgeborener Japaner rechnen muß. Auch darauf beruhte Japans Wirtschaftsaufschwung. Mit der Einführung der „Pille" wird auch hier bald ein noch stärkerer Geburtenrückgang einsetzen.
Der Bevölkerungsaufbau hat sich in den letzten Jahren einschneidend verändert. So sank die Durchschnittsgröße der Haushalte, die 1920 bis 1955 nahezu konstant bei 5 Personen gelegen hatte, bis 1972 auf 3,43 (in Tokyo sogar auf 2,72) Personen.

Bevölkerungswachstum stark verlangsamt

Das Bevölkerungswachstum hat sich damit so verlangsamt, daß in Regierungskreisen bereits eine Stagnation befürchtet wird, die besonders die Wirtschaft bei dem schon vorhandenen Arbeitskräftemangel schwer treffen würde. Die Bevölkerungsstruktur hat sich bereits geändert: Der bisher hohe Anteil an Jugendlichen (1970: 24 Prozent) sinkt, entsprechend nimmt die Zahl mittlerer und älterer Jahrgänge zu.

Mehr alte Menschen

Die zunehmend bessere medizinische Versorgung wird auch noch dazu beitragen, die Altersgrenze hinaufzusetzen. Beträgt doch die durchschnittliche Lebenserwartung des Mannes heute 70 Jahre gegenüber 47 im Jahre 1935 und die der Frau 75,6 gegenüber 50.

Wahrscheinliche Bevölkerungsentwicklung Japans 1967 – 2015
(Abbildung 12)

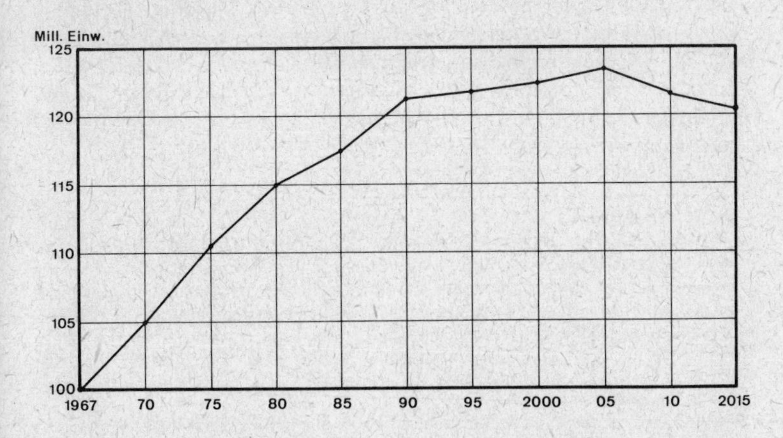

Bei einer weiteren Zunahme des Bevölkerungsanteils der über 60jährigen (1970: 7 Prozent) und bei einem weiteren Rückgang der Kinderzahl ist in Zukunft mit einer völlig anderen Alterszusammensetzung des japanischen Volkes und dann mit Sicherheit auch mit einem Ende der absoluten Bevölkerungszunahme zu rechnen.

Im Jahre 2020, so schätzen die Bevölkerungsstatistiker, werden nur noch knapp 21 Prozent der Japaner unter 15 Jahre alt sein, aber schon über 17 Prozent 65 und mehr Jahre zählen.

Nach den Statistiken des Planungsbüros wird die japanische Bevölkerung im Jahre 2005 am zahlreichsten sein und danach abnehmen.

6.4 Minderheiten

Homogenität der Bevölkerung

Die japanische Bevölkerung ist eine der homogensten der Welt. Die ursprünglich recht uneinheitlichen Einwanderungsgruppen haben sich im Laufe der Zeit so assimiliert, daß man heute kaum noch Unterschiede feststellen kann.
Einwanderer in nennenswerter Zahl kamen in den letzten 1500 Jahren nicht. So bildete sich unter einer Zentralregierung sehr bald die Einheit des japanischen Volkes heraus. Stammes- oder Provinzunterschiede wie zwischen den Bayern und Sachsen, den Schotten und Engländern, den Bretonen und Provenzalen kennt Japan nicht. Die einzige Gruppe, die auch im Aussehen von allen anderen Einwanderern wesentlich abweicht, die bärtigen, hochgewachsenen kaukasoiden **Ainu**, wurde teils ausgerottet, teils in Reservate auf der Nordinsel Hokkaido abgedrängt.

Minderheiten

Neben den Ainu (ca. 15000) gibt es nur zwei große Gruppen von Minoritäten: die Eta und die Koreaner.

Eta sind diskriminiert

Die Herkunft der immer noch über eineinhalb Millionen zählenden **Eta** ist ungeklärt. Wahrscheinlich handelt es sich um die Nachkommen von Kriegsgefangenen. Sie unterscheiden sich heute weder ethnisch noch kulturell. Ihr Name sagt alles über ihre Situation in der Gesellschaft aus: „Eta" heißt „voll von Dreck", und eine noch ältere Bezeichnung für sie heißt „hi-nin" = „Nicht-Person" (siehe 1.2).

Die Unberührbaren

„Bis zum Ende der Tokugawa-Zeit mußten sie bestimmte Kleidung tragen und das Haar mit Stroh binden. Sie durften nur in bestimmten Ghettos wohnen und nie die Schwelle eines „echten" Japaners überschreiten. Sich mit ihnen einzulassen, ja nur mit ihnen zu sitzen und zu rauchen, war undenkbar. Sie waren die „Unberührbaren", deren bloße Gegenwart eine Gefahr für das normale Volk war. Ihnen blieben die unreinen Tätigkeiten vorbehalten, alles was mit Blut, Tod und Schmutz zu tun hatte. Ihre Hauptberufe waren Schlächter und Gerber, Abdecker, Totengräber und Müllkutscher."

Hans Schwalbe, Acht Gesichter Japans, Tokyo–Hamburg (OAG) 1970, S. 250.

Zwar wurde 1947 ein Eta sogar Vizepräsident des Oberhauses. Doch an der Diskriminierung der Gruppe, obwohl durch Gesetze verboten, hat sich noch nichts Wesentliches geändert, wie sie selbst in einer Petition vom Jahre 1961 erklärten. Sie heißen heute Burakumin, weil sie in slum-ähnlichen Siedlungen (Buraku) am Rande der Großstädte wohnen.

Arbeit außerhalb der Ghettos finden sie nur schwer, denn die Vorstellung ist weitverbreitet, alle Eta hätten Lepra, Tbc oder Geschlechtskrankheiten. So bleiben sie von den meisten Berufen ausgeschlossen. Heiraten mit Mitgliedern anderer Gruppen sind selbst heute noch selten und führen oft zu einer gesellschaftlichen Isolierung der Eheleute. Der Schulbesuch wird durch die Vorurteile der Eltern erschwert, Universitätsstudium gelingt kaum.

Ihre Zurücksetzung und die Unmöglichkeit, dem Ghettoleben zu entfliehen, begünstigen unter ihnen oftmals Jugendkriminalität, was die Vorurteile der anderen nur wieder bestärkt. Ihre Emanzipationsbewegung wird von jungen Intellektuellen geführt, die sich oft an die Kommunisten anlehnen.

Koreaner ohne Integrationschance

Die etwa 590000 **Koreaner** gelten als Trunkenbolde, Verbrecher und Tagediebe. Entsprechend schwer ist es für sie, eine gut bezahlte Arbeit, eine Wohnung, höhere Schulbildung oder eine Frau zu finden. Sie kamen ins Land freiwillig oder als Zwangsarbeiter nach der Annexion Koreas durch Japan. Die meisten von ihnen haben jahrzehntelang vergeblich versucht, wieder in ihre Heimat zurückzukehren. Da sie sich jedoch fast immer für das kommunistische Nordkorea entschieden, verhinderten entweder die Amerikaner, die Südkoreaner oder die japanischen Behörden ihre Ausreise.

Lange Zeit wurden sie verdächtigt, als Abgesandte Nordkoreas

Spionage für die Sowjetunion zu betreiben, und unter besonderer Obhut gehalten.
Es ist zu erwarten, daß die meisten von ihnen im Zuge der allgemeinen Entspannung in Ostasien in den nächsten Jahren nach Korea zurückwandern werden.

Angesehene Chinesen

Die letzte Minderheitengruppe bilden die etwa 50 000 **Chinesen**, die im Laufe der Jahrhunderte als Händler und Kaufleute nach Japan gekommen sind und sich dort niedergelassen haben. Sie profitieren von der Wertschätzung, die man China im allgemeinen entgegenbringt.

7. Gesellschaft

7.1 Gruppe und Individuum

Im Mittelpunkt: die hierarchische Gruppe

Die heutige japanische Gesellschaft ist durch Verhaltensweisen und Orientierungen des einzelnen charakterisiert, die aus der jahrhundertelangen feudalen Geschichte herrühren und vielfach auch die moderne Industriewelt prägen, zum Teil aber auch mit ihr in Widerspruch geraten:
- die starke Gruppenbezogenheit des einzelnen und
- die hierarchische Struktur der Gruppe.

In der Feudalgeschichte waren das die Beziehung zur Großfamilie einerseits (in der die Väter und die Älteren die ausschlaggebenden Rollen spielten) sowie die enge Verbindung zu dem Feudalherrn und die Unterordnung unter ihn andererseits. Im Laufe des 19. Jahrhunderts wurde die intensive Gruppenorientierung (in ihrer hierarchischen Form) auf weitere gesellschaftliche Bereiche übertragen, auf den Kaiser, die Nation, die Schulklasse und die Universität und nicht zuletzt auf den Industriebetrieb.

Die Rolle des Gruppenführers

Das Besondere an der traditionellen Vaterrolle und an der Figur des Feudalherrn ist ja, daß er
- über die „Untergebenen" nicht nur autoritär verfügt,
- sondern auch verpflichtet ist, für das „Wohlergehen" des Untergebenen zu sorgen – wobei allerdings das, was als „Wohlergehen" (gerechter Anteil, angemessene Behandlung usw.) gilt, weitestgehend im Ermessen des „Herrn" liegt.

Auch in den „modernen" Gruppen Japans ist die Rolle des Gruppenführers vielfach durch Geburt, Heirat, Besitz usw. vorgegeben, die Kontrolle ihm gegenüber beschränkt, hat der Führer wesentlich mehr Macht, die Interessen der Untergebenen zu bestimmen als diese selbst.

Paternalistische Verhaltensweisen auf Kapitalismus übertragen

Wir sahen bereits das **Fehlen eines selbständigen, selbstbewußten und starken Bürgertums**, das in Europa den Individualismus und Kapitalismus entwickelte. In Japan waren die Verhältnisse bei der Industrialisierung anders:

- Einerseits war der Anteil derer groß, die den Sprung von der feudalistischen zur kapitalistischen Elite schafften.
- Andererseits rekrutierte sich die Arbeiterschaft anfangs vor allem aus den wenig angesehenen und besonders gehorsamen jüngeren Söhnen und den Töchtern von Bauernfamilien, die diese nicht mehr ernähren konnten.

Den schon seit der japanischen Frühzeit bestehenden Paternalismus (Herrschaft und Sorgepflicht des Vaters bei Gehorsamspflicht der Familie) übertrugen die Zuwanderer in den Städten nun auch auf die moderne Arbeitswelt.

Was im Folgenden beschrieben wird, ist also nicht Ausdruck eines „unwandelbaren" japanischen „Volkscharakters", sondern das Ergebnis bestimmter wirtschaftlicher, sozialer und religiöser Faktoren, die mit Hilfe der Wirtschafts-, Sozial- und Religionsgeschichte historisch zu erklären sind. Bei einer Veränderung dieser Gegebenheiten wird sich auch der „Volkscharakter" ändern, was bereits heute beobachtet werden kann.

Japaner lebt als Gruppenwesen

Anders als in Europa oder in Nordamerika lebt der Japaner auch heute noch ganz bewußt als Gruppenwesen. Die immer noch intakte kleinste Einheit dieses gemeinschaftsbezogenen Lebens ist die Familie.

Die Gruppe ist immer übergeordnet

„Was in Japan bindet, ist nicht das Persönliche, sondern die Beziehung zur Gruppe. Etwas Persönliches würde die Harmonie der Gruppe stören oder gar gefährden. Eine Gruppe ist deshalb in Japan keine Summe von Individuen. Die Gruppe ist immer übergeordnet. Sie ist sozusagen eher da als der einzelne, der, ob er will oder nicht, in die Gruppe hineingeboren wird. Verantwortlich ist deshalb auch nicht der Einzelmensch, sondern fast immer die Gemeinschaft. Nicht die individuelle Leistung, sondern die Gruppe, zu der man gehört, gibt dem Menschen seinen Rang."

Hans Schwalbe, Acht Gesichter Japans, Tokyo–Hamburg 1970 (OAG), S. 229 f.

Erziehung zur Gruppe

Trotz aller Meldungen über Studentenunruhen und trotz aller Versuche einer Erziehung zum gruppensprengenden Individualismus werden die konfuzianischen Prinzipien des „Chu" und „Ko", der Loyalität und der Ehrfurcht, immer noch weitgehend respektiert. Die Anreden „nii-chan" (älterer Bruder) und „nee-chan" (ältere Schwester) gebrauchen nicht nur Kinder. Das Bewußtsein und die Bereitschaft der Ein- und Unterordnung in der Gruppe erwartet man bereits vom Kleinkind. Sie wird aber nicht geformt durch Schläge, die man in Japan nicht kennt, sondern durch das Erlebnis der gegliederten Gruppe, in der jeder aufwächst. Die Erziehung beginnt bereits beim Baby, das nicht isoliert aufwächst, sondern Tag und Nacht in körperlicher Berührung mit der Mutter ist: immer noch tragen viele Mütter das Kleinkind ständig auf dem Rücken mit sich herum. Die Frau hört meist auf zu arbeiten, wenn sie ein Kind bekommt, und beginnt frühestens wieder nach drei

Jahren, wenn das Kind in den Kindergarten gehen kann. Dies ist bei Großbetrieben ein Betriebskindergarten, in dem Mutter und Kind in der Mittagspause zusammen sind.
Da das Kind nie alleingelassen wird, wächst es ganz selbstverständlich zu einem Gruppenwesen heran, das sich ein Leben außerhalb der Gruppe, deren Gebote es bald einzuhalten gelernt hat, nicht vorstellen kann und das sich in der Gruppe recht wohl fühlt.

Oyabun – Kobun

Das Familienleben wird immer noch weitgehend geregelt von den vom Konfuzianismus festgelegten Beziehungen zwischen Eltern (Oyabun) und Kindern (Kobun), bestimmt von Autorität und Verantwortung einerseits, Ehrfurcht und Pflicht andererseits.

Gleiche Autoritätsstruktur auch in anderen Gruppen

Dieses Verhältnis von Oyabun und Kobun bestimmt die Struktur auch aller Gruppen. Ob es sich um die Gruppe der Militärs (Gumbatsu), der innerparteilichen Fraktionen, der Betriebsgemeinschaft oder Gangsterbande handelt – sie alle sind nach dem gleichen Vorbild organisiert:
- An der Spitze stehen der oder die Oyabun, die unbedingte Loyalität und Pflichterfüllung von den Gruppenmitgliedern verlangen.
- Diese erwarten ihrerseits wieder vom Oyabun eine gesicherte Stellung bzw. gesichertes Einkommen, Aufstiegsmöglichkeiten und Schutz in schwierigen Situationen (Fraktionskämpfe, staatliche Verfolgung, Unfall, Krankheit, Alter).

Einen Ehrenkodex hat auch noch die organisierte Gang, die zwar Verbrechen begeht (Diebstahl, Einbruch, Glücksspielorganisation, Erpressung von Schutzgebühren von Straßenhändlern und Ladenbesitzern, Schmuggel, massive Wahlbeeinflussung), aber kaum jemals einen Mord duldet. Deshalb toleriert die Polizei diese Banden meist, von denen zur Zeit 5000 mit etwa 180000 Mitgliedern bekannt sind, und Politiker scheuen sich oft nicht, mit ihnen zusammenzuarbeiten. Die Auflösung einer solchen Bande – ihr feierlicher Verzicht auf weitere Verbrechen – ist ein großes gesellschaftliches Ereignis in einer Festhalle, zu dem Mitglieder von Verwaltung, Regierung, Wirtschaft und Polizei eingeladen werden und das durch die Gegenwart und Tätigkeit buddhistischer und shintoistischer Priester religiöse Züge erhält.

Der Hang der Japaner zur Gruppenbildung

„Die Japaner aller Altersstufen neigen praktisch in jeder Situation zur Gruppenbildung. Wenn sie die Absicht haben, auf intellektuellem, künstlerischem, sozialem oder politischem Gebiet etwas Außergewöhnliches zu beginnen, so werden sie wahrscheinlich entweder eine Gruppe bilden, einer Gruppe beitreten oder eine solche aktivieren. Die ungewöhnliche Anzahl von Studentenverbindungen, von kulturellen, beruflichen, politischen und nachbarschaftlichen Vereinigungen – die „horizontalen" Gruppen, die auf jeder Gesellschaftsebene von solcher Bedeutung sind – machen Japan zu einem der gruppenbewußtesten Länder der Welt."
Rob. J. Lifton, Youth and History: Individual Change in Postwar Japan, in: Erik H. Erikson (Hrsg.), The Challenge of Youth, New York 1965, S. 273.

Das andere Verhältnis von Persönlichkeit und Gemeinschaft

Gruppenorientierung und Ausbildung von Persönlichkeiten sind keine Gegensätze. Das ganze japanische Volk hat im Laufe seiner Geschichte eine Vielzahl von großen Persönlichkeiten auf allen Gebieten hervorgebracht. Auch in der Gegenwart gibt es eine ganze Reihe von Japanern, die nicht als Ergebnis eines Gruppenbeschlusses, sondern durch eigene Initiative und Leistung ihre beherrschende Stellung er-

halten haben. Zu ihnen gehören die Gründer und Chefs so weltbekannter Unternehmen wie Honda, Sony und Matsushita Electric, die sich aus sehr einfachen Verhältnissen zu Herren marktbeherrschender Firmen gemacht haben, und auch der 1972 gewählte Premierminister Tanaka.
Nur handelte es sich bei allen diesen nicht um Vertreter eines Individualismus, der den Willen und die ausgeprägte Individualität des einzelnen als höchsten Wert betrachtet, sondern um Personen, die die Zielvorstellungen der Gruppe akzeptierten und dieses Ziel zu erreichen suchten.
Das Denken des Japaners war immer sehr pragmatisch und gemeinschaftsbezogen.

Führung durch Menschlichkeit

„Die Ausstrahlungskraft eines Führers in der japanischen Gesellschaft liegt nicht in genialen Fähigkeiten, sondern in dem Verständnis für seine Mitmenschen. Welche Macht, welche Fähigkeiten und finanziellen Möglichkeiten jemand auch immer besitzen mag, er kann doch nicht Führer werden, wenn er auf menschlicher Ebene die Kobun nicht begreifen kann und keine eigenen Beziehungen zu ihnen schafft. Aus diesem Grunde kann auch niemals ein charismatischer Führer aus einem Lande wie Japan hervorgehen. Die Vorstellung von einem Führer ist bei den Japanern nicht napoleonisch."

Chie Nakane, Entdeckung der japanischen Gesellschaftsstruktur, in: Kagami, Band III, Heft 2 1965, S. 7.

Ein Michael Kohlhaas in Japan nicht denkbar

Ein Michael Kohlhaas, ein Karl Moor oder ein Robbespierre wären in Japan nicht denkbar, von einem Hitler gar nicht zu reden. Jemand, der um einer Idee willen die Gemeinschaft zerstört, gilt als Verbrecher. Leute, die viel von Ideen und Prinzipien halten, gelten als verdächtig und sind nicht vertrauenswürdig. Vielleicht liegt hier eine der Ursachen für den ständigen Mißerfolg der sozialistischen und der kommunistischen Partei sowie für die relative Machtlosigkeit der ideologiefreundlichen Dachverbände der Gewerkschaften.

Harmonie und Frieden

„Bescheidenheit und Elastizität führen im gesellschaftlichen Leben zu schwierigen Situationen. In Deutschland erwartet man von einer starken Persönlichkeit, daß sie im Kampf um ihr gutes Recht dem Gegner nicht um eines Haares Breite weicht. Aber gerade dies steht einer vornehmen Persönlichieit in Japan nicht zu Gesicht. Es gilt geradezu als unsittlich, hartnäckig und trotzig auf seinem Rechte zu bestehen. Nur die kleinliche Individualität lebt in Furcht, sich etwas zu vergeben. Dagegen ist es einer starken und vornehmen Persönlichkeit würdig, um des Friedens und der Harmonie willen einen Ausgleich zu suchen. Das chinesische Zeichen für Harmonie und Frieden wird zur Bezeichnung des Heimatlichen, des Japanischen verwendet. Friede und Harmonie der Heimat sind die Grundlage des Rechtsgefühls. Viel Ausweichendes, Unentschiedenes und Kompromißhaftes des japanischen Lebens hat hierin seinen letzten Grund."

Robert Schinzinger, Maske und Wesen. Im Jubiläumsband der OAG, Tokyo–Hamburg, 1963, S. 34.

Daß das gesamte Denken des Japaners gemeinschaftsbezogen ist, zeigt vor allem seine Sprache. Selbst wenn er es anders wollte, seine Sprache zwingt ihn immer wieder, sich als Bestandteil einer Gemeinschaft zu sehen.

Gemeinschaftsbezogenheit der Sprache

So gibt es beispielsweise keine eindeutigen Singular- und Pluralzeichen; an die Verben können Suffixe (Nachsilben) angehängt werden, die sich jedoch danach unterscheiden, ob man Gleichgestellte, Niedriger- oder Höherstehende meint.
Der Gebrauch der Pronomen richtet sich nach der Stellung des Bezeichneten in der Gruppe, selbst die Verben werden unter diesem Gesichtspunkt gewählt (so benutzt man z. B. ein anderes Wort für „nach oben" grüßen, geben, zeigen, schicken etc. als für „nach unten" grüßen usw.). Daß es überhaupt keine Personalformen des Verbs gibt, zeigt die Gleichgültigkeit dem Handelnden gegenüber. Entscheidend ist, daß jemand aus der Gruppe handelt, nicht wer handelt. Die erste Person wird als Subjekt gern ausgelassen, auch hier ein Zurücktreten der eigenen Person.
Zur Durchsetzung des eigenen Willens gehört eine klare Erkenntnis der Situation. Diese auszudrücken ist sprachlogisch nur schwer möglich, da es weder Personalformen, noch Geschlechter, noch Artikel, noch Pluralzeichen gibt, Subjekte fehlen können, und es auch keine qualifizierenden Relativsätze gibt.
Eine eindeutige klare Entscheidung – die alle Vorschläge außer einem ablehnt – ist damit gar nicht möglich, aber auch gar nicht gewollt. Die Entscheidung wird immer eine solche sein müssen, die alle Mitglieder der Gruppe zufriedenstellt und damit notwendig unbestimmt sein muß.

Individuum und Religion

Diese Haltung, die das Ich zugunsten der Gruppe hintanstellt, wird begünstigt durch die beiden Hauptreligionen:

- Der Shintoismus fordert die Verehrung der Ahnen und damit der Sippe als eigentlicher Lebenseinheit. Darüber hinaus lehrt er, daß die Kaisersippe von der Sonnengöttin abstamme und daher göttliche Ehrung verdiene. Damit ist die Richtung des einzelnen auf die Nation festgelegt.
- Auf andere Weise tritt der Buddhismus der Entwicklung des Individualismus entgegen: Er verlangt den Verzicht auf die Ichhaftigkeit, das Leerwerden von allen Wünschen und Bestrebungen, denn nur so könne der einzelne sich befreien aus den Verstrickungen dieser Welt und damit der Wiedergeburt entgehen.
- Schließlich legt auch die konfuzianische Lehre dem einzelnen mehr Verpflichtungen gegenüber der Gemeinschaft auf als sie ihm selbst Rechte zugesteht.

  Jeder empfängt Wohltaten . . .

  Dazu gehört es, daß jeder einzelne sich bewußt ist, daß man ständig Wohltaten (**on**) empfängt und dafür mit Dankbarkeit, Arbeit, Geld und Leben zurückzahlen muß. So steht jeder Mensch in einer Dankesschuld gegenüber seinen Eltern, seinem Lehrer, seinem Vorgesetzten etc. Diese Dankesschuld besteht lebenslang und kann nie aufgehoben werden. Das „on" stellt immer eine hierarchische Beziehung dar, es wird immer von Ranghöheren gegenüber Rangniedrigeren gewährt.

und muß sie zurückzahlen

Darüber hinaus haben die Japaner noch eine andere Auffassung der Verpflichtungen entwickelt, die begrenzt ist und genau eingehalten werden muß (**giri**). Sie bezieht sich auf Wohltaten seitens der Vorgesetzten, der Verwandten und aller Menschen und zwingt, das empfangene „on" zurückzuzahlen. Das Wort ist sogar in die Alltagssprache eingedrungen.

Giri

„Heutzutage gebraucht man ständig Sätze, die voll von Ressentiments und Heftigkeit gegen die öffentliche Meinung sind, durch die ein Mensch gezwungen wird, „giri" gegen seinen Willen zu tun. Sie sagen: ich arrangiere diese Hochzeit bloß aus „giri"; aus „giri" war ich gezwungen, ihm diesen Arbeitsplatz zu geben; ich muß ihn besuchen, nur aus „giri". Man spricht ständig davon, in „giri" verwickelt zu sein, was das Wörterbuch mit „verpflichtet sein" übersetzt. Man sagt: er zwang mich dazu mit „giri", er trieb mich in die Ecke mit „giri"; und diese wie die anderen Redensarten bedeuten, daß jemand den Sprecher zu einer Handlung bewegt hat, die dieser eigentlich nicht wollte oder beabsichtigte, nämlich zur Zahlung einer Geldsumme, die er einem „on" zufolge schuldete."

Ruth Benedict, The Chrysanthemum and the Sword, Tokyo 1954, S. 140.

Forderungen des giri an den einzelnen

Giri ist aber auch der Selbstrespekt, den man sich selber schuldet, zu dem auch gehört, daß man jede Beleidigung rächt, keinen Fehler und kein Scheitern eigener Pläne eingestehen darf. Giri verlangt vom einzelnen ebenso Selbstbeherrschung, Leidensfähigkeit und Stoizismus (unerschütterlicher Gleichmut) wie die Fähigkeit, in der Armut seine Würde nicht zu verlieren und im Reichtum Beschränkung zu zeigen.

Aushöhlung der alten Familiengesinnung

„Es ist zu beobachten, daß sich die Kernfamilie aus rein physischen Gründen (Wohnraummangel, siehe 8.5.2 – d. Verf.) mehr und mehr von der erweiterten Familie direkter Abstammungslinie abspaltet, heute ein sehr starkes Gegengewicht gegen die alte Familienordnung der Generationenfamilie bildet und die Traditionsvorstellungen von den eisernen Familienverpflichtungen in den breiten Volksschichten immer mehr außer Kraft setzt. Die japanischen Soziologen Koyama und Morioka haben in getrennten Untersuchungen festgestellt, daß die alte Familiengesinnung durch den Verstädterungsprozeß in zunehmendem Maße ausgehöhlt wird und nur noch in den Familienbetrieben einen Rückhalt hat, die bekanntermaßen ständig an Konkurrenzfähigkeit einbüßen."

Karl F. Zahl, Die Bedeutung der sozialen Strukturveränderungen der japanischen Nachkriegszeit im Rahmen des Wirtschaftswachstums, in: H.-Bernd Giesler (Hrsg.), Die Wirtschaft Japans, Düsseldorf 1971, S. 150 f.

Genaue Verhaltensregelung

So haben eine in Jahrhunderten gewachsene Verhaltensregelung – mit einem Netzwerk von Pflichten und Geboten für den einzelnen –, eine diese stützende Religion und vor allem die Kontrolle des einzelnen durch die Gruppe den Spielraum des einzelnen im westlichen Sinne ziemlich eingeengt. In diesem ständigen Spannungsverhältnis zwischen dem Bestreben des einzelnen zur Verwirklichung seiner eigenen Wünsche und den Forderungen der Gemeinschaft bilden sich hier die Persönlichkeiten, an denen Japan zweifellos nicht ärmer ist als Europa.

Widersprüche zwischen traditionellen Verhaltensweisen und moderner Industriewelt

Die Übertragung familiärer Autoritätsstrukturen und feudaler Arbeitsbeziehungen auf ganz andere Bereiche (z. B. Privatunternehmen mit dem Gegensatz von Lohnarbeit und Kapital, siehe 8.4.3), fügte in Japan traditionell Verhaltensweisen und Einstellungen erstaunlich stark in die moderne Industriewelt ein und ließ die gesellschaftlichen

Widersprüche nicht zur vollen Ausformung gelangen. Dennoch stoßen sich die überlieferten Verhaltensweisen zunehmend z.B. an den Erfordernissen der Wirtschaftsentwicklung und der Verstädterung.

7.2 Eliten und Führungsgruppen

Führungsgruppen der Vorkriegszeit

In der Vorkriegszeit waren die verschiedenen Gruppen der Führungsschicht noch klar voneinander geschieden:
- die früheren Oligarchen (aus dem Satsuma- und Choshu-Klan),
- die Offizierskaste (Gumbatsu),
- die höhere Bürokratie (Kambatsu),
- die Führer der Großindustrie (Zaibatsu),
- der alte und der neu ernannte Adel,
- die Parteiführer.

Die heutige Führungsschicht

Die Niederlage von 1945 schienen nur zwei Gruppen der ehemaligen Führungsschicht überlebt zu haben: die Parteiführer und die Bürokraten. Doch mit dem Wiederaufbau gewannen auch die Wirtschaftskapitäne (Zaibatsu und Zaikai) wieder an Einfluß. Auch die Angehörigen der „alten Familien“ sind in Verwaltung, Politik und Wirtschaft sehr begehrt, wie übrigens in Westeuropa nicht viel anders. Nur das Militär scheint aus der Führungsschicht völlig ausgefallen zu sein. So setzt sich die heutige Führungsschicht im wesentlichen zusammen aus
- den **Gakubatsu** (Absolventen berühmter Universitäten),
- den **Zaibatsu** (Konzernherren),
- den **Zaikai** (Managern),
- den **Kambatsu** (Verwaltungsspitzen)
- und den **Keibatsu** (großen Familien).

Einkommensgefälle

Nicht der einzige, aber ein Maßstab neben anderen, um die Schichtung der Gesellschaft festzustellen, sind die Einkommensverhältnisse. Zuverlässige Angaben hierüber liegen nicht vor.

Tabelle 2: **Versteuerte Einkünfte aller Einkommensbezieher 1970**

Jahreseinkommen in DM	unter 5 000	5 000 –10 000	10 000 –20 000	20 000 –50 000	50 000 –100 000	über 100 000
Prozent aller Einkommensbezieher	12,9	38,3	29,6	13,9	3,6	1,7

Nach dieser Statistik der Finanzbehörden gehörten 1970
- etwas über 5 Prozent zu den Großverdienern mit über 50 000 DM im Jahr (Unternehmer, Manager, Spitzenpolitiker),
- knapp 82 Prozent zu den Beziehern mittlerer Einkommen, davon rund je ein Sechstel in der oberen und unteren Gruppe,
- und etwa 13 Prozent zu den Empfängern von Minimaleinkommen unter 5 000 DM im Jahr (meist Neueingestellte, Zeitarbeiter, Unverheiratete und Beschäftigte in Kleinstbetrieben).

Wie die Statistik zeigt, sind die Grenzen fließend, mit Ausnahme der 50 000-DM-Schwelle, die nur wenige überschreiten.

Demgegenüber zeigt eine Übersicht des Finanzministeriums über die Einkommen der nur in der Privatwirtschaft beschäftigten Gehaltsempfänger im Jahre 1971 eine etwas andere Aufgliederung:

Jahreseinkommen in DM	unter 5 000	5 000 – 10 000	10 000 – 20 000	über 20 000
in Prozent der Gehaltsempfänger	16	44	33	7

Sehr deutlich wird das Einkommensgefälle, wenn man ausgewählte Positionen der Betriebshierarchie gegenüberstellt:

Tabelle 3: **Monatseinkommen von Firmenpräsidenten, Chefingenieuren und Arbeitern**

	Firmenpräsidenten	Chefingenieure	Arbeiter
Matsushita	8 Mio Yen	179 932 Yen	88 695 Yen
Shin-Nittetsu	7 Mio Yen	184 360 Yen	89 020 Yen
Sony	3,5 Mio Yen	etwa das gleiche	83 131 Yen

(Bezogen auf 1970, nach: „Buch der Kapitalisten mit über 10 Mio Yen" und Bureau of Statistics, Office of the Prime Minister, 1971.)

Die Eliten

Bezeichnend ist, daß Geld in Japan zwar Macht, aber noch nicht Ansehen verschafft, Ausnahmen gibt es natürlich auch hier, wie es am Beispiel Hondas, Matsushitas und des jetzigen Premierministers Tanaka (siehe 9.1.3) zu sehen ist, die sich aus völlig unbegünstigten Ausgangspositionen durch eigene Leistung zu beherrschenden Figuren des japanischen Wirtschaftslebens, bzw. der Politik emporgearbeitet haben. Wer jedoch sonst zur „Elite" gerechnet werden will, muß zumindest das Abschlußexamen einer der wenigen guten Universitäten des Landes haben.

Über die berühmten Universitäten in die Spitzenpositionen

Die Elite wird also hier in einem langen, mühevollen Weg der Erziehung herangezogen. Nur wer den harten Forderungen des 20 Jahre dauernden Wettkampfes mit seinen häufigen Prüfungen genügen konnte, hat die Chance, aber auch nicht mehr, in die Führungselite des Landes aufzusteigen. So ist es nur natürlich, daß die Gakubatsu eine bedeutende Rolle in der Gesellschaft spielen, da aus ihnen nicht nur die späteren Spitzenpolitiker, sondern auch die Top-Manager und die Verwaltungsspitzen hervorgehen. Wer beispielsweise von der „**Todai**" (staatliche Tokio-Universität) kommt, hat mehr Chancen, in die höchsten Stellungen aufzurücken als beispielsweise ein Absolvent der Ecole Normale Supérieure in Frankreich oder ein Doktor von der Harvard-Universität.

Die Statistiken zeigen ein deutliches Bild: Von den zehn Nachkriegspremiers waren sieben ehemalige Todai-Studenten. In der höheren Verwaltung ist der Prozentsatz zwar nicht ganz so hoch, liegt aber immer noch bei 60. Von den bedeutenden Wirtschaftsführern haben 40,6 Prozent die Todai absolviert.

Die Gakubatsu der Todai sind damit im Besitz eines beträchtlichen Teiles der politischen, verwaltungsmäßigen und wirtschaftlichen Macht in Politik, Verwaltung und Wirtschaft. So erklärt sich auch der An-

sturm auf die „guten", d. h. im wesentlichen staatlichen Universitäten, denn nur die Familie oder die guten Beziehungen sichern nicht mehr den Aufstieg eines begabten jungen Menschen in die Führungsspitze. Die Studenten scheinen die gesellschaftliche Position der früheren Samurai eingenommen zu haben, und es ist wohl kein Zufall, wenn die vielen abgewiesenen Studenten, die ihr Glück nun an anderen Universitäten versuchen müssen, als „Ronin" bezeichnet werden, d. h. mit dem alten Wort für herrenlose Samurai (siehe 1.3).
Das Zusammengehörigkeitsbewußtsein ist aber auch bei den anderen elitären Gruppen sehr stark entwickelt und führt zur unbedingten Unterstützung jedes Gruppenmitglieds.

Die Machtgruppen

Von der beruflichen Stellung her sind es vor allem fünf Gruppen, die die heutige Führungsschicht bilden:

1. Unternehmer, die meist erst nach dem Kriege ihre führenden Positionen errungen haben,
2. Top-Manager, die die großen Unternehmen leiten,
3. Staatssekretäre, die in engem Kontakt mit den Spitzen der Wirtschaft stehen,
4. Politiker, die ehemals Manager und Behördenchefs waren,
5. die Mitglieder des Wissenschaftsbeirates beim Premierminister, des Wirtschaftsbeirates und des Amtes für Wissenschaft und Technologie.

Das Ausmaß der Mobilität

Die gesellschaftliche Mobilität insgesamt (Auf- und Abwärtsbewegungen zwischen verschiedenen, meist benachbarten Schichten) ist noch nicht so groß wie in westlichen Industriegesellschaften, die Chancengleichheit beim Aufstieg von den untersten Schichten direkt in die Elite ebenso gering. Denn nach wie vor

- haben nicht alle gleichen Zugang zu hochqualifizierter Universitätsausbildung,
- werden große Vermögen ererbt,
- spielen Familienbindungen eine wenn auch im Vergleich zur Vorkriegszeit schwächere, so doch immer noch große Rolle.

7.3 Sozialpolitik

Sozialpolitik bisher unbekannt

Japan kannte nie eine Sozialpolitik wie sie sich in Europa, begünstigt durch das Christentum, schon im Mittelalter in Ansätzen entwickelt hatte und wie sie seit Ende des 19. Jahrhunderts unter dem Einfluß sozialistischen Gedankengutes und unter dem Druck der Gewerkschaften weiter ausgebaut worden ist.
Die Idee der sozialen Gerechtigkeit, die im christlich-jüdischen Denken immer wieder auftauchte, war in den Religionen Japans nicht enthalten. Am ehesten war sie vielleicht noch im Konfuzianismus vorhanden, aber in der Form, in der dieser in Japan praktiziert wurde, spielten nur die Begriffe der Loyalität, des Respektes und der Dankbarkeit eine maßgebende Rolle.

Keine Sozialverantwortung des Staates

Verantwortlichkeit gab es **nur den Gruppenangehörigen gegenüber.** So ist es nicht erstaunlich, daß es auch in dem modernisierten Staat der Meiji- und Nach-Meiji-Zeit kaum Ansätze zu einer Sozialpolitik gegeben hat. Die soziale Sicherung war Aufgabe der Familie oder des Betriebes, der Staat griff hier nicht ein.

Bis 1945 befand sich Japan – sozialpolitisch – in einer „vorbismarckschen" Phase. Und auch nach der Niederlage ging die Initiative zu einer Sozialpolitik nicht von Japan, sondern von der Besatzungsmacht aus, was nur verständlich war. Angesichts der Katastrophe und der offenbaren Unmöglichkeit, auch nur einen Bruchteil der drängenden wirtschaftlichen und administrativen Aufgaben zu lösen, konnte die japanische Regierung keine Notwendigkeit für eine Sozialpolitik erblicken, die sowohl der Tradition als auch dem Denken und Fühlen der meisten Japaner fremd war. Die soziale Sicherung wurde als eine selbstverständliche Aufgabe der Familie bzw. des Arbeitgebers angesehen. Auch hier machte sich wieder das Fehlen eines horizontalen Solidaritätsgefühls bemerkbar, das in Europa so selbstverständlich ist.

Erst in den sechziger Jahren, als die Folgen der rapiden Verstädterung (Wohnungsnot, Auflösung der Großfamilie, Verkehrschaos, Schul- und Universitätsmisere) unübersehbar waren, begann die Regierung, auch unter dem Druck der Opposition, eine Sozialpolitik zu entwerfen, die für asiatische Verhältnisse eine erstaunliche Leistung darstellt, europäischen Betrachtern hingegen recht unzureichend erscheint: So beträgt selbst heute noch der Anteil der Sozialausgaben am Nationaleinkommen nur sieben Prozent (in der BRD 20,8 Prozent).

Unbefriedigende Sozialleistungen

Wie die Bevölkerungspyramide zeigt (siehe 6.3), wird auch Japan bald ein Altenproblem haben. Dann wird auch das Pensionsalter von 55 Jahren fragwürdig werden. Die Regierung Tanaka hat bereits angeregt, die Beamten erst mit 60 Jahren in den Ruhestand zu entlassen, und zahlt neuerdings allen Firmen, die Beschäftigte über 55 Jahre haben, für jeden von ihnen eine jährliche Ausgleichssumme von 200 DM. Schon 1965 lebten zwei Drittel der alten Menschen nicht bei ihren Kindern, und 1985 werden es wohl vier Fünftel sein. Von den drei Millionen Männern über 70 Jahre ist jeder zwanzigste bettlägerig und braucht Hilfe, aber nur jeder Hundertste aller Platzsuchenden findet Unterkunft in einem Altersheim.

Die Altersfürsorge zahlte bisher den in Not geratenen Alten zwischen 20 und 50 DM monatlich, was etwa ein Zehntel des Minimallohnes ausmachte, denn die Regierung verließ sich bisher auf die private Selbstvorsorge des einzelnen, auf die Unterstützung durch die Familie und die Betriebsabfindung.

Die Betriebsabfindung reicht jedoch nur selten länger als zehn Jahre, d. h. bis zum 65. Lebensjahr, beträgt doch der Währungsverfall jährlich 4 bis 6 Prozent (siehe 8.4.1).

Daraus läßt sich der Spareifer der Japaner erklären, der lange Zeit nichts anderes war als ein Versuch, Elend und Armut nach der Pensionierung zu vermeiden. Oft wird von der Abfindung ein kleines Geschäft gekauft, das die Frau oder die Tochter leitet, während der Mann nach dem Erreichen der Pensionsgrenze offiziell ausscheidet und dann wieder zu arbeiten anfängt, allerdings mit einem um 30 Prozent gekürzten Grundlohn.

Der Rückstand in der sozialen Sicherung

„Nimmt man ... den Anteil der Leistungen der sozialen Sicherung am Volkseinkommen, so beträgt er (1966 – d. Verf.) in den USA 7,6 v.H., in England 13,8 v.H., in der Bundesrepublik Deutschland 19,9 v.H., in Frankreich 19,2 v.H. und in Italien 15,0 v.H. Dagegen ist er in Japan mit 6,2 v.H. niedrig.

In der Bundesrepublik entfallen knapp 5 v.H. des Bruttosozialproduktes auf Verteidigungskosten, in Japan dagegen nur 1 v.H. Dennoch wird in Japan nicht einmal ein Drittel des Niveaus der sozialen Sicherung in der Bundesrepublik Deutschland erreicht: Das japanische Wirtschaftswachstum beruht nicht nur auf dem Fleiß des Japaners, es ist auch mit Opfern in der nationalen Lebenshaltung erkauft."

Bunji Kondo, Gegenwärtige Systeme der sozialen Sicherung in Japan und ihre Probleme, in: Karl Hax, Willy Kraus (Hrsg.), Industriegesellschaften im Wandel. Japan und die BRD, Düsseldorf 1970, S. 75.

Viele soziale Aufgaben vernachlässigt

Auch andere soziale Aufgaben sind vernachlässigt:

- Die bedenkenlose Verschmutzung von Luft und Wasser übertrifft die schon ernste Situation in der BRD noch beträchtlich (siehe 8.5.3).
- Die Urlaubszeit beträgt für die meisten Arbeitnehmer höchstens 14 Tage im Jahr und wird in kleinen Abschnitten von zwei bis vier Tagen gewährt (siehe 8.5.2).
- Die Arbeitszeit in den Klein- und Kleinstbetrieben und Geschäften dauert meist 50 bis 60 Wochenstunden.
- Die öffentlichen Verkehrsmittel sind in den Stoßzeiten so überfüllt, daß Studenten angestellt werden, um die Menschen in die Züge hineinzudrücken.
- Die Klassenräume der Schulen und Universitäten, die der Staat sträflich vernachlässigt, sind überfüllt und unzureichend.
- Die Enge des Wohnens (siehe 8.5.2), das dadurch bedingte Verschwinden der Großfamilie in den Städten und die oft notwendige Mitarbeit der Frau haben zu einem bewußten Verzicht auf mehr Kinder geführt, was die Geburtenrate in Japan (1969 = 18,7) fast auf den Stand der USA (1969 = 17,7) gesenkt hat. Kindergeld gibt es nicht, da man ja bis in die Gegenwart hinein die starke Bevölkerungszunahme verhindern wollte und erst jetzt auf die Tatsache einer Bevölkerungsstagnation aufmerksam wird.

Wie rasch entwickelt sich der „Sozialstaat"?

Wohl nicht zuletzt wegen der laut werdenden Unzufriedenheit hat die Regierung jetzt die Notwendigkeit erkannt, die sozial Schwachen zu unterstützen und versucht dieses durch eine progressive Sozialgesetzgebung. Damit ist prinzipiell anerkannt, daß die Familiensicherung nicht ausreicht. Wie weit man allerdings beim Ausbau der sozialen

Sicherung für den einzelnen bzw. des staatlichen Leistungsapparats (Schulen, Krankenhäuser, Verkehrsmittel etc.) in absehbarer Zeit kommen kann, ist eine offene Frage. Die Rückständigkeit des japanischen „Sozialstaates", die stabile Vormachtstellung der bürgerlichen Parteien in der japanischen Politik und die Schwierigkeit, von den Kapitalgruppen höhere Steuern (zur Finanzierung vermehrter Staatsleistungen) zu erhalten, ohne deren Investitionslust und damit das Wirtschaftswachstum zu verringern, lassen jedenfalls rasche, grundlegende Änderungen nicht erwarten.

Die unterentwickelte Supermacht

„. . . jedermann sagt uns, wir seien heute Nummer zwei in der freien Welt . . . Aber tief in unserem Innern haben wir bis jetzt noch in keiner Weise diesen Eindruck. Schauen Sie sich die Häuser und Wohnungen an, in denen wir leben: winzig und überfüllt. Sehen Sie sich unseren täglichen Weg zur Arbeit an: eingepfercht in die Arbeiterzüge wie Sardinen. Unsere Spitäler: schlecht ausgerüstet und zuwenig Betten. Betrachten Sie unsere Straßen, unsere taschentuchgroßen Parks, unsere Verkehrsunfallquote, unsere Probleme, die wir mit Umweltverschmutzung und anderen öffentlichen Gefahrenquellen haben, unsere unzulängliche Kanalisation . . ."

Ein höherer japanischer Regierungsbeamter, zitiert in einem Artikel der „New York Times", 5. 1. 1969, S. 12, in: Hermann Kahn, Bald werden sie die ersten sein, Wien–München–Zürich 1970, S. 329.

Das heutige System der sozialen Sicherung

Doch hat die Regierung in den letzten Jahren beträchtliche Anstrengungen unternommen, um die sozial Schwachen bei fortschreitender Auflösung der Großfamilie zu sichern. So gibt es heute folgende Formen der sozialen Sicherung:

1. **Betriebs- und Ortskrankenkassen:** In ihnen sind 66 Millionen Japaner gesetzlich versichert mit ihren Angehörigen, also die gesamte japanische Bevölkerung.
Gegen 7 Prozent des Lohnes gewähren die Krankenkassen ihren Mitgliedern:
   freie ärztliche und medizinische Versorgung, freien Krankenhausaufenthalt, Lohnfortzahlung in Höhe von 60 Prozent für maximal 6 Monate; Mutterschutz 6 Wochen vor und 6 Wochen nach der Geburt, Lohnersatz und Kindergeld.
2. **Unfallversicherung:** in ihr sind 31 Millionen Arbeitnehmer versichert.
Sie gewährt:
   freie medizinische Versorgung, freien Krankenhausaufenthalt, Krankengeld und bei Invalidität eine minimale Jahresrente.
3. **Invaliditäts- und Hinterbliebenenversicherung:** in ihr sind 51 Millionen, d. h. alle Beschäftigten versichert. Sie zahlt ihren Mitgliedern:
   bei Invalidität 125 bis 200 DM monatlich und den Hinterbliebenen eine Abfindung von 1000 bis 5000 DM.
4. **Arbeitslosenversicherung:** 21 Millionen Mitglieder (vermutlich nur Zeitarbeiter).
Sie zahlt ihren Mitgliedern:
   180 bis 300 Tage bis zu 60 Prozent des Lohnes (4 bis 20 DM pro Tag)
5. **Rentenversicherung:**
a) Für alle Arbeiter und Angestellten in Betrieben mit mehr als 5 Beschäftigten (22,3 Millionen Mitglieder). Die Auszahlung der Rente beginnt nach mindestens 20jähriger Beitragszahlung im Alter von 60 bzw. 65 Jahren und liegt bisher zwischen 130 und 350 DM monatlich. Sie soll ab 1973 auf 200 bis 500 DM erhöht werden.

b) Für alle Selbständigen, Freiberuflichen, Hinterbliebenen und alle nicht unter a) Versicherten (in Betrieben unter 5 Beschäftigten). Ihre 24,3 Millionen Mitglieder haben Anspruch auf eine Rentenzahlung zwischen 60 und 110 DM pro Monat.
c) Pension für alle Beamten, beträgt 60 bis 70 Prozent des Gehalts.

6. **Hilfe für Körperbehinderte und Geisteskranke:** Für diese mehr als 1,7 Millionen Hilfsbedürftigen hat Japan eine für asiatische Verhältnisse großzügige Hilfsorganisation mit medizinischer Betreuung aufgebaut, obwohl die meisten der pflegebedürftigen Kinder in der Familie bleiben. Hier hat es also einen deutlichen Anfang gemacht.

Im Verhältnis zu den anderen Sozialleistungen ist die **medizinische Versorgung** der Bevölkerung recht gut:

1970 kamen auf 1000 Einwohner 10 Krankenhausbetten (BRD = 11), auf 893 Personen ein Arzt (BRD = 612) und auf 2835 ein Zahnarzt (BRD 1946).

Arbeiter in Großbetrieben bessergestellt

Wenn man noch die Zusatzleistungen der Betriebe (Bonus, Krankenhaus, Sanatorium, Urlaubsheim, Freizeitkurse, Hochzeits- und Begräbniszeremonie, Kindergeld, Altersabfindung etc.) hinzurechnet, dann erscheint die soziale Sicherung zumindest der Arbeiter in den Großbetrieben nicht als so schlecht wie sie sich auf den ersten Blick hin darstellt. Aber das sind nur knapp ein Drittel aller im Arbeitsprozeß Stehenden. Für die übrigen, auch die Selbständigen (zumeist Bauern oder kleine Gewerbetreibende), ist noch viel zu tun. Um jedoch eine Sozialpolitik durchzuführen, die zu befriedigenden Ergebnissen kommt, ist eine Erhöhung des Sozial- und Erziehungsbudgets um 1000 Prozent nötig. Derart einschneidende Umwälzungen in der Regierungspolitik setzen allerdings voraus, daß sich die Einstellung vieler Japaner zur Sozialpolitik ändert, was vielleicht noch Jahrzehnte dauert, aber wie überall in der Welt nur durch Maßnahmen praktischer Sozialpolitik möglich ist.

Unzulänglichkeiten

7.4 Bildungswesen

7.4.1 Traditionelle Struktur

Entstehung des staatlichen Bildungswesens

Das Bildungswesen in Japan scheint wesentlich jünger zu sein als das in Europa: Die allgemeine Schulpflicht führten erst die Reformen der Meiji-Zeit zwischen 1880 und 1900 ein. Doch auch die meisten europäischen Staaten richteten die staatliche Schulaufsicht erst in der zweiten Hälfte des 19. Jahrhunderts ein, England z. B. erst zwischen 1870 und 1880.

Religiöser Nationalismus

Von Europa übernahm Japan auch das Bildungsideal: die Erziehung des jungen Menschen zu einem gehorsamen Staatsbürger, der „Gott, Kaiser und Vaterland" über alles stellte. Nur paßte es dieses Ziel den japanischen Gegebenheiten an. Da der Kaiser selbst göttliche Verehrung genoß, wurde aus der Dreieinigkeit der höchsten Werte die Zweiheit von Gottkaiser und Nation. Da ferner die mythologischen Vorfahren des Tenno als Ahnherren des japanischen Volkes angesehen wurden, war nur schwer zwischen der Person des Tenno und der

Realität der Nation zu trennen. Respektlosigkeit dem Tenno gegenüber galt als Verachtung der Nation, das Opfer der eigenen Person für den Tenno als Hingabe an die Nation.

Ein derart vom Shinto-Kult, also religiös, geförderter Nationalismus fand seine Entsprechung im europäischen Imperialismus des 19. und 20. Jahrhunderts: im religiös fundierten Sendungsbewußtsein des russischen, im kulturellen Missionsbewußtsein des französischen und englischen Imperialismus und im Auserwähltheitsbewußtsein der Deutschnationalen.

Erziehung zum konservativen Staatsbürger

Die Erziehung zu einem konservativen Staatsbürger, der die Tradition und die bestehenden Gesellschaftsverhältnisse respektiert und eine asketische Lebensführung bejaht, wurde durch den Einfluß des Konfuzianismus und das Vorbild des Samurai noch unterstützt.
Neben diesem Ziel hatte die Erziehung natürlich auch die Aufgabe, den Schülern Kenntnisse und Fähigkeiten zu vermitteln, die die Gesellschaft später von ihnen verlangen würde.

Leistung des Schulsystems

So gab es neben dem konservativ-moralischen, religiös-nationalistischen Bildungsziel eine ganze Reihe von praktischen Unterrichtszielen (Beherrschung der Sprache in Wort und Schrift und solide Kenntnisse in den Naturwissenschaften).
Das japanische Bildungssystem der Vorkriegszeit entwickelte sich in folgenden Etappen:
- Bis 1880 entstanden 28000 Grundschulen mit über 2 Millionen Schülern bei einer dreijährigen Schulpflicht.
- 1886 besuchten bereits 46 Prozent aller Kinder die Grundschule. Die Schulpflicht wurde auf vier Jahre erweitert.
- 1881 wurden die ersten Mittelschulen eingerichtet,
- 1889 die ersten höheren Mädchenschulen.
- 1908 wurde die sechsjährige Schulpflicht eingeführt.
- 1910 besuchten 98 Prozent der entsprechenden Altersgruppe Volksschulen.

Mittel- und Oberschule waren freiwillig: 1940 gingen bereits 20 Prozent der entsprechenden Altersgruppe auf Mittel- und 6,2 Prozent der Jungen auf Oberschulen.
7 kaiserliche Universitäten wurden gegründet, um Spitzenkräfte heranzubilden.
Die Eröffnung privater Mittel-, Ober- und Hochschulen wurde vom Staat nicht nur gestattet, sondern sogar gefördert.
Ein derart schneller Ausbau des staatlichen Bildungswesens war nur möglich, weil die Bildung seit jeher einen hohen Rang in der Werteskala der Japaner einnahm und die Reformer so auf eine große Anzahl von bestehenden Bildungseinrichtungen (konfuzianischer und buddhistischer Tradition) zurückgreifen konnten. Andererseits legte diese zügig durchgeführte Bildungsreform den Grundstein zum technisch-wirtschaftlichen Aufschwung, der Japan zur Führungsmacht Asiens machen sollte – eine Stellung, die Japan auch nach dem verlorenen Kriege sehr schnell wieder einnehmen konnte, da die Effektivität

des Bildungssystems durch die Niederlage nicht berührt und durch die Bildungsreform der Amerikaner sogar noch verstärkt wurde.

7.4.2 Das moderne Bildungssystem

Bildungsreform

1947 setzten amerikanische Besatzungsbehörden eine Reorganisation des gesamten Bildungswesens nach US-Vorbild durch (siehe 4.1.2). Nach dem neuen Bildungsziel, von den Amerikanern zusammen mit japanischen Pädagogen erarbeitet, hat die Schule nicht mehr zur Verehrung des Tenno oder der Nation, nicht mehr zur Unterordnung unter althergebrachte Tradition zu erziehen, sondern nun „unabhängige Bürger eines friedvollen und demokratischen Staates heranzubilden mit Respekt vor den Menschenrechten und Liebe zu Wahrheit und Frieden". Außerdem fordert das Schulgesetz Chancengleichheit für alle in Schul- und Universitätsbildung.

Organisatorische Veränderungen

Dies sollte durch die Neuorganisation des Schulwesens und der Universitäten verwirklicht werden.
Die Schulpflicht wurde von sechs auf neun Jahre heraufgesetzt. Auf eine sechsjährige Grundschule (Shogakko) wurde eine dreijährige Mittelschule (Chugakko) aufgestockt. Die bisherigen Mittelschulen wurden zu Oberschulen (Kotogakko), die Oberschulen zu Junior Colleges oder Technical Colleges erhöht und die bisherigen Fachhochschulen zu Universitäten (Daigaku), so daß aus den wenigen Oberschulen zusammen mit den alten Mittelschulen 4000 neue Oberschulen gebildet wurden und aus den sieben kaiserlichen Universitäten und einigen privaten Universitäten zunächst 48, bis heute jedoch 400 neue Universitäten und 491 Colleges entstanden.

Gesamtschulsystem

Damit ist die ursprüngliche Mehrzügigkeit des Bildungssystems aufgegeben und eine Einzügigkeit erreicht. Alle Jugendlichen zwischen 6 und 15 Jahren besuchen nun gemeinsam die Grundschule und die Mittelschule. Vier Fünftel ihrer Abgänger lernen heute nach einer Aufnahmeprüfung auf der (freiwilligen) Oberschule weiter, die zu gehobeneren Positionen in der Arbeitswelt und zum Studium führt. Hier scheint also das Ideal aller demokratischen Bildungsreformer verwirklicht zu sein, dient die Oberschule hier doch nicht mehr der Elitenauslese, sondern der Breitenbildung.

Der Grund für den so hohen Prozentsatz von Absolventen der Sekundarstufe mag neben der traditionellen Bildungsbereitschaft auch darin liegen, daß die Entscheidung für den Besuch der Oberstufe in Japan erst in einem Alter fällt, in dem der Schüler selbst mitbestimmen kann (15 Jahre) und in dem die Begabungen schon erkennbar sind. Die Eltern brauchen so nur die Verantwortung für drei weitere Schuljahre zu übernehmen, anders als in der BRD, wo die Weichen in aller Regel wesentlich früher und dann gegebenenfalls für weitere 9 Jahre gestellt werden. So erklärt es sich, daß in Japan 85 Prozent der 16–18jährigen die Oberstufe besuchen, in der BRD hingegen nur 12 Prozent.

Bildungsmöglichkeiten der Frauen

Auch die Geschlechter sind in dem neuen Schulsystem gleichberechtigt. Im Gegensatz zum Vorkriegsjapan, in dem die Bildungschancen der Frau sehr gering waren, sind sie heute auf der Primär- und der Sekundarstufe fast völlig gleichgestellt. Selbst auf der Oberschule gibt es neuerdings nicht weniger Mädchen als Jungen.

Qualifikationen für die moderne Arbeitswelt

Sicher ist das allgemeine Bildungsniveau eines japanischen Oberschülers nicht höher als das eines deutschen. Er wird auch nur selten in der Lage sein, so kritische Fragen an die betreffenden Sachverhalte zu stellen wie unsere Schüler, er wird auch verhältnismäßig selten in die Situation kommen, individuelle selbständige Forschungsarbeit leisten zu müssen, da die Gruppenarbeit auch in der Forschung bestimmend ist. Aber er hat drei Dinge gelernt, die in der modernen Arbeitswelt unerläßlich sind:

- über längere Zeiträume hinweg konzentriert, stetig und zielgerichtet zu arbeiten (der Schultag dauert in Japan von 8 bis 16 Uhr),
- in der Gruppe zu arbeiten und dort im „Teamwork" gemeinsame Aufgaben zu lösen,
- mit den Mitteln der Technik wie selbstverständlich umzugehen.

Technische Ausstattung der Schulen

Die Ausstattung der Schulen mit technischen Hilfsmitteln ist erstaunlich gut und nur durch Geschenke der Industrie möglich gewesen.

Fast alle Schulen verfügen über Dia- und Filmprojektoren, Tonbandgeräte und Fernsehapparate. Auch die Zahl der Sprachlabore, Video-Taperecorder, Antwortanalysierer und Computer in den Schulen nimmt ständig zu. Die halbstaatliche Rundfunkgesellschaft (NHK) hat 90 Schulfunkprogramme entwickelt (siehe 7.5).

Die Modernisierung ist nur äußerlich

Doch die Modernisierung der Unterrichtsmittel hat nur in wenigen Fällen zur Modernisierung des Unterrichts geführt. Der Lehrer hängt wie in alten Zeiten am Buch, an der Lektion und benutzt die neuen Mittel, ohne selbst seine Unterrichtsmethode zu verändern.

Mängel des heutigen Erziehungswesens

So ist trotz grundlegender Reformen noch vieles für den europäischen Betrachter befremdlich geblieben: Schüler und Schülerinnen der Mittel- und Oberschulen tragen Uniformen; Fragen des Lehrers werden stehend beantwortet, eigene Fragen stellt der Schüler kaum, Kritik wird nicht geäußert, sie gilt als ungehörig. Der Unterrichtsstil unterscheidet sich wesentlich von dem unsrigen: Der Lehrer trägt vor, Schüler sprechen nur nach direkter Aufforderung. Viel Wert wird auf das Auswendiglernen gelegt, und das scheint zum Teil notwendig zu sein, müssen doch 1850 oft höchst komplizierte chinesische Zeichen, 100 japanische Silbenschriftzeichen und das lateinische Alphabet gelernt werden.

Mindestens 1000 Wortzeichen muß man bereits beherrschen, um ein Physik-, Chemie- oder Geschichtslehrbuch lesen zu können, und etwa 1500, um wissenschaftliche oder literarische Werke verstehen zu können. Nahezu 1500 Unterrichtsstunden werden in den ersten 6 Jahren benötigt, um die vorgeschriebenen 881 Kanji (die chinesischen Wortzeichen) zu erlernen, und nochmals 1000 Unterrichtsstunden, um weitere 1000 kompliziertere Kanji zu erlernen und durch Lektüre einzuüben.

Organisation des allgemeinen Bildungswesens
(Abbildung 13)

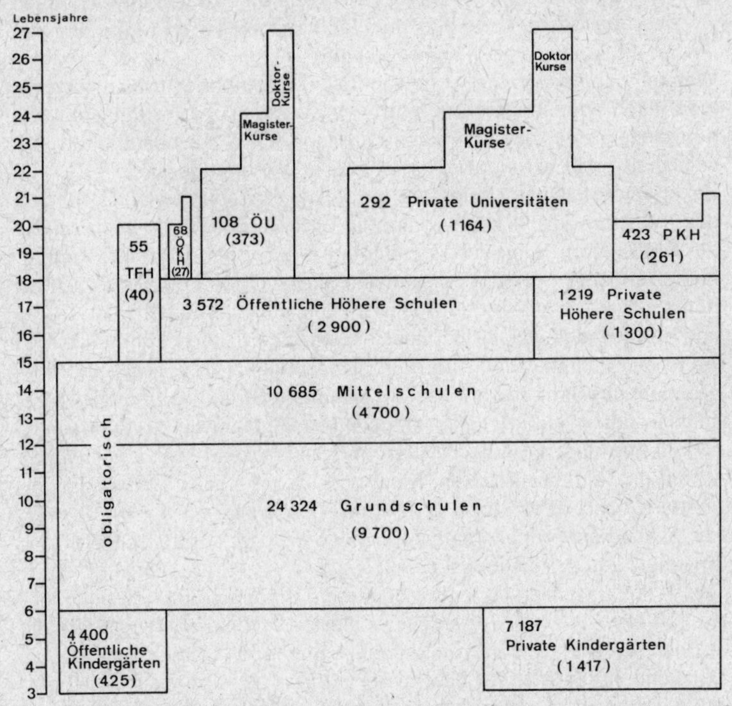

Das Schema ist vereinfacht, ohne Zwischen- und Sondertypen.
Stand: 1 Mai 1972, Höhere Schulen: 1971. In Klammern: Zahl der Besucher in 1000

TFH = Technische Fachhochschulen
ÖU = Öffentliche Universitäten
ÖKH = Öffentliche Kurz-Hochschulen
PKH = Private Kurz-Hochschulen

Dafür muß der Schüler sehr viel Energie einsetzen, die ihm dann für andere Fächer fehlt. Doch übt er dabei sein Gedächtnis und gewinnt Konzentrationsfähigkeit und Exaktheit – Eigenschaften, die den japanischen Facharbeiter und Handwerker besonders auszeichnen.

Doch scheint es bei einem solchen auf genaueste Imitation gerichteten Unterricht nur selten zu gelingen, die kreativen Fähigkeiten des Schülers zu entwickeln. Er übt nicht, eigene Gedanken auszudrücken, weder im fremdsprachlichen noch im muttersprachlichen Unterricht, in dem die Wiederholungsmethode auch im Gespräch vorherrscht. Ob so das Ziel – Erziehung zu einer freien, selbständigen Persönlichkeit als Grundlage einer demokratischen Gesellschaft – erreicht werden kann, ist zumindest fraglich.

Pragmatismus in der Erziehung

Ein anderer, vielleicht noch größerer Nachteil: Die Erziehung ist heute, nach Wegfall der ideologischen Komponente, stark auf bloße praktische Nützlichkeit gerichtet. Fragen nach dem Wozu des Wohlstandes, nach gesellschaftlichen Zielen, nach einer größeren sozialen Gerechtigkeit werden ebenso selten in den Schulen behandelt wie Fragen der modernen Philosophie und Anthropologie.

Was bei den noch immer angewandten Lehrmethoden erzielt und teils wohl auch angestrebt wird, sind weitgehend bloße Fertigkeiten, die den einzelnen in den Wirtschaftsprozeß und in die bestehende Gesellschaft noch wirkungsvoller einzugliedern erlauben.

Kritik der Schüler

So kritisieren Oberschüler die derzeitige Erziehung als Instrument, das sie „zwingt, die jetzige Lage zu billigen, und diejenigen isoliert, die Kritik üben." Einige wenige mutige Pädagogen fordern „weniger Paukerei" und „stärkere wissenschaftliche Orientierung des Unterrichts", Schüler verlangen von den Lehrern, sie sollen „Forschung und Selbständigkeit lehren". Doch die einzelnen Lehrer könnten, selbst

Prüfungssystem zwingt zum Pauken

wenn sie wollten, nicht aus dem allmächtigen Prüfungssystem ausbrechen, das die Schüler in einem ständigen Streß hält und die Mittelschulen dazu zwingt, möglichst viele ihrer Schüler an die Oberschule zu bringen und die Oberschulen, möglichst viele ihrer Absolventen an die großen Universitäten. Nicht nach der Zahl der Schulabgänger, sondern nach dem Prozentsatz ihrer Absolventen, die den Zugang zur nächsthöheren Bildungsstufe gewonnen haben, richtet sich das Ansehen der betreffenden Schule.

Die Schulen werden daher nur selten die Entfaltung der verschiedenartigen Anlagen und Kräfte des Schülers zum Ziel haben, sondern die Aufnahme ihrer Schüler an der nächsthöheren Bildungsanstalt. So bezeichnen kritische japanische Pädagogen ihre Schulen als „Erziehungsfabriken", die nur noch an einem möglichst großen „output" und nicht an der Qualität gemessen werden.

Offenheit des Hochschulsystems

Das Hochschulsystem Japans scheint auf das beste geeignet, die breite Massenbildung der Schulen fortzusetzen. Zwar läßt das strenge Ausleseverfahren bei den Aufnahmeprüfungen nur 30 Prozent aller Schulabgänger die Pforten der Alma Mater passieren, während in der BRD über 90 Prozent der Abiturienten ohne nochmalige Prüfung zu studieren beginnen. Doch stellen unsere 90 Prozent der Abiturienten nur 9 Prozent eines Geburtsjahrganges dar, während die 30 Prozent in Japan immerhin noch 20 Prozent der 18–19jährigen ausmachen.

Tabelle 4: **Entwicklung des Hochschulwesens**

	1955			1. Mai 1972		
	Ganz Japan	Tokyo	vH	Ganz Japan	Tokyo	vH
Universitäten	228	89	39	400	104	26
Studenten	523 000	259 000	49	1 537 000	671 000	44

Es studieren in Japan also über doppelt so viele Angehörige eines Jahrgangs wie in der BRD. Das wirkt sich sowohl in der Zukunft auf die Zusammensetzung der Gesellschaft als auch heute bereits auf die Herkunft der Studenten aus. Soziologisch gesehen, ist die Hochschulbildung überall schichtenspezifisch bestimmt. Während in der BRD nach wie vor die überwiegende Mehrheit der Studenten aus der oberen Mittel- und der Oberschicht kommt, vor allem aus Familien von Beamten und Selbständigen, ist in der japanischen Studentenschaft auch die untere Mittel- und die obere Unterschicht gut vertreten.

Tabelle 5: **Soziale Herkunft der Studenten in Japan 1968**
(Berufe der Väter in Prozent von 376 000 Studierenden)

Beamte	Angestellte[1])	Arbeiter[2])	Bauern, Fischer	Kaufleute, Handwerker	Gewerbetreibende	Unternehmer	freie Berufe	Ohne Beruf, Sonstige
21,8	27,9	1,8	12,1	9,2	16,9	4,3	3,3	2,7

(Nach: Sekiguchi, Frauenstudium in Deutschland und Japan, Hamburg 1970, S. 32.)

[1]) darunter ein großer Teil von Facharbeitern, die als Angestellte betrachtet werden.
[2]) nur Hilfs- oder Zeitarbeiter.

„Allgemein kann man sagen, daß die vorhandenen Begabungsreserven in der gegenwärtigen Situation gut ausgenutzt werden. Ist man begabt, so hat man weitgehend unabhängig von der sozialen Schichtzugehörigkeit die Möglichkeit zu studieren – sofern man männlichen Geschlechts ist." (Brigitte Müller, Universitäten in Japan, Deutsch-Japanisches Wirtschaftsbüro Hamburg, S. 19).

Wenige Frauen studieren

Nur in einem Punkt zeigt sich die Situation an den japanischen Hochschulen ungünstiger als die an den westdeutschen Universitäten: beim Frauenstudium. Während in der BRD die Mädchen 31,4 Prozent der Studienanfänger stellen (1970/71), sind es in Japan nur 18,0 Prozent (1969). Das ist um so erstaunlicher, als in Japan der Anteil der Mädchen an den Schulabgängern etwa 50 Prozent beträgt, in der BRD jedoch nur 39 Prozent. In Japan zeigt sich also eher eine Benachteiligung des weiblichen Geschlechts als bestimmter sozialer Schichten, was sich wahrscheinlich daraus erklärt, daß das Universitätsstudium – anders als in der BRD – als reine Berufsvorbereitung angesehen wird, die neben dem Lehr- und Arztberuf auch zu Führungspositionen in Verwaltung und Wirtschaft führen kann. Da aber die japanische Gesellschaft noch nicht bereit ist, der Frau solche Führungspositionen zuzugestehen, verzichten die meisten Japanerinnen mit Oberschulabschluß auf ein Studium. Wenn Mädchen studieren, dann wählen sie zu vier Fünfteln solche Fächer, die zu einem Lehr- oder Heilberuf führen.

Das organisierte Studium

Anders als bei uns sind in Japan in allen Fächern die Studiendauer und der – durch Prüfungen kontrollierte – Studiengang genau vorgeschrieben. Während in der BRD der Studierende am Anfang seines

Studiums die größte Freiheit genießt und erst am Ende durch die Vorbereitung auf das Examen eingeschränkt ist, verhält es sich in Japan umgekehrt: In den ersten beiden Jahren muß jeder Studierende Pflichtvorlesungen hören, über die er am Ende jeden Semesters in Prüfungen Rechenschaft ablegen muß. Erst im dritten und noch stärker im vierten Studienjahr kann er selbst Vorlesungen wählen und auch an Seminaren teilnehmen, bis er am Ende mit steigendem Wissensgrad eine fast völlige Freiheit erreicht hat.

Ständige Überprüfungen

Da der Abschluß nicht von einem umfangreichen Schlußexamen abhängt, sondern von den „credits", die der Student in den vielen Einzelprüfungen der vorangegangenen Semester erworben hat, kann er jederzeit selbst überprüfen, wie sein Wissensstand ist, eine Kontrolle und Gewißheit, die der deutsche Student nur in wenigen Fächern hat. Die Semesterferien dienen zur Anfertigung von schriftlichen Arbeiten, oft im Teamwork.

Die Einteilung des Studiums in Studienjahre mit vorgeschriebenem Studienplan führt zur Bildung von festen Jahrgangsgruppen, die auch nach dem Studium noch als Gruppen weiterexistieren und in der Führungsschicht eine große Rolle spielen (Gakubatsu siehe 7.2).

Vorteile des Studiensystems

Die Führung in Lehre und Forschung hat nicht wie in der BRD (bis vor kurzer Zeit noch) der allmächtige Ordinarius, sondern der jüngere akademische Mittelbau, der gelernt hat, im Team zu arbeiten und bereit und fähig ist, sich auf die schnell wechselnden Arbeitsbedingungen und -aufgaben einzustellen.

Das Studium selbst ist überschaubar: zwei Jahre Studium Generale und zwei Jahre (Medizin vier Jahre) Fachstudium. Bei Erreichen der vorgeschriebenen Credits wird man zum „gakushi" (bachelor) graduiert. Wer begabt und ausdauernd genug ist, kann das Studium an einer Graduierten-Schule, die nur an 150 Universitäten bestehen, fortsetzen und dort nach zwei Jahren den „shushi"-(Magister)Titel erwerben. Wer in Forschung und Lehre tätig sein will, muß noch einen dreijährigen „hakushi"-(Doktor)-Kurs absolvieren, um dann als Doktor einen akademischen Beruf ausüben zu können.

Die systematische Anleitung der Studenten durch einen vorgeschriebenen Lehrplan ermöglicht auch den Studenten aus Arbeiter-, Bauern- und Angestelltenfamilien, ihr Studium sinnvoll und erfolgreich durchzuführen. Daher ist wohl auch der Anteil der Studenten, die ihr Studium nicht zu Ende führen, mit 12 Prozent wesentlich geringer als in der BRD (40 Prozent).

Der staatliche Sektor des Bildungssystems ist zu klein

So scheint es, als hätten – mit der Ausnahme der Benachteiligung der Frauen in der Universitätsausbildung – alle Schichten und Gruppen grundsätzlich gleiche Bildungschancen. Der Schein trügt jedoch, da der Staat außerstande war, die erforderlichen Vorschul-, Schul- und Universitätsplätze zu schaffen, und deshalb ein starker privater Sektor des Bildungssystems den sozial privilegierten Schichten aufgrund der hohen Gebühren bevorzugten Bildungserwerb ermöglicht.

Der „Babyboom" der Nachkriegszeit, der der Industrie genügend

Arbeitskräfte bescherte, hat die Überfüllung der Schulen und Universitäten zu einem nationalen Notstand werden lassen. Abiturklassen von 50 bis 60 Schülern sind ebensowenig eine Seltenheit wie eine Aufnahmequote von nur 25 Prozent aller Bewerber an den staatlichen Universitäten (die Tokyo-Universität hat 1972 von 11585 Bewerbern nur 3000 zugelassen).

Bedeutung der privaten Bildungseinrichtungen

Ohne die privaten Schulträger wäre das japanische Wirtschaftswunder kaum zu erreichen gewesen. Noch 1972 nahmen die privaten Kindergärten drei Viertel aller Kindergartenkinder, die privaten Oberschulen ein Drittel aller Oberschüler, die privaten Colleges 90 Prozent aller Collegiaten (244000) und die privaten Universitäten vier Fünftel aller Studenten auf. An privaten Fachschulen wurden 1,4 Millionen Schüler unterrichtet.

Bei verhältnismäßig geringen Aufwendungen des Staates (für einen Privatstudenten jährlich nur 300 DM, für einen Studenten an einer staatlichen Hochschule hingegen 7600 DM) gelang es so, die für das Wirtschaftswachstum erforderliche Schul- und Universitätsausbildung für breitere Bevölkerungsteile zu gewährleisten.

1972 besuchten
1,84 Millionen = 58% der 4–5jährigen einen Kindergarten (BRD: 35%),
4,16 Millionen = 87% der Mittelschulabsolventen eine Oberschule (BRD nicht vergleichbar),
1,54 Millionen = 20% der 18–22jährigen eine Universität (BRD: etwa 10%).

Dabei haben sich die Zahlen für den Kindergarten gegenüber der Vorkriegszeit verzehnfacht, die für die Oberschulen vervierfacht und die für die Universitäten versechsfacht.

Hohe Aufnahme- und Studiengebühren

Die meisten Kindergärten, Colleges und Universitäten befinden sich in privater Hand. Die entsprechenden staatlichen Einrichtungen können jeweils nur einen kleinen Teil der Bewerber aufnehmen, alle anderen müssen recht hohe Aufnahme- und Studiengebühren zahlen.

Für die privaten Universitäten z. B. liegen 1973 die Aufnahmegebühren zwischen 2000 und 10000 DM (an Staatsuniversitäten 360 DM), die Studiengebühren zwischen 1500 und 8000 DM pro Jahr.

Privilegierung der sozial ohnehin schon Privilegierten

Daraus ergibt sich eine Benachteiligung für die Angehörigen finanziell schwacher Schichten. In der Vorschule findet eine zunehmend wichtiger werdende, gerade in Japan betont intellektuelle Frühförderung statt, die durch spätere Bildungsbemühungen nur schwer einzuholen ist. Durch die rigorose Auswahl bei den Aufnahmeprüfungen zu den staatlichen Universitäten werden jedoch alle nicht Hochbegabten bzw. von der Schule nicht genügend Vorbereiteten zurückgewiesen, so daß auch der Durchschnitt der Bildungswilligen und Bildungsfähigen auf die Ausbildung an den privaten Universitäten angewiesen ist. Von diesen erheben jedoch die besten so hohe Gebühren, daß den finanziell Schwachen nur die Ausbildung an nicht angesehenen, dafür aber billigeren Privatuniversitäten bleibt; sie werden damit automatisch vom Aufstieg zu wichtigen Führungspositionen ausgeschlossen. An entscheidenden Punkten privilegiert das japanische Bildungssystem also die sozial ohnehin schon Privilegierten.

Vorschule in Japan

„Kennzeichnend für den japanischen Kindergarten sind die bewußt schulisch gesehenen Unterrichtsprogramme. Angestrebt wird vor allem die Fähigkeit, sich auszudrücken und abstrakte Zusammenhänge zu erfassen. Der Gesichtspunkt, daß sich die kindliche Persönlichkeit im Spiel entfaltet, kommt wenig zur Geltung.
Auch organisatorisch sind die Kindergärten in das Schulsystem eingeordnet: Die – in der Mehrzahl privaten – Universitäten finanzieren nicht nur Schulen, sondern auch Kindergärten. Entsprechend besitzen die Kindergärten ihr jeweiliges Qualitäts-Image. Viele Kinder werden durch Privatunterricht auf die Aufnahme in einen guten Kindergarten vorbereitet. Nicht wenige Kinder zeigen unter dem Druck der Lernanforderungen psychische Reaktionen: Kontaktstörungen, Mangel an Spontaneität, Geschwätzigkeit, körperliches Phlegma, Augenzwinkern und andere nervöse Störungen. Ganz offenbar ist der Kindergarten die erste Stufe der autoritätsbezogenen japanischen Leistungsgesellschaft. Es ist unklar, ob Gegenbewegungen, die in der jüngsten Zeit laut werden und sich allgemein gegen die starke Einbindung in Leistungsbegriffe wenden, sich angesichts der drohenden Konkurrenz mit China durchsetzen können."
Vorschule und Erziehung, herausgegeben von den wissenschaftlichen Diensten des Deutschen Bundestags, Bonn 1971, S. 66.
Einen anderen Eindruck gewann der Autor dieses Heftes bei seinen unangemeldeten Besuchen in vielen Kindergärten Tokyos: Er war überrascht über die Freiheit und Selbständigkeit, in der sich die Kinder austobten, Gardinen bemalten, lärmten, die Erzieherinnen neckten. Das Kleinkind ist König – im Gegensatz zum Schulkind.

7.4.3 Die Studentenbewegung

Ursachen der Studentenunruhen

Ein Teil der Studentenunruhen läßt sich sicherlich als Protest gegen diese Ungleichheit der Bildungschancen erklären wie auch aus dem weit verbreiteten Unbehagen an der fabrikmäßigen Ausbildung: Universitäten mit 50 – 100 000 Studenten, deren Vorlesungen mitunter den Charakter von Massenveranstaltungen haben, sind keine Seltenheit mehr. Oft richtet sich der Protest aber auch gegen Mißbrauch der hohen Studiengebühren durch das Universitätsmanagement und gegen Korruption bei der Zulassung an den Privatuniversitäten. In den monatelangen Unruhen der Jahre 1969 und 1970 ging es jedoch noch um anderes. Hier wollten die Studenten die Lahmlegung des Studienbetriebes, eventuell auch mit Zerstörung der Einrichtungen, erreichen, um eine Umgestaltung der Universitäten durchzusetzen. Sie forderten, die gesellschaftliche Aufgabe der Universität zu diskutieren, um auf den Ergebnissen die Umwandlung der japanischen Universitäten aufbauen zu können.
Diese Bewegung wurde sehr bald von einer radikalen Gruppe gelenkt und auf eine unbedingte Konfrontation mit den Universitätsbehörden

gerichtet. Es handelt sich dabei um die „**Zengakuren**“ genannte Gruppe, die berühmt geworden ist durch ihre provozierten Straßenschlachten.

In diesen Straßenschlachten mit der Polizei waren die Studenten mit Waffen und Schilden den Polizisten entgegengetreten und es hatte auf beiden Seiten Tote und Tausende von Verletzten gegeben.

Humanismus im Sinne von Marx

Die Gewaltsamkeit der Auseinandersetzungen darf nicht den Blick dafür verstellen, daß diese Studentenbewegung nicht das ursprüngliche Ziel vergessen hat, einen neuen Humanismus im Sinne von Karl Marx zu begründen. Das Herrschaftssystem der Sowjetunion wird als stalinistisch abgelehnt und eine neue Gesellschaftsform durch eine Reihe von Veränderungen angestrebt. Eine Gemeinschaft mit der KPJ gibt es seit 1958 nicht mehr. Der Hauptstrom steht sogar in einem erklärten Gegensatz zur Politik der KPJ. Stalinismus und Kapitalismus werden gleicherweise verworfen, ein entwickeltes, allgemein akzeptiertes Bild einer neuen Gesellschaft fehlt jedoch noch.

„Universität fürs Volk“

Die Machtübernahme an der Todai wurde als Anfangsschritt geplant, denn „diese Universität spiele eine wichtige Rolle in der Machtstruktur des Staates“. Ihre „volksfeindliche Rolle“ müsse aufgehoben werden durch ihre Umwandlung von einer „Universität für die Mächtigen“ in eine „Universität fürs Volk“. Dazu wurde ein „Allgemeines Kampfkomitee für alle Universitätsgelände“ gebildet.

Studentenunruhen als Klassenkampf

„Die Kämpfe haben den universalen und volksfreundlichen Charakter des Todai-Kampfes allzu deutlich gemacht: der wahre Ursprung der Studentenbewegung ist der Klassenkampf im heutigen Japan mit einer horizontalen Achse der Campuskämpfe und einer vertikalen Achse der Kampagnen gegen den japanisch-amerikanischen Sicherheitspakt und der Unterstützung der Bewegung zur Rückgabe Okinawas ... Die Kämpfe haben kein Ende. Wir sind voll davon überzeugt, daß das Ende des einen Kampfes der Beginn eines anderen ist.“
Aus einem Aufruf des „All Campus Joint Struggle Commitee“ 1969.

Da das Kampfkomitee eine offene Auseinandersetzung mit der Universität zum Zwecke der Solidarisierung mit den noch unentschlossenen Studenten ansteuerte, hatten auch die weitgehenden Zugeständnisse der Universitätsleitung (Reformen unter Beteiligung der Studenten, Mitarbeit bei Curriculumerarbeitung, bei Berufungen, bei der finanziellen Verwaltung) keine Aussicht auf Erfolg.
Das Komitee besetzte die Gebäude, hinderte Professoren am Betreten des Gebäudes, Studenten an der Examensteilnahme, und legte den Universitätsbetrieb lahm. Damit war die Universitätsleitung gezwungen, um Polizeischutz zur Durchführung von Unterrichtsveranstaltungen zu bitten – was sie nur widerwillig tat, denn sie glaubte immer noch, ihre „akademische Freiheit und Unabhängigkeit“ wahren zu können. Die Konfrontation führte nun genau zu der vom Kampfkomitee gewünschten Eskalation mit monatelangen Kämpfen zwischen Polizei und Studenten, Hunderten von Verletzten auf jeder Seite, täglichen Kampfberichten in den Zeitungen und Übergreifen der Unruhe auf über 80 andere Universitäten. Als die brennenden und zerstörten Gebäude schließlich von der Polizei gestürmt waren, hatte das Kampfkomitee sein Ziel erreicht: ganz Japan sprach über die Studentenbewegungen, fast die Hälfte der Studenten hatte sich mit ihnen solidarisiert, und die Regierung mußte sich Gedanken über eine Universitätsreform machen.

Verstärkung der Staatskontrolle ...

Die Reformen sind inzwischen langsam in Gang gekommen, doch der Staat hat seine Kontrolle über die Universitäten auch insofern gestärkt, als die Polizei nun jederzeit bei Unruhen Zutritt zum Campus hat und das Erziehungsministerium die Ernennung von gewählten Universitätsbeamten hinausschieben kann, wenn diese radikale Neigungen zeigen. Außerdem ist in der bisher sehr studentenfreundlichen japanischen Gesellschaft (in den meisten Großstadtfamilien gibt es auch Studenten) die Abneigung gegen schlagende, schreiende und bombenwerfende Studenten gewachsen. Der Vorwurf des Müßiggangs, der Steuervergeudung und der Ruf nach der Staatsgewalt wird immer häufiger, obwohl der Japaner, sehr im Unterschied zum Deutschen, es immer als selbstverständlich hingenommen hat, daß junge Leute „verrückt spielen, sich austoben" müssen. Wenn auch schon für längere Zeit an den japanischen Universitäten alles ruhig geblieben ist, befinden sie sich auch weiterhin in einer starken inneren Unruhe, die sich aus der weitgehenden Ablehnung des traditionellen Wertesystems und der Suche nach neuen Wertvorstellungen ergibt.

und innere Unruhe

7.5 Massenmedien

Presse, Rundfunk und Fernsehen spielen in einem so hochindustrialisierten Land wie Japan eine bedeutende Rolle. Die wichtigsten Tageszeitungen können auf eine 100jährige Geschichte zurückblicken, das Radio begann seine ersten Sendungen 1925 auszustrahlen, das Fernsehen 1952, seit 1960 als zweites Land der Welt regelmäßig auch in Farbe. Heute wird das Radio fast nur noch zum Empfang von Musiksendungen benutzt, für alle anderen Sendungen ist das Fernsehen an seine Stelle getreten.

Die Tageszeitungen

In Japan erschienen 1970 nahezu 170 selbständige Tageszeitungen, die täglich mehr als 53 Millionen Exemplare absetzten (BRD Ende 1971: 434 Zeitungen [davon ein Drittel mit eigener Redaktion] mit einer verkauften Auflage von 18,1 Millionen Exemplaren). Etwa die Hälfte der japanischen Gesamtauflage wird von den „Großen Drei" hergestellt:

- der Asahi-Shimbun (10 Millionen),
- der Yomiuri-Shimbun (9,5 Millionen)
- und der Mainichi-Shimbun (7,5 Millionen).

Weitere 12 Millionen stammen von 7 Zeitungen mit Auflagen zwischen 400 – 900 000 und auch von den kleinen Zeitungen haben über 50 Auflagen von mehr als 100 000. Knapp drei Viertel der japanischen Gesamtauflage wird also von 15 Zeitungen hergestellt.

Hohe Auflage und hohes Niveau keine Gegensätze

Die Zeitungen mit den höchsten Auflagen sind, auch anders als bei uns, keine Bildzeitungen, sondern Blätter von hohem Rang, die nicht nur von Politikern, Intellektuellen, Wirtschaftsführern und Künstlern, sondern auch von einer großen Zahl von Angestellten gelesen werden. Das Niveau der anderen Blätter ist nicht wesentlich niedriger. Der Leseeifer des Japaners ist weitgehend verbunden mit dem Willen zum Lernen und zur Bildung. So bringen die Leser die Presseredaktionen immer wieder dazu, ein hohes Niveau zu wahren.

Was erwartet der Leser?

Häufige Umfragen zeigen den Redakteuren, was ihre Leser von ihnen erwarten:

Nützliche Nachrichten	50%
Ausführliche Nachrichten	46%
Material zur Förderung der eigenen Ausbildung	36%
Führung	30%
Schnelle Nachrichtenvermittlung	28%
Genauigkeit	25%
Material zur Urteilsbildung	24%
Unterhaltung	18%

(Aus: The Japanese Press 1971, Tokyo 1971)

Die Presse-Klubs

Der Zwang zur Qualität veranlaßt die Zeitungen, nicht nur riesige Redaktionsstäbe aufzubauen (jeder der „drei Großen" hat über 2000 Redakteure), sondern auch in den Presseklubs zu erscheinen. Jedes Ministerium, jede Stadtverwaltung, jede Behörde, die Nachrichten herausgibt, verfügt über einen eigenen Presse-Klub. Nur hier können die akkreditierten Journalisten die für sie bestimmten Nachrichten erhalten. Geheimhaltung in öffentlichen Dingen ist verpönt: Verwaltungsmaßnahmen, Reform- und Wirtschaftspläne werden so schnell wie möglich an die Presse gegeben, damit diese für die Information des Bürgers sorgt.

Parteipresse ohne Bedeutung

Es gibt keine Parteipresse von Bedeutung. Selbst die größten Parteizeitungen (Seikyo Shimbun der buddhistischen Komeito und die Akahata [= Rote Fahne] der KP) erscheinen in einer im Verhältnis zu den großen Tageszeitungen so geringen Auflage, daß ihr Einfluß minimal ist.

Politische Tendenz der Tageszeitungen

Die meisten Tageszeitungen sind parteipolitisch neutral, aber gegenüber der Regierung meist recht kritisch. Diese Tendenz äußert sich weniger in den ohnedies seltenen Leitartikeln als vielmehr in der Auswahl der Nachrichten, der Bilder, der Über- und Unterschriften.

Presse – Teil des Establishments

„Das heißt aber nicht, daß die Presse sich den japanischen Führungsschichten hundertprozentig unterwirft, wie etwa in der Zeit vor dem Zweiten Weltkrieg. Der Diskussion wird breiter Raum gewidmet – mit der Einschränkung, daß sie fast immer innerhalb der Grenzen der erzielten Übereinstimmung gehalten wird. Ist eine Streitfrage geklärt, anerkennt die Presse meist die getroffene Entscheidung genauso wie irgendein anderes Mitglied der nationalen Führungsschichten oder des Establishments. Denn heute ist die Presse – darin liegt der wichtigste Unterschied zu ihrer traditionellen Rolle in der japanischen Gesellschaft – eher Teil des nationalen Establishments als sein Untergeordneter. Sie ist zum großen Teil für die Aufrechterhaltung des Konsensus und damit für eine Verstärkung der nationalen Solidarität und Einheit verantwortlich."

Hermann Kahn, Bald werden sie die ersten sein, Wien 1970, S. 115.

Vor allem bei den „drei Großen", aber auch bei den meisten anderen Zeitungen schnellten die Verkaufszahlen in die Höhe, wenn sie über Demonstrationen, Streiks, Veranstaltungen der Oppositionsparteien, Korruption und Vetternwirtschaft in der Regierungspartei berichteten. So ergab es sich, daß Kritik an der Regierung den höchsten Umsatz sicherte und eine Zeitung, die sich für die Regierung einsetzt, mit rückläufigen Vertriebszahlen rechnen muß.

Die immer schärfere Haltung gegenüber der Regierungspolitik in der Diskussion der Umweltverschmutzung, Aufnahme Chinas in die UN, Aufnahme diplomatischer Beziehungen zu China, hat nicht unwesentlich zum Entschluß der LDP-Faktionschefs beigetragen, den starr-konservativen Ministerpräsidenten Sato durch den beweglicheren Tanaka auszutauschen.

Insgesamt ist aber die politische Stellungnahme gerade der großen, national verbreiteten Zeitungen relativ zurückhaltend, da sie sich bemühen müssen, ein sehr großes, nach sozialer Schicht und politischer Position unterschiedliches Publikum zufriedenzustellen.

Zweithöchste Leserdichte der Welt

Alle großen japanischen Zeitungen erscheinen in einer Morgen- und einer Abendausgabe, die „Großen Drei" mit zahlreichen Lokalbeilagen („Asahi Shimbun" z. B. mit 134). Japan hat – nach Schweden – die zweithöchste Leserdichte der Welt (1969 je Haushalt 1,24 Exemplare – in den Städten mehr, auf dem Land weniger). 90 Prozent der Leser der Tagespresse sind Abonnenten.

Die Macht der Zeitungen
„In Japan kann die Presse jeden Minister, jeden Staatssekretär um seine Stellungnahme bitten, selbst mitten in der Nacht. Keiner wird es wagen, diese Stellungnahme abzulehnen oder empört auf die Einhaltung des Dienstweges zu verweisen. Das würde ihm sofort den Vorwurf undemokratischen Verhaltens eintragen und ihn unweigerlich dem Trommelfeuer der gesamten Presse aussetzen. Dabei wiederum geht es gar nicht um sachliche Gesichtspunkte, sondern darum, daß man „sein Gesicht verlieren" könnte. Ein solcher Verlust aber ist in einem so gruppenbewußten, gruppenbedingten Land wie Japan auch heute noch tödlich."
Hans Schwalbe, Acht Gesichter Japans, Tokyo–Hamburg (OAG) 1970, S. 294.

Die Wochen- und Monatszeitschriften

Im Gegensatz zu den Tageszeitungen sind die 43 Wochenzeitschriften mit einer Gesamtauflage von 99 Millionen (1969) vorwiegend populär und anspruchslos. Dagegen sind die 1 300 Monatszeitschriften mit einer Gesamtauflage von 79 Millionen (1969) recht anspruchsvoll.

Zum Vergleich: 1971 erschienen in der BRD 58 Wochenzeitungen mit 1,5 Millionen Verkaufsauflage und 914 Zeitschriften aller Art mit 98,1 Millionen Verkaufsauflage.

Sie informieren über Entdeckungen und Erfindungen im Bereich von Natur und Technik und über Tendenzen in der Kunst und Geisteswissenschaft. Hier gibt es auch eindeutige politische Meinungen, die in der Tagespresse fehlen. Auch diese anspruchsvollen Zeitschriften finden ihr Publikum und haben mitunter Auflagen von einer halben Million Exemplare.

Wettbewerb

Der Wettbewerb zwingt die Zeitungen oft dazu, Ausgaben zu machen für Zwecke, die mit der Zeitung zunächst nichts zu tun haben. So werden Himalaya-Expeditionen ausgerüstet, Forschungsreisen sowie Autorennen finanziert, eigene Orchester aufgebaut und Sportveranstaltungen durchgeführt. Der Nutzen ist gering, aber all das nicht zu tun, würde bedeuten, aus dem Wettbewerb auszuscheiden und damit an Gesicht zu verlieren.

Fernsehen

Trotz des Lesehungers der Japaner hat das Fernsehen in Japan einen einzigartigen Aufschwung genommen: im August 1972 besaßen

99,4 Prozent aller Familien einen oder mehrere Fernsehapparate; von den etwa 40 Millionen Bildschirmen flimmern über 15 Millionen in Farbe.
Neben der halbstaatlichen Rundfunk- und Fernsehgesellschaft NHK (Nippon Hoso Kyokai), die ihre zwei Programme über 611 Radio- und 2448 TV-Stationen bis in den entferntesten Winkel Japans sendet, strahlen 5 große und an die 90 kleine kommerzielle Rundfunk- und Fernsehgesellschaften ihre Sendungen über 158 Radio- und 1091 TV-Stationen aus (Angaben für 1970). Bei einer durchschnittlichen täglichen Sendezeit von 18 bis 20 Stunden ist das intellektuelle Niveau der meisten Sendungen sehr niedrig. Zudem blenden die privaten Fernsehgesellschaften alle 30 Minuten längere Werbespots ein, die zugunsten der Konsumsteigerung nicht nur die Informationsbereitschaft und den Bildungsprozeß, sondern auch das Vergnügen an der Unterhaltung ganz erheblich stören und mitunter sogar aufheben. Doch kommen von ihnen oft auch recht kritische Sendungen und Experimentalfilme, die im staatlich subventionierten NHK kaum denkbar wären.

Bildungsfernsehen

Das Erziehungsfernsehen des NHK sendet auf einem eigenen Kanal von morgens sechs Uhr bis Mitternacht in einer Art Telekolleg ausgezeichnete Sprachlehrgänge (Englisch, Französisch, Deutsch, Russisch, Spanisch und Chinesisch), medizinische, naturwissenschaftliche und mathematische Reihen, historische, politische, religions- und kulturgeschichtliche Kurse, die zum Teil auch von den Schulen und Universitäten übernommen werden. Auf einem weiteren Kanal strahlt das NHK ein Bildungs- und Unterhaltungsprogramm aus, das ebenfalls für die Privatgesellschaften vorbildlich sein könnte. Dafür fließen auch alle Gebühren der Benutzer (3,25 DM monatlich für Radio und Fernsehen) dem NHK zu, während die privaten Gesellschaften ihre Unkosten allein durch die Werbung finanzieren.
Durchschnittlich verbringt ein Japaner werktags zweieinhalb Stunden (die Hälfte seiner Freizeit) vor dem Fernseher und nahezu vier Stunden sonntags. Presse und Fernsehen beanspruchen damit einen erheblichen Teil seiner Zeit und seiner Kräfte.
Daß dabei der Bildungswille des einzelnen insgesamt viel stärker als bei uns angesprochen wird, ist unbestreitbar.

Politische Wirkung der Massenmedien

Wenn es auch keine einflußreiche Parteipresse und keine profilierte politische Linie bei den einzelnen Zeitungen und Fernsehgesellschaften gibt, so wirkt doch die Tatsache ihres bloßen Vorhandenseins als Druck auf die Regierung und die Industrie, bei ihrer Machtausübung die öffentliche Meinung zu berücksichtigen. Diese öffentliche Meinung wird zu einem ganz wesentlichen Teil geformt von den Zeitungen, nicht nur von den Nachrichten und Berichten, sondern auch von den sehr häufigen Umfragen zu politischen Vorgängen, deren Ergebnisse dann veröffentlicht werden. So spielt selbst in der Zeit des Fernsehens die japanische Presse noch eine ungewöhnlich starke Rolle bei der Weckung, Erkundung und Formulierung der öffentlichen Meinung.

7.6 Die Religionen

Die japanische Industriegesellschaft unterscheidet sich auch in ihrer religiösen Haltung noch beträchtlich von den Industriegesellschaften des Westens.
Zwar wurde der Shintoismus 1945 durch sein Verbot als Staatsreligion schwer getroffen, da ihm die bisherigen Staatszuschüsse nun versagt blieben, und in der Ära der neuen Prosperität schien auch der Buddhismus angesichts der Attraktivität des Warenangebots keine Anziehungskraft mehr zu haben. Japan schien auf dem besten Wege, eine nur noch an Konsumsteigerung interessierte Nation zu werden. Doch dieser Eindruck entsprach nicht der Wirklichkeit.

Shinto

Heute gibt es in Japan nahezu 125 000 Shinto-Schreine, die von über 200 000 Priestern betreut werden. Die Anzahl der Schreine und der bei ihnen registrierten Anhänger des Shintoglaubens steigt seit 1966 stetig, nachdem von 1959 bis 1965 die Mitgliederbewegung trotz des Geburtenzuwachses stagniert hatte. Doch nicht diese Zahlen allein geben Aufschluß über die Bindung des Japaners an seine ureigene Religion, die kein Dogma entwickelt hat und doch in Japan allgegenwärtig ist. Die über 10 000 Volksfeste, die in den verschiedenen Teilen Japans jährlich gefeiert werden, haben meist ihren Ursprung in der Naturverehrung des Shinto, der die Existenz unzähliger Götter lehrt, ohne sie jedoch zu benennen.

Die Kami

Von wenigen Ausnahmen abgesehen, werden sie nur „Kami" genannt, ein Wort, das gesprochen sowohl Gottheit als auch oberer Teil, Kaiser, Lehnsherr oder Kopfhaar bedeuten kann. So befindet sich auch der Schrein, der Besuchs- und Verehrungsort der Kami, immer „oben", auf einem Hügel, auf Berggipfeln, und auch auf Warenhäusern. Die Kami sind meist nicht nur namen-, sondern auch gestaltlos (Naturkräfte) und werden in Symbolen, vor allem im Spiegel, verehrt.
Auf dem Dachgarten eines supermodernen Tokyoer Warenhauses befindet sich ein Shintoschrein, dem viele der Kunden vor oder nach ihren Einkäufen Verehrung erweisen. Der Chef eines der größten japanischen Bank- und Handelshäuser ließ in der Eingangshalle seines ganz amerikanisch wirkenden Verwaltungspalastes in der Ginza einen Ahnenaltar aufstellen, vor dem er sich täglich vor Beginn der Arbeit verneigt.

Religion ohne Doktrin
„Ihrem ganzen Wesen nach ist die Welt des Shinto gestalt- und begriffslos. Sie hat kein Glaubensbekenntnis und keine Sittenlehre, kein Dogma und keine Gebote. Durch Opfer und Riten wird lediglich eine Atmosphäre geschaffen, die frei ist von Unreinheit und finsteren Mächten, eine Atmosphäre, die wie die noble Klarheit eines großen Shinto-Schreines „medetashi", Gutes verheißend, ist und dem göttlichen Wirken die Wege ebnet zum Wohle des einzelnen, der Gemeinschaft und des Landes. Dazu bedarf es nicht einmal frommer Gebete: „Wer in seinem Herzen den Weg der Wahrheit verfolgt, dem helfen – so lautet eine alte Shinto-Weisheit – die Götter auch ohne Beterei und Opfergaben."
Hans Schwalbe, Acht Gesichter Japans, Tokyo–Hamburg (OAG) 1970, S. 45.

Shinto als Brauchtum

Kein Häuserbau, kein Stapellauf, keine Firmengründung, keine Hochzeit und keine Namensgebung ohne eine Shintozeremonie. Die Neujahrsfeiern, die tagelang dauern, haben als Höhepunkt den nächtlichen

Schreingang; shintoistische Reinigungs- und Feuertänze gehören wie Fruchtbarkeitszeremonien zum Brauchtum des ganzen Volkes.
Der Shinto verlangt weder vom Laien noch vom Priester eine asketische Haltung (wie etwa das Christentum). Alle Feste sind Ausdruck einer ungebrochenen Lebensfreude, der Liebe zu den Ahnen und einer Verehrung der Naturkräfte, die auf geheimnisvolle Weise auch mit den Ahnen zusammenhängen. Reinheit, Harmonie mit der Natur und Liebe zu den Ahnen, zu denen auch das Kaiserhaus gehört, sind die einzigen Forderungen des Shinto.

Der Sekten-Shinto

Nicht weniger bedeutend als der Schrein-Shinto, der sich auf die großen und kleinen Schreine bezieht und der mehr als 60 Millionen Mitglieder hat, ist der Sekten-Shinto, der über 10 Millionen Anhänger zählt und über eine Fülle von religiösen charismatischen Persönlichkeiten verfügt, von denen jede eine ganz eigenständige neue Religion geschaffen hat. Alle diese neuen Glaubensgemeinschaften werden nur deswegen, weil sie nicht zu den offiziell anerkannten „Kirchen" zählen, vom Staat zu den „Shinto-Sekten" gerechnet, auch wenn sie kaum etwas mit dem Shinto-Glauben gemein haben.

Die Tenri-kyo

Ein Beispiel dafür ist die Tenri-kyo, eine Religionsgemeinschaft, die seit 1838 besteht, 27615 Kultstätten in aller Welt besitzt (besonders stark in Südamerika vertreten), und über 2,5 Millionen Gläubige hat, die von 120000 Priestern betreut werden.
Das Neue an den „neuen Religionen" ist, daß sie alle Erlösungsreligionen sind und zur Gemeindebildung führen. Diese Gemeinden stellen nun „Gruppen" dar, innerhalb derer eine echte Seelsorge und darüber hinausgehend allgemeine Fürsorge stattfindet.

So hat die Tenri-Gemeinde beispielsweise an ihrem Hauptsitz in der Nähe von Nara eine eigene Universität, ein hervorragendes Museum, Schulen, ein riesiges Krankenhaus mit eigenen Ärzten, Kindergärten und Gemeinschaftshallen. Jeden Morgen bringen Bahn und Bus Tausende von Gläubigen herbei, die sich für ein Wochenende oder auch für eine ganze Woche hier zur Arbeit verpflichtet haben: dazu gehören Bauarbeiten, Küchenhilfe, Reinigung der verschiedenen Gebäude, Arbeiten auf den „kircheneigenen" Ländereien, um die Ernährung der Tausende sicherzustellen, die sich dort täglich aufhalten, um zu lernen, zu beten und zu arbeiten oder die als Kranke gepflegt werden müssen.
Die Gründerin dieser Sekte war eine einfache Bäuerin, die 1837 im Alter von 41 Jahren von Gott ergriffen wurde, der ihr offenbarte, daß er die Menschen zur Freude erschaffen habe. So ist heute noch der Gemeinschaftstanz Bestandteil des Kultes.
Der Mensch ist zwar zur Freude und zum Lobpreis der Schöpfung geschaffen, aber er ist von seinen früheren Existenzen her belastet. Von seiner Schuld kann er sich nur durch Hingabe an seine Mitmenschen in freiwilliger Arbeit befreien. Arbeit also ist Gottesdienst; aber auch im Tanz und im gemeinschaftlichen Gebet wird die Gottheit verehrt.

Hier zeigen sich Ausdrucksformen einer Religiosität, die auch dem Europäer nicht fremd sind. Hunderte von solchen Sekten sind vor allem in der Nachkriegszeit entstanden. Heute gibt es noch etwa 70 größere Erweckungs- und Erlösungsbewegungen, die eine nicht unwesentliche Rolle spielen:

Die PL-Bewegung

Die PL (Perfect Liberty)-Kirche ist schon ihrem Namen nach ein Zeugnis des Westens und in ihrer Zielsetzung ohne das Christentum gar nicht denkbar.
Das Interessante an dieser Bewegung ist symptomatisch für das moderne Japan: Die Anregung oder das Vorbild wird zwar dem Westen entnommen, das neue Produkt ist jedoch so stark mit eigenständig Japanischem erfüllt, daß es kaum noch als etwas Fremdes angesehen wird. Das typisch Japanische in dieser Bewegung ist seine starke Betonung des Ästhetischen. Dieser „Orden der vollkommenen Befreiung" lehrt die Menschen, daß sie sich vom Egoismus befreien und die Lebenskunst erlernen müssen, die zur Freude führt. Diese Freude gewinnt der Mensch durch Selbstverwirklichung, diese durch Erkenntnis der Wahrheit, die er wiederum nur erfährt und erlebt in der Hingabe an den Nächsten.
Gott wird definiert als Ursprung aller Lebenskraft. Da der Mensch als Teilgeist des Universalgeistes angesehen wird, ist er Gottes Kind. Gefordert wird vom Gläubigen, den Geist anzuziehen, Leben und Leib zum Opfer zu geben. Besitz, Geld, Zeit, Kräfte und Gaben sollen für den anderen hingegeben werden. Gott stellt dem Menschen die ganze Welt als „Material" der Kunst zur Verfügung. Dieser soll dann Böses in Gutes, Häßliches in Schönes, Unglück in Glück verwandeln. Einer ihrer paradoxen Lebenssprüche lautet: „Geben ist der einzige Weg, die nötigen Dinge im Überfluß zu erhalten."

Buddhismus

Doch nicht nur der Shintoglaube und die neuen Sekten, sondern auch der Buddhismus spielt eine wesentliche Rolle im Leben des Japaners, dem es seit der Einführung des Buddhismus selbstverständlich ist, den Weg des „Shinto" zu gehen und gleichzeitig Buddhist zu sein.

Geradezu klassisch drückt dies ein Erlaß des Tokugawa-Shogunats vom Jahre 1614 aus: „Japan wird das Land Buddhas genannt. Nicht ohne Grund: Kami und Buddha unterscheiden sich dem Namen nach, doch ihre Bedeutung ist die gleiche. Japan ist das Land der Kami und das Land Buddhas. Es ehret die Kami und verehret den Buddha."

Zwar sind die berühmten Tempel in Kyoto und Nara heute vorwiegend touristische Glanzstücke, aber der kleine Tempel im Dorf oder in den Wohnbezirken der Städte (es gibt über 90 000 von ihnen) hat seine Funktion als Kultstätte nicht verloren. Das Tempelgelände bietet Platz für den Friedhof, einen Kinderspielplatz und oft auch für den Kindergarten; die Allerseelenfeiern des Sommers (O-Bon) sind ein außerordentlich fröhliches Volksfest mit Feuerwerk, Kerzenschiffchen und Tänzen geworden.
Die Zen-Tempel ziehen jedes Jahr Hunderttausende (meist Studenten und andere Intellektuelle) zu ihren Meditationsübungen an.
Die buddhistische Bewegung hat geradezu stürmisch zugenommen (von 44 Millionen im Jahre 1958 auf 83,3 Millionen im Jahre 1970), verglichen mit dem nur langsamen Anwachsen der Shinto-Bewegung.

Laienbewegungen

Auch der Buddhismus hat nach dem Kriege eine Fülle von Reformbewegungen hervorgebracht: 115 mit heute weit über 20 Millionen aktiven Mitgliedern. Alle sind Laienbewegungen, Religionen der Hoffnung, die sich an die sozial Unterprivilegierten wenden, und ihre Gründer werden wie Buddha selbst (in Bildern und Statuen) verehrt.

Typische Merkmale der „neuen Religionen"

Allen diesen „neuen Religionen" – ob dem Shinto oder dem Buddhismus zugerechnet – sind ganz bestimmte Züge gemeinsam:
– Sie gruppieren sich um ein bestimmtes Zentrum (meist den

Geburts- oder Todesort des Gründers) und um eine starke Persönlichkeit.
- Ihre Lehre ist so einfach zu verstehen und zu befolgen, daß sie schnell Massenbewegungen werden.
- Sie sind alle, im Gegensatz zum eigentlichen Buddhismus, quietistische Religionen, die die Herrschaft des Guten und des Glücks bereits hier auf Erden zu verwirklichen suchen, sie heben die Trennung von Religion und täglichem Leben auf und geben ihren Anhängern ein Gefühl von eigener Bedeutung.
- Sie sind (mit Ausnahme der Soka Gakkai) tolerant anderen Religionen gegenüber.
- Fast alle sind in irgendeiner Weise vom Christentum beeinflußt.

Die Soka-Gakkai

Von den neubuddhistischen Bewegungen sind diejenigen, die sich auf den großen mittelalterlichen Reformator des Buddhismus, Nichiren (1221 – 1282), gründen, die erfolgreichsten gewesen. Die bedeutendste von ihnen ist die Soka-Gakkai (Gesellschaft zur Verwirklichung von Werten), die zwar schon 1937 von einem Volksschullehrer begründet wurde, aber, als staatsfeindlich verboten, erst nach dem Kriege Bedeutung und damit Einfluß gewann. Sie zählt heute über 20 Millionen Mitglieder und ist bekannt für ihre kämpferische Missionierung, die auch vor Druckmitteln nicht zurückschreckt. Das Wort für Missionierung heißt shaku (brechen) – buku (niederwerfen). Sie ist nicht nur paramilitärisch organisiert, etwa wie ursprünglich der Jesuitenorden und die Heilsarmee, sondern verlangt auch absoluten Gehorsam von ihren Anhängern und perfekte Disziplin, die sie bei den großen Paraden und Zusammenkünften glänzend zeigt.
Ein ebenfalls paramilitärisch organisiertes Jugendkorps von einer Million Jungen und Mädchen stellt das Rückgrat der Bewegung dar, die stolz sagen kann, daß sie keine Trostreligion der Alten, sondern die Zukunftsreligion der Jugend sei, die damit eine neue Welt aufbauen wolle.

Der ewige Friede
„Das Ziel der Sokagakkai ist zuerst und vor allem, den einzelnen zu lehren, wie er seinen Charakter entwickeln und ein glückliches Leben genießen soll, und der ganzen Menschheit zu zeigen, wie der ewige Friede durch den höchsten Buddhismus, die Religion der Gnade und der Friedfertigkeit, erreicht werden kann. Durch diese höchste Religion kann der Mensch der Armut entfliehen und, wenn er fleißig arbeitet, ein Leben in Wohlstand führen; derjenige, der zu Hause Ärger hat, kann sein Heim zufrieden und glücklich machen; der Kranke wird vollkommen genesen und wieder seiner Arbeit nachgehen."
Ken Tanaka, Togetherness à la Nippon, in: Far Eastern Economic Review, Hongkong, 24. 12. 1967.

Sendungsbewußtsein

Ihre Berufung auf Nichiren, als den Endzeit-Buddha, demgegenüber der historische Buddha unwichtig geworden sei, läßt jedoch viele Kritiker dieser wohl mächtigsten buddhistischen Bewegung befürchten, daß sie auch den fanatischen Nationalismus des Nichiren übernehmen würden, der lehrte, daß der „gereinigte" Buddhismus, wenn er erst einmal von allen Japanern Besitz ergriffen hätte, dann mit Hilfe des japanischen Volkes seinen Siegeszug, wenn nötig mit Gewalt, über ganz Asien, und von dort über die ganze Welt antreten würde. Demgegenüber hält sich die Soka-Gakkai in ihren offiziellen Verlautbarungen sehr zurück.

Die buddhistische Demokratie

„Heute gibt es zwei vorherrschende Strömungen von Demokratie: eine, die die Freiheit mehr betont als die Gleichheit und die andere umgekehrt. Die erstere heißt westliche Demokratie und die letztere Volksdemokratie. Diese beiden Ideologien teilen die Welt in zwei Lager, die von den Vereinigten Staaten und der Sowjetunion angeführt werden ... Die Soka-Gakkai besteht darauf, daß die Fehler der beiden Systeme durch Nichiren Daishonins wahren Buddhismus überwunden werden können. Deshalb offenbart die buddhistische Demokratie die geheimen Wünsche der ganzen Menschheit."

Dies ist die Soka-Gakkai, Heft 7: Die buddhistische Demokratie, S. 3 f., Seiko-Press, Tokyo.

Bedenklich ist ihre Ethik: Jede Tat oder Untat für das große Ziel der Soka-Gakkai ist gut: „Habe Erfolg im Geschäfts- und Berufsleben, erringe Positionen!"

Die Soka-Gakkai als völkische Religion

In der Vergangenheit hatte das Meiji-Kaiserreich als geistiges Fundament die shintoistische Religion gebraucht; die andere nationalistische Religion, die Nichirensekte, konnte stets nur eine untergeordnete Rolle spielen. Mit ihrem kämpferischen Charakter gab sie zwar den Militärs und der Rechten Energien und Programme, mußte sich aber durch ihre Kompromißlosigkeit gegenüber dem Shintoismus Unterdrückung zuziehen. Die Niederlage veränderte die Situation. Der auf dem Shintoismus begründete Staat fiel zusammen, und an seiner Stelle sprang die Nichirensekte ein und errichtete auf den Ruinen des verfallenen shintoistischen Staatsgebildes einen eigenen Staat im Staat ... Es scheint, als lache der Verband den fortschrittlichen Intellektuellen, die den Internationalismus preisen, und den Rationalisten, die das wirtschaftliche Wachstum rühmen, hohn ... Die Sokagakkai unterstützt eine völkische Religion und besitzt eine geoffenbarte Heilige Schrift, weswegen durchaus die Möglichkeit besteht, daß sich dieser Verband dem extremen Nationalismus zuwendet."

Takeshi Murumatsu, Die Modernisierung Japans und die Nichiren-Sekte, in: Kagami, Bd. III, Heft 2/1965, S. 39.

Komei-to

In der Soka-Gakkai haben sich auch alle diejenigen zusammengefunden, die mit den bestehenden politischen und sozialen Zuständen unzufrieden und im Grunde **antiwestlich, antikapitalistisch, aber kaum sozialistisch** eingestellt sind. Sie haben eine Partei (Komei-to) gebildet. Ihr Kampf, so behaupten sie, gehe gegen Korruption, Dekadenz und Versklavung durch Amerika. Bei den Unterhauswahlen von 1969 haben sie ihre Stimmenzahl fast verdoppeln können und stellten bis Dezember 1972 die drittstärkste Partei (siehe 9.2.2.5).
Ihre nationalistisch-antidemokratische Haltung könnte sie im Falle einer

Wirtschaftsdepression sehr schnell zum schärfsten Feind der Regierung und damit zur stärksten Partei machen.
So spielt also selbst in der Parteipolitik eine wenn auch veränderte und weitgehend säkularisierte Religion eine bedeutende Rolle.

Buddhismus und Kommunismus

Der Buddhismus ist auch in anderer Hinsicht eine bedeutende Kraft im heutigen Japan. Im Laufe der Jahrtausende hat er in Asien eine soziale und politische Ethik entwickelt, die in vielen Ländern Asiens die Gesellschaftsordnung bestimmt. So ist es verständlich, daß er sich auch mit politischen und sozialen Bewegungen auseinandersetzt, die mit ihm in Asien konkurrieren. Das ist vor allem der Kommunismus wie er sich in der Sowjetunion und der Volksrepublik China entwickelt hat. War es früher die Sowjetunion, die versuchte, die Identität von Buddhismus und Kommunismus nachzuweisen, so ist es heute vor allem die VR China, die durch die ständigen Hinweise auf den Atheismus und den wissenschaftlichen Charakter beider Lehren die Unterstützung des Buddhismus für ihre politischen Ziele sucht. Der Erfolg ist nicht ausgeblieben: in den buddhistischen Bibliotheken Japans findet man heute recht ansehnliche Bestände sowjetrussischer Literatur, und unter den japanischen Buddhisten ist die Überzeugung weit verbreitet, daß der Kommunismus zweifellos mehr mit dem Buddhismus gemein hat als der völlig areligiöse und antihumanistische Kapitalismus.

Christentum

Die Christen scheinen mit etwa 83000 Mitgliedern (etwas mehr Protestanten als Katholiken) keine bemerkenswerte Größe darzustellen, liegt ihr Anteil an der Gesamtbevölkerung doch unter einem Prozent. Dennoch darf man die Bedeutung dieser kleinen Zahl nicht unterschätzen. Die Anhänger des Christentums finden sich zu einem großen Teil in der Führungsgruppe, die durch Reisen, Lektüre und persönliche Begegnungen am stärksten dem Einfluß des Westens ausgesetzt ist.

Christliche Bildungseinrichtungen

Eine der stärksten Wirkungsmöglichkeiten für das Christentum waren und sind die christlichen Universitäten, von denen fünf großes Ansehen genießen, die christlichen Colleges und Oberschulen vor allem für Mädchen und darüber hinaus die evangelischen Akademien mit ihren gut besuchten Tagungen, in denen sich Teilnehmer aus den verschiedenen Parteien und sozialen Schichten im Gespräch begegnen. In keiner von diesen Stätten der Bildung und der Begegnung gibt es einen Religionszwang, wohl aber reiche Informationsmöglichkeiten und Begegnungen, die oft zu einer Veränderung des Denkens, zu einem besseren Verständnis der eigenen Probleme wie der westlichen Kultur und Gesellschaft und nur manchmal zu einer Bekehrung führen.
Dabei wird der Übertritt nicht wesentlich anders eingeschätzt, als etwa der Eintritt in eine der neubuddhistischen oder neu-shintoistischen Sekten, hat also nichts Spektakuläres an sich. Da viele Akademiker durch ihr Studium mit dem Christentum in Berührung kommen, sind unverhältnismäßig viele Intellektuelle, Wirtschaftsführer und Politiker Christen.

So beispielsweise Ministerpräsident Katayama, der erste und bisher einzige sozialistische Regierungschef Japans, der Japan von 1947/48 an der Spitze einer „Großen Koalition" führte, oder die Schriftsteller Masamune (1879–1962) und Uchimura (1861–1931).

Die Religionen aber, die das moderne Japan bewegen, sind die neubuddhistischen Bewegungen, unter ihnen vor allem die drei großen **Nichiren-Bewegungen:**

- die Soka-Gakkai (als militanteste) mit einer eigenen politischen Partei, der Komei-to, mit rund 20 Millionen Anhängern;
- die Reiyu-kai, die sich besonders der sozialen Fragen annimmt, mit etwa 5 Millionen Anhängern;
- die Rissho-Kosei-kai, die den Unterricht (über die Lehre Buddhas) als entscheidend ansieht und zur Verwirklichung der Forderungen dieser Lehre im Alltag aufruft, also die pädagogische Tendenz dieser Lehre besonders betont, mit 4,4 Millionen Anhängern.

Ersetzen die „neuen Religionen" die Großfamilie?

Allen diesen Bewegungen ist gemeinsam, daß sie gleichzeitig Erlösungsreligionen sind und doch die Aktivität des einzelnen zu Gemeinschaftsaufgaben fordern und so eine Lebens- und Glaubensgemeinschaft ermöglichen. Es bleibt abzuwarten, ob sich hier in diesen neureligiösen, sozialethisch-orientierten Gemeinschaften neue Gruppenformen entwickeln, die als Ersatz dienen für die langsam verschwindende traditionelle Gruppenform der Großfamilie.

7.7 Kunst und Gesellschaft

Andere Kunstauffassung

Anders als in Deutschland ist in Japan die Kunst ein wesentlicher Bestandteil des Lebens geworden. Sie beeinflußt das tägliche Dasein so sehr, daß man die japanische Kultur im Unterschied zu den stärker rational bestimmten Kulturen des Westens oft als „ästhetische Kultur" bezeichnet hat. Das mag auch an der andersartigen Kunstauffassung liegen, denn in Japan ist die Trennung nicht bekannt, die in Europa auch erst in der Neuzeit zwischen „reiner Kunst" und Kunsthandwerk unterscheidet.

Kunst hat in Japan immer einen praktischen Zweck, eine Lebensfunktion. Der Kunstgegenstand braucht nicht immer eine buddhistische Plastik oder ein Rollbild im Museum zu sein, ähnliche Bewunderung genießen besonders schöne Keramiken, Lackgefäße, Metallgefäße, Korbflechtereien, Bambusarbeiten, bemalte Schiebetüren, Rollbilder – alles Dinge des täglichen Gebrauchs, Dinge, die einem bestimmten Zweck dienen. Ein solcher bewunderter Gegenstand braucht nicht von einem berühmten Meister zu stammen oder sehr alt zu sein – er muß nur vollkommen sein, d.h. das Bedürfnis des Japaners nach Harmonie erfüllen.

Nicht nachahmen, sondern nachstreben

Um etwas Vollkommenes zu schaffen, bedarf es jedoch nicht der Originalität, der Abkehr von der Tradition und des revolutionären Bewußtseins, wie wir es von der europäischen Kunstentwicklung her gewohnt sind: um etwas Vollkommenes zu schaffen, muß man einen großen Meister haben, dessen Werken man so weit als möglich nahezukommen versucht, was von den Europäern fälschlich als Imitation abgetan wird. Meister sein kann jedoch nur jemand, der auch in sich die Harmonie verwirklicht hat und das heißt, in japanischem Sinne eine Persönlichkeit geworden ist. Ihm nachzustreben heißt also nicht, bestimmte Techniken nachzuahmen, sondern selber reifer zu werden.

Kunst und Sittlichkeit

In diesem Sinne ist ein Kunstwerk Zeichen einer sittlichen Leistung und übt als solches auch sittlichen Einfluß aus. Ästhetische Erziehung ist hier also im Sinne Schillers sittliche Erziehung, und insofern ist es nicht zu verwundern, daß jede Kunstausstellung in Japan von Tausenden, in Tokyo oft von Zehntausenden von Schulklassen besucht wird, der Kunsterziehung in der Schule ein so großer Wert beigemessen wird und jedes Jahr Hunderttausende von Schülern aller Altersstufen durch Nara und Kyoto wandern, nicht nur, um die alten Zentren der japanischen Kultur kennenzulernen, sondern auch, um vom Erlebnis der großen Kunstwerke mitgeformt zu werden. Wenn so der Künstler als Miterzieher des Volkes angesehen wird, dann nimmt es auch nicht wunder, wenn der Staat nicht nur die großen bekannten Kunstwerke als „Nationalschätze“ registriert, sondern auch lebende Künstler, zu denen Musiker, Puppenmacher, Puppenspieler, Puppenspielsänger (joruri), Architekten, Maler und Töpfer gehören, zu „unantastbaren Schätzen der Nation“ ernennt und ihnen einen Ehrensold gibt, der an die Pension erinnert, die bei den Griechen die Heimatstadt den Siegern in Olympia gewährte.

Die ästhetische Erziehung

Die Kunst dient der sittlichen Erhebung

„Der große Landschaftsmaler Gyokudo Kawai hat das einmal so formuliert: Die Kunst dient der gleichen sittlichen Erhebung wie es die religiösen Symbole höchster menschlicher Kultur tun. Das Bild in seiner Nische ist nicht nur dazu da, das Zimmer zu verschönen, sondern zugleich auch die sittliche Atmosphäre des Hauses zu heben.“

Hans Schwalbe, Acht Gesichter Japans, Tokyo–Hamburg (OAG) 1970, S. 168.

Verpackung

Auch beim Einkauf begegnet einem die ästhetische Haltung. Das Verpacken des Gekauften ist fast zu einem eigenen Kunsthandwerk geworden. Ohne Verpackung ist eine Sache roh, unvollkommen.

Kalligraphie

Die chinesischen Schriftzeichen sowohl in ihrer ursprünglichen als auch in ihrer japanischen Form (Kana) kommen zweifellos dem ästhetischen Bedürfnis des Japaners entgegen. Ihren Bild- und damit Kunstwerkcharakter haben sie bis heute nicht verloren, sie sind nicht nur Mitteilungsträger, sondern Sinnbilder. Anders als in den europäischen Schriften, in denen der einzelne Buchstabe keinen Aussagewert besitzt, ist im sino-japanischen Schriftzeichen immer bereits eine Bedeutung enthalten, die man zu erfassen hat. Da jedes Schriftzeichen eine Kombination aus Punkten, Strichen und Bögen darstellt und beim Pinselschreiben Ansatz, Schwung, Schnelligkeit, Absetzen, Druck,

Tuschmenge, Pinselbreite eine große Rolle spielen, gibt es für den Schreiber viele Möglichkeiten, ein Schriftzeichen zu gestalten. Es versteht sich von selbst, daß diese Kunst geübt werden muß, so daß Kalligraphie ein ordentliches Schulfach ist. Die Schreibschulung gilt auch als Charakterschulung in dem konfuzianischen Sinne, daß ein ästhetisch bestimmtes Tun auch sittliche Kräfte mobilisiere.

Ästhetik der Feste

Auch die Tausende von Matsuri (ursprünglich religiöse Feste), die jährlich in Japan stattfinden, sind alle bestimmt von einer stark ausgeprägten Ästhetik, die nicht nur in dem kunstvollen Aufbau der Festwagen oder der Festflotte zum Ausdruck kommt; die dabei gezeigten Tänze oder Theateraufführungen, die Prozessionen – sie alle haben eine so stark ästhetisch befriedigende Wirkung, daß wahrscheinlich schon dadurch von diesen Festen eine reinigende und lösende Wirkung ausgeht.

Ästhetik der Zurückhaltung

Der Verzicht auf schreiende Farben, die Vorliebe für gedämpfte Töne, der Verzicht auf Farbigkeit überhaupt beim Tempelbau ist etwas das ganze Leben bestimmende. Nicht das Sensationelle, Auffällige und Bunte wird als schön angesehen, sondern eher das Gedämpfte, Passende, Übereinstimmende.

Als schön wird das Nichtstörende, Harmonische empfunden. Nicht die Kühnheit des Schwungs der Tempeldächer, nicht die Buntheit wie bei den chinesischen Tempeln erregt Bewunderung, sondern die Einfügung des einzelnen in das Ganze, die stille Schönheit des leeren Raumes, dessen Stützbalken, Tatami (Reisstrohmatten als Fußbodenbelag) und Schiebetüren die vollkommenen Proportionen des Raumes zeigen. Nicht die farbige Malerei der Kontinentalen genießt höchste Bewunderung, sondern die Tuschmalerei der Zen-Schule, die mit nur wenigen Strichen das Wesentliche sichtbar macht. Nicht der vollgestopfte Garten der Europäer mit Hunderten von Blumen, sondern der Garten ohne Blumen oder mit jeweils nur einer blühenden Strauchart (z. B. Azaleen oder Kamelien) wird bewundert. Als Kunstwerke gelten die berühmten Zen-Steingärten in Kyoto, aus denen selbst die Büsche verbannt sind, in denen nur im kunstvoll geharkten Sand, wie in einem Meer, von der Natur besonders schön geformte riesige Steine oder Steingruppen liegen.

Bilder hängen nicht wie bei uns meistens jahrzehntelang hindurch unverändert an der gleichen Stelle, sondern die Kakemono (Rollbilder) werden mindestens mit den verschiedenen Jahreszeiten gewechselt und stellen in Verbindung mit dem entsprechenden Ikebana (Blumengesteck), eine bestimmte Aussage dar: Trauer zum Abschied, Freude zur Begrüßung u. a. mehr können sie dem Gast vermitteln, für dessen Besuch sie zusammengestellt wurden.

Dazu kommt, daß Natur im Kunstwerk (Malerei, Ikebana, Gedicht) sofort auch als Symbol erfaßt und erlebt wird: Der Karpfen, der zum Knabentag über den Häusern wie eine Fahne flattert, bedeutet Mut, Kraft und die Fähigkeit, gegen den Strom zu schwimmen; Kiefer und Schildkröte wünschen langes Leben, die Pflaumenblüte symbolisiert die Polarität zwischen männlich und weiblich, hell und dunkel, Himmel und Erde. Der Bambus als Bild und als Schriftzeichen kommt wohl am häufigsten in der japanischen Kunst vor, ist er doch in ganz Asien zugleich das vielseitigste Material. Er verkörpert Treue, Aufrichtigkeit, Nachgiebigkeit, Beharrlichkeit, Brauchbarkeit, Zähigkeit, Anmut. So wie also das Bildzeichen in der Schrift zu einem abstrahierten Bedeutungszeichen geworden ist, so sind auch die Naturgegenstände in der Kunst, auf der Bühne, im Garten zu Symbolträgern geworden.

In allen Städten gibt es unzählige Lehrer, die in kleineren oder größeren Mal-, Schreib- und Blumensteckschulen Hausfrauen, Schüler, Studenten und Pensionäre unterrichten. Jeder Lehrer veranstaltet von Zeit zu Zeit eine Ausstellung von Schülerarbeiten, so daß die ganze Nachbarschaft an der Kunsterziehung Anteil nimmt.

Die Teezeremonie

Am vollkommensten enthüllt sich die ästhetische Kultur des Japaners jedoch in der Teezeremonie (cha-no-yu). Meist findet sie in einem Tempel (Zen-Tempel) statt, sie kann aber ebensogut im eigenen Hause vollzogen werden. Voraussetzung ist, daß ein Teeraum von ganz bestimmten Maßen vorhanden ist – die Materialien für Decke, Wände und Fußboden sind festgelegt, ebenso die für das Teegerät. Millionen von Japanern und Japanerinnen bemühen sich, Teemeister zu werden in Tausenden von Schulen, die alle auf einen großen Teemeister des 16. Jahrhunderts zurückgehen.

Das Zubereiten, Servieren und Trinken des Tees erfordert eine große Meisterschaft, in der jede Bewegung, so ausdauernd sie jahrelang geübt sein mag, doch vollkommene Gelassenheit und Harmonie ausstrahlen muß. Die Leere des Raumes ist notwendig, denn nichts Überflüssiges im Raum darf die Teilnehmer stören, nur die Schönheit der Gegenstände (Kakemono, Ikebana in der Tokonoma-Nische, Teeschalen und Kimonos) und der Handlung (Zubereiten, Servieren und Trinken des Tees) kann jene Wirkung haben, die wir vielleicht mit Harmonie, Reinigung, Befreiung, Stille und Heiterkeit umschreiben können. Der Teemeister selbst, ein Mann oder eine Frau von höchster Wertschätzung, bereitet und serviert den Tee; daraus ergibt sich, daß in der Gemeinschaft der Teezeremonie die sozialen Unterschiede ohne Bedeutung sind.

Wabi und Sabi

Es ist einzusehen, daß diese innere Haltung nicht in wenigen Minuten zu erreichen ist, sondern lange Zeit braucht, immer wieder unternommen werden muß, und so Jahre, ja Jahrzehnte vergehen, bis die entscheidenden Werte annähernd verwirklicht werden können. Diese heißen Wabi und Sabi. Beide Wörter sind kaum übersetzbar, sie meinen etwa: Leere, Armut, Einfachwerden, Einsamkeit, Stille, doch das sind eigentlich nur Wörter, die die äußeren Situationen des Menschen und des Teeraumes beschreiben, in ihnen schwingt jedoch gleichzeitig auch die Andeutung des zu Erreichenden mit: Heiterheit und Frieden.

Die Aufgabe der Zeremonie besteht so in der Reinigung der sechs Sinne:
1. des Sehens: durch die Betrachtung des Ikebana und des Kakemono (Blumengesteck und Rollbild),
2. des Geruchs: durch das Einatmen des Weihrauchduftes,
3. des Gehörs: durch das Hinhören auf das Sieden des Wassers und das Tröpfeln des Wassers aus dem Bambusrohr im Garten,

4. des Geschmacks: durch das Schmecken des Tees,
5. des Tastsinnes: durch die Berührung der vollkommenen Formen der Teegeräte. Damit kommt es zur sechsten Reinigung, zu der des Bewußtseins.
Sabi und Wabi sind die Ergebnisse aller Zen-Praktiken, zu denen auch die Teezeremonie gehört.

Ästhetische Kultur heißt jedoch nicht nur, daß Kunstwerke in dieser Gesellschaft geachtet und produziert werden, es heißt wirklich: eine **Kultur, die so stark ästhetisch bestimmt ist, daß man sie ohne diese Ästhetik gar nicht begreifen kann.**

Ästhetik und gesellschaftliches Verhalten

Von der Betrachtung und dem Verständnis der japanischen Ästhetik her erschließen sich auch sonst unverständliche Verhaltensweisen in der Gesellschaft: Die Neigung zum Kompromiß, zur Vermeidung harter Auseinandersetzungen, die bescheidene Zurückhaltung, die Kunst, in Andeutungen zu sprechen. Man kleidet sich nicht auffallend, protzt nicht mit seinem Reichtum (der Schmuck der Japanerin ist meist unauffällig) und zieht die Harmonie in der Gruppe der offenen Auseinandersetzung vor (deshalb auch die seltene Anrufung der Gerichte). Darum ist auch nicht die Kämpfernatur der anerkannte Führer, sondern der Mann, der vermitteln kann, der seinen Gegner versteht und ohne Heftigkeit besiegt oder versöhnt.
Die allgemeine Respektierung des Harmonieprinzips mag auch mit eine der Ursachen für die geringe Anziehungskraft der KPJ gewesen sein, die immer wieder das kämpferische Prinzip in den Mittelpunkt gestellt und ihre Kompromißlosigkeit beteuert hat. Wer sich solcherart harmoniegefährdend verhält, kann in Japan nicht erwarten, daß er als Führung akzeptiert wird.
Reichtum wird selten durch größeren Aufwand (teure Autos, Hausneubau, aufwendige Hausparties) sichtbar, er erweist sich eher im Erwerb von Elementen der ästhetischen Kultur. (Auch bei Besitzern großer Sammlungen von kostbaren Rollbildern ist selten mehr als gerade ein Rollbild sichtbar.) Reichtum verrät mitunter die Gartengestaltung. Die Vorliebe für besonders schöne, abgeschliffene Felsbrocken, aus einem Flußbett herangeholt, ist zwar nicht neu, aber ihr Besitz ist in letzter Zeit fast ein Zeichen neuerworbenen Reichtums geworden.

Das Spiel

Doch zur ästhetischen Kultur gehört nicht nur die erziehende und anziehende Kraft der Kunst, sondern auch die befreiende Wirkung des Spiels. Damit meine ich nicht nur die Wirkung des No-, Kabuki- und Bunrakuspiels auf dem Theater, obwohl sie nicht unterschätzt werden darf, sondern die Spieltätigkeit des einzelnen. Die meisten Japaner sind gar nicht so ernst, verbissen, fleißig und strebsam, wie sie immer dargestellt werden. Am liebsten spielen sie: Golf, Baseball, Bowling, Go, Mahjong (zwei chinesische Brettspiele) und vor allem Pachinko, diese japanische Adaption der Las-Vegas-Spielautomaten.
Die unbestreitbar vorhandene japanische Neigung zur verborgenen Gefühlsbetontheit und zur Melancholie scheint an den Festtagen wie weggewischt zu sein. Zur Zeit des Kirschblütenfestes, zum O-Bon-Fest

sieht man im Freien viele Gruppen (Familien, Freunde, Betriebsangehörige, Nachbarschaften, Studenten) gemeinsam tafeln, trinken, singen und tanzen. Hier wird das Leben selbst zum Spiel. Hier kommt die andere Seite der japanischen Lebenshaltung zum Vorschein, wie sie in den farbenprächtigen Yamato-e-Bildern des Mittelalters sichtbar wird. Hier zeigt sich der starke Lebenswille, die Freude am Genießen, am Spaß, an der Ungezwungenheit, an der Komödie. Aber das ist nur der Feiertagsjapaner, dies sind Zeichen des Ausbruchsversuchs aus einer ästhetisch-sittlich genormten Gesellschaft, deren Normen im Alltag sich jedoch niemand entziehen kann.

8. Wirtschaft

8.1 Wirtschafts-Großmacht Japan

Rascher Aufstieg

Blickt man auf das Japan der fünfziger Jahre zurück, in denen dieses geschlagene und verwüstete Land mühsam versuchte, seine Wirtschaft wiederaufzubauen und eine beschränkte Unabhängigkeit zu erreichen, und vergleicht damit die heutige Stellung Japans in der Welt, so wird deutlich, über welche schöpferischen Energien dieses Volk verfügt. Das heutige Japan ist eines der führenden Länder auf dem Gebiet der Technik, der Wissenschaft und der Organisation.

Spitzenleistungen der Technik und Forschung

Mußte Japan noch in den 50er Jahren für die meisten der modernen Produktionstechniken ausländische Lizenzen erwerben, so kann es heute jährlich für 100 Millionen DM Lizenzen verkaufen, unter anderem auch an die USA und an Westeuropa. Japan ist nicht mehr der Imitator des Westens, sondern ist diesem – zumindest was Westeuropa betrifft – auf vielen Gebieten voraus. Großes Interesse erregte der „Hikari" (Blitz), der mit einem Zugabstand von 15 Minuten und einer Höchstgeschwindigkeit von 250 km/h das Regierungszentrum Tokyo mit dem Wirtschaftszentrum Osaka–Kobe verbindet. Was europäische Techniker bisher nicht schafften, einen Satelliten mit einer eigenen Rakete auf eine Erdumlaufbahn zu schicken, haben die japanischen Ingenieure und Arbeiter schon vor Jahren erreicht.
In der Atomforschung erzielte Japan erstaunliche Erfolge: Auf einer Versuchsanstalt für radioaktive Pflanzenbestrahlung gelang die Züchtung von Reispflanzen mit kurzem Halm (taifunsicher!) und mit einem doppelt so großen Körnerstand, außerdem einer Reissorte, deren Körner einen doppelt so hohen Eiweißgehalt besitzen – alles Ergebnisse, die die Ernährung von Milliarden von Menschen in Asien und Amerika sichern können. In der atomaren Krebsforschung ist Japan führend in der Welt. Auch was bisher nur den Atommächten möglich schien, ist Japan bereits 1969 gelungen: die Anreicherung von Uran in einem eigenen Kernforschungszentrum.
Damit Japan in der Lage sein wird, seine Forschungen gezielt und systematisch voranzutreiben, wird in der Nähe von Tokyo eine Stadt der Wissenschaft errichtet, in der 70000 Wissenschaftler und Techniker das Japan des Jahres 2000 planen sollen.

So ist es verständlich, daß heute bereits über 10000 ausländische Studenten trotz der Sprachbarriere an japanischen Universitäten studieren und in steigendem Maße auch Wissenschaftler und Techniker der westlichen und östlichen Industriemächte nach Japan reisen, um dort neue Erkenntnisse und Verfahren kennenzulernen.

Heute Vormacht Ostasiens

Die bange Frage der 50er Jahre: „Wird China oder Indien Asiens Weg bestimmen?" hat eine Antwort erhalten, an die damals niemand dachte: Japan ist heute auf technischem, wirtschaftlichem und wissenschaftlichem Gebiet die unbestrittene Vormacht Ostasiens.

Aber nicht nur das: die japanische Wirtschaft, in den 50er Jahren noch allein durch die Rohstoff- und Maschinenlieferungen der USA am Leben erhalten, ist heute bereits auf dem amerikanischen Markt so stark, daß sich die amerikanische Regierung zu einer protektionistischen Handelspolitik gezwungen sieht. Der ost- und vor allem der südostasiatische Markt wird weitgehend von der japanischen Wirtschaft beherrscht, die nun allem Anschein nach gewonnen hat, was die japanischen Militärs und Politiker vor 30 Jahren unter so großen Opfern verspielten: die „Großostasiatische Wohlstandsphäre" als Absatzmarkt und Rohstoffbasis der japanischen Wirtschaft.

Tabelle 6: **Entwicklung ausgewählter Bereiche der Volkswirtschaft** (in Milliarden DM; auf der Basis von 100 Yen = 1,10 DM, nur 1970 + 71 = 1,05 DM)

	1955	1965	1970	1971
Bruttosozialprodukt	94,86	351,58	745,34	829,08
Volkseinkommen	78,24	280,91	600,32	664,80
Export	7,92	37,96	83,32	108,98
Import	10,89	32,81	73,47	81,95
Privater Verbrauch	60,83	197,23	381,08	433,17
Landwirtschaftliche Produktion	17,93	31,68	46,73	.
Industrieproduktion	17,49	100,94	228,95	.
Baugewerbe	3,30	19,80	45,45	.
Handel	12,43	47,76	107,65	.
Banken und Versicherungen	5,17	29,76	67,95	.
Öffentliche Dienste	6,93	24,09	48,53	.
Dienstleistungen	9,46	36,02	79,36	.
Bruttosozialprodukt pro Kopf (in DM)	1066	3590	7212	8303
Privater Verbrauch pro Kopf (in DM)	683	2033	3687	4337

Tabelle 7: **Verwendung des Bruttosozialprodukts 1971**
(Umrechnung auf der Basis 100 Yen = 1,05 DM)

	Milliarden DM	Billionen Yen
Privater Verbrauch	433,14	41,252
Öffentlicher Verbrauch	72,39	6,894
Kapitalbildung	287,68	27,398
Lagerbildung	13,86	1,320
Export	103,94	9,899
	911,01	86,763
– Importe	81,93	7,803
	829,08	78,960

8.2 Das Wirtschaftswunder

Das japanische Wirtschaftswunder

Wenn man in den 50er Jahren von einem Wirtschaftswunder sprach, dann meinte man den überraschenden Wirtschaftsaufschwung der BRD. Daß sich, mit einer gewissen Phasenverschiebung, Ähnliches in Japan vollzog, in dem zweiten großen Verliererland des letzten Weltkrieges, wurde in Europa lange kaum beachtet, jedenfalls nicht ernst genommen.

Noch in den 60er Jahren taten selbst in Japan ausländische Kaufleute das japanische „Wirtschaftswunder" als Seifenblase ab und alle Neuerungen besonders auf technischem Gebiet als typisches Produkt japanischer Imitationsfähigkeit.

Erfolgreiche Bevölkerungspolitik

Daß sich hier in Ostasien eine Großmacht planvoll und zielbewußt entwickelte, wollte man nicht sehen. Erst heute, da Japan sich anschickt, nach dem amerikanischen und asiatischen auch den europäischen Markt zu erobern, ist die Wirtschaftskapazität Japans offensichtlich.
Japan hat als einzige der ostasiatischen Nationen dem Dilemma entfliehen können, das sich aus einer Zuwachsrate der Bevölkerung ergibt, die schneller ansteigt als die Zunahme der Wirtschaftsproduktivität. Es ist Japan geglückt, seine Bevölkerungszahl, die von 1945 bis 1950 noch um 15 Prozent gewachsen war, bei einer jährlichen Zuwachsrate von etwa einem Prozent zu stabilisieren; das bedeutet, daß die Bevölkerung Japans jährlich um nicht mehr als eine Million Menschen wächst, also bis zum Jahre 2000 nicht wesentlich über 120 Millionen ansteigen wird (siehe 6.1 und 6.3).

Sprunghaftes Wachstum der Industrie

Dagegen hat jedoch die industrielle Produktion in einem Ausmaße zugenommen, das alle bisher üblichen Zuwachsraten weit hinter sich ließ. Aus einem Vergleich der Produktionsziffern der beiden „Wirtschaftswunderländer" Japan und BRD wird das ohne weiteres deutlich:

Tabelle 8: **Produktion und Sozialprodukt – Japan und Bundesrepublik seit 1950**

Jahr	Rohstahl Millionen Tonnen		Automobile 1000 Stück		Fernsehgeräte 1000 Stück		Kameras 1000 Stück		Bruttosozialprodukt Milliarden DM	
	Japan	BRD	Japan	BRD	Japan	BRD	Japan	BRD	Japan	BRD
1950	4,8	12,1	32	298	–	–	193	1886	43,3	98,1
1955	9,4	21,4	69	908	137	316	471	3241	94,9	181,4
1960	22,1	34,1	482	2055	3578	2164	1519	2731	170,5	302,3
1965	41,2	36,8	1876	2976	4190	2276	3666	3943	351,6	460,4
1970	93,3	45,0	5289	3825	13782	2936	5824	4798	745,3	(685,6)
1971	88,6	40,3	5810	3963	13557	2537	5340	3125	829,1	(758,8)
1972	95,2	(44,0)	6294	3800						(828,2)
1973										
1974										

(Vorläufige Angaben). Japanische Quellen weichen oft ziemlich voneinander ab. Zahlen für das Bruttosozialprodukt Japans nach Statistical Handbook of Japan, Ausgaben 1965 bis 1972, vom Autor in DM umgerechnet.

Japan hat also die BRD, bis 1966 drittstärkste Industriemacht der Welt, nicht nur auf einigen Teilgebieten überholt, sondern in seinem gesamten Produktionsaufkommen hinter sich gelassen. Wenn man die jährliche Zuwachsrate der Industrieproduktion betrachtet, wird das noch deutlicher.

Die jährliche Zuwachsrate der Industrieproduktion
(Abbildung 14)

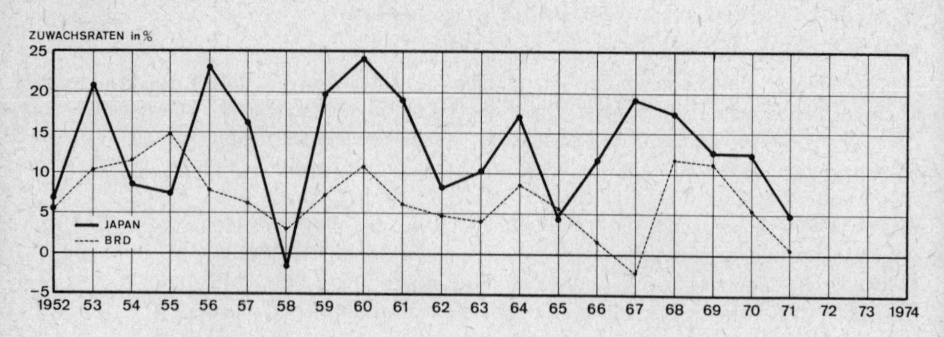

Der Aufstieg war kein „Wunder"

Hierbei von einem Wunder zu sprechen, ist ebenso unangebracht wie beim Wirtschaftsaufschwung der BRD. Der unaufhaltsame Aufstieg Japans zu einer führenden Industrienation ist keinem Zufall und auch keinen geheimnisvollen Ereignissen zu verdanken, sondern ist das Ergebnis zielbewußter und umsichtiger Planung, zweckdienlicher Entscheidungen, harter Arbeit und nicht zuletzt eine Leistung der besonderen japanischen Gesellschaftsform, wie sie sich in der japanischen Geschichte herausgebildet hat. Sie hat zu Arbeitsformen und Verhaltensnormen geführt, die dem westlichen Menschen zunächst eigenartig und befremdend erscheinen, deren Kenntnis jedoch den Wirtschaftsaufschwung nicht mehr als Wunder erscheinen läßt.

8.3 Wirtschaftsstruktur

8.3.1 Wirtschaftszweige

Lange Zeit Agrarstaat

Die japanische Wirtschaft hat ihren ersten entscheidenden Strukturwandel bereits in der Meiji-Zeit erlebt, als der Staat den neuen Wirtschaftszweig der Industrie gegenüber dem alten der Landwirtschaft bewußt bevorzugt förderte. Doch verwandelte sich Japan selbst in den 30er Jahren der massiven Aufrüstung nicht aus einem Agrar- in einen Industriestaat. Es blieb trotz seiner beachtlichen

Schwer- und Leichtindustrie immer noch ein Agrarstaat, in dem über die Hälfte der Bevölkerung in der Landwirtschaft tätig war.
Die erzwungenermaßen genügsame Lebensweise des Bauern und seine konservative Haltung bestimmten sowohl den Lebensstil als auch die Denkweise des gesamten Volkes; die Suche nach neuem Land für den Bevölkerungsüberschuß und die Produktion von dringend benötigtem Reis beeinflußten das politische Handeln (siehe 3.1).

Tabelle 9: **Wandel auf dem Arbeitsmarkt**

Millionen Personen	1955			1971		
	Männer	Frauen	Alle	Männer	Frauen	Alle
Bevölkerung im Alter von 15 und mehr Jahren	28,6	30,7	59,3	38,6	41,1	79,7
Davon erwerbstätig	23,9	17,0	40,9	31,3	19,8	51,1
Land-, Forstwirtschaft, Fischerei	7,7	7,6	15,4	4,9	5,1	10,0
Bergbau, Industrie, Bauwesen	6,8	3,2	10,0	12,4	5,7	18,1
Handel, Verkehr, andere Dienstleistungen	9,4	6,2	15,6	14,9	10,0	24,8
Selbständige	7,6	2,7	10,3	6,8	2,8	9,6
Mithelfende Familienangehörige	3,8	9,0	12,8	1,7	5,8	7,5
Abhängig Beschäftigte	12,5	5,3	17,8	22,9	11,2	34,1

(Nach: Statistical Handbook of Japan 1972, S. 111–114. Die Zahlen für Land-, Forstwirtschaft, Fischerei wurden errechnet nach Statistical Handbook, a. a. O., S. 29, und Japanese Press Service vom 28. 8. 1972.)

In der Nachkriegszeit beschleunigte sich der Wandel von Japans Berufswelt zur modernen Industriegesellschaft, in manchem ähnlich, in manchem auch anders als in der Bundesrepublik. Allein in den letzten anderthalb Jahrzehnten

- stieg zwar die Zahl der Erwerbstätigen, doch sank ihr Anteil an der Bevölkerung im Erwerbsalter, besonders bei den Frauen, von 69 auf 64 Prozent, was sicher nicht zuletzt durch längere Ausbildung für mehr Menschen zu erklären ist,
- schrumpfte die Landwirtschaft um fast die Hälfte ihrer Arbeitskräfte und nahmen die produzierenden Gewerbe um 80 und die Dienstleistungsberufe um fast 60 Prozent zu,
- ging zwar die Zahl der Selbständigen (nach wie vor überwiegend Männer) nur wenig zurück, dafür umso mehr die ihrer mithelfenden Familiengehörigen (meist Frauen), während sich die Zahl der Abhängigen fast verdoppelte und von 44 auf 67 Prozent aller Berufstätigen wuchs.

8.3.1.1 Landwirtschaft

Strukturwandel

Die Amerikaner hatten folgerichtig die Landreform als das Herzstück ihrer Reformen angesehen, mit denen sie die japanische Gesellschaft verändern wollten. Doch seit dem Startschuß für den Wiederaufbau 1950 ist auch Japan dem Weg der industrialisierten Gesellschaften des Westens gefolgt, d. h. seine bäuerliche Bevölkerung schrumpfte zu einem immer kleineren Teil der Gesamtbevölkerung zusammen: Arbeiteten 1950 noch 17 Millionen Menschen in der Landwirtschaft (über 43 Prozent aller Erwerbstätigen), so waren es am 1. Januar 1972 nur noch 9 Millionen (18 Prozent).

Schwierigkeiten bei der Rationalisierung

Daß immer noch ein ziemlich hoher Anteil der Erwerbstätigen in der Landwirtschaft arbeitet (BRD 9 Prozent, USA 4 Prozent, Großbritannien 3 Prozent), ist zum Teil daraus zu erklären, daß die Landwirtschaft Japans sich nicht in dem Maße mechanisieren und damit rationalisieren läßt wie die der Großflächenstaaten. Die Reis-, Gemüse- und Teefelder befinden sich zu einem großen Teil im Terrassenbau an Hängen, die die Größe eines Feldes notwendig beschränken. So bebauten 1970 knapp 70 Prozent aller Landwirte eine Nutzfläche, die kleiner war als ein Hektar.

Zum Vergleich: in der BRD haben 74 Prozent der Bauernhöfe eine Größe zwischen 2 und 50 Hektar (1971).

Die zunehmende Industrialisierung ermöglichte aber wenigstens eine Teilmechanisierung der Landwirtschaft. So gibt es heute in fast jedem Bauernhaus eine motorgetriebene Reisfeldegge; Dreschmaschinen und Sprühgeräte werden oft von den Bauern, die sich in Genossenschaften zusammengeschlossen haben, gemeinsam benutzt. In den großen Ebenen werden selbstverständlich Mähdrescher und Flugzeuge zum Absprühen von Chemikalien eingesetzt. Auf Grund der Entwicklung der chemischen und der Maschinenindustrie stiegen die Erträge erheblich bei rückläufiger Beschäftigtenzahl:

Tabelle 10: **Ernteerträge seit 1946**

Jahr	Reis		Mandarinen	Hühnereier	Schweine	Milch
	1000 t	t je ha	1000 t	Mio Stück	1000 t	1000 t
1946	9 208	3,31	153	106	2,4	135
1955	12 385	3,84	461	6 743	82,3	1 000
1960	12 858	3,89	894	9 560	147,3	1 887
1965	12 409	3,81	1 331	18 625	407,2	3 221
1971	10 887	4,14	2 489	32 529	843,2	4 820
1972						
1973						

Mehr Einkommen für Bauern

Auch das Produktionsangebot wurde ausgeweitet: Tierische Erzeugnisse wie Butter, Milch, Käse und Fleisch, die vor dem Kriege in Japan kaum auf dem Markt waren, fanden bei den Städtern immer größere Nachfrage. Seit 1950 hat das Einkommen der Bauern sich verdreifacht und inzwischen sogar das der Beschäftigten in Mittelstädten geringfügig überschritten. Das ist jedoch nicht nur der Verbreiterung des Produktionsangebotes zu verdanken, sondern auch der Tatsache, daß der Staat die Abnahme der gesamten Reisernte zu einem Festpreis garantiert. Diese Maßnahme wurde in der Not der Nachkriegsjahre geboren, als die Regierung den Schwarzmarkt ausschalten wollte und ein großer Mangel an Nahrungsmitteln bestand. Heute übertrifft die Reisproduktion bereits die Nachfrage, die seit 1965 ständig sinkt. Ende 1971 saß die japanische Regierung auf einem Reisberg von 10,5 Millionen Tonnen (1960: 200000 Tonnen), der sich mit abnehmender Nachfrage nach dem Grundnahrungsmittel Reis jährlich um mehr als zwei Millionen Tonnen vergrößern würde, wenn die Regierung nicht durch den Reisexport und andere Maßnahmen dagegen angehen würde. So ist heute der vor kurzem noch undenkbare Fall eingetreten, daß Japan, welches für die Gewinnung und Erweiterung von Reisland alles nur Mögliche getan, sogar Kriege geführt hat, heute seinen Bauern für die Stillegung von Reisland Prämien zahlt (1970: 810 Millionen DM), was bereits zu einem merklichen Rückgang der Reisproduktion geführt hat (siehe Tabelle 10).

Überproduktion von Reis

Der wachsende Wohlstand der Bauern hat jedoch seinen Ursprung nicht nur in den steigenden Preisen für landwirtschaftliche Produkte, in der Kunstdüngung, Schädlingsbekämpfung und Mechanisierung der Arbeit. Sie verdanken ihn vor allem der wachsenden Zahl ihrer (meist jüngeren) Familienmitglieder, die in den Städten arbeiten.

1970 betrieben schon 84,4 Prozent aller Farmhaushalte ihre Landwirtschaft nur noch als Nebenerwerb und stammten 63,5 Prozent ihrer Einkünfte aus nichtbäuerlicher Tätigkeit.

Entwicklung zum „Teilzeitbauern“

Hier ist auf längere Sicht noch ein Schrumpfungsprozeß zu erwarten, der die Anzahl der in der Landwirtschaft Tätigen wahrscheinlich noch weiter vermindern wird. In Zukunft wird wohl der „Industriebauer“, der in der Stadt arbeitet, das Bild bestimmen, während sich um Viehzucht, Eierfarm und Gemüseanbau Frauen kümmern. Man rechnet damit, daß etwa 20 Prozent der heutigen Bauern auf dem Lande zurückbleiben werden. Bisher noch durch die Gesetze der Landreform im Landbesitz beschränkt, werden sie dann mehr Landstücke erwerben und den größeren Besitz dann rationeller bewirtschaften können.

Sinkender Anteil der Landwirtschaft am Nationaleinkommen

Wenn es auch der bäuerlichen Bevölkerung gelungen ist, durch Intensivierung und Technisierung der Landwirtschaft die Selbstversorgung der japanischen Bevölkerung zu 83 Prozent sicherzustellen, die Landwirtschaft insofern eine Schlüsselrolle beim Aufbau der Wirtschaft spielt, ist doch die industrielle Produktion in einem viel stärkeren Maße vorangetrieben worden als die landwirtschaftliche, deren Anteil am Nationaleinkommen von 16,6 Prozent im Jahre 1955 auf 6,3 Prozent im Jahre 1970 gesunken ist.

Politisch allerdings spielt die **stark konservative Gruppe** der Bauern eine beachtliche Rolle; stellt sie doch über 15 Millionen Wähler – ein Stimmenpotential, auf das wohl keine Partei bei den Wahlen verzichten möchte.

8.3.1.2 Fischerei

Fischerei lebensnotwendig

Japan benötigt, so errechnete das Landwirtschaftsministerium, eine Anbaufläche von 100 Millionen Hektar – es besitzt aber nur 6 Millionen Hektar. Der Versuch, sich durch Eroberungen eine Nahrungsbasis zu schaffen, war mit dem Ende des Zweiten Weltkrieges gescheitert. Damit war der Inselstaat, um seine Ernährungslücke zu schließen, wieder stark auf die Fischerei angewiesen, den schon vor der Industrialisierung zweitwichtigsten Erwerbszweig des Landes. Die Startbedingungen der Fischer nach dem Kriege jedoch waren sehr ungünstig:

- Sie hatten alle Stützpunkte auf dem Festland eingebüßt.
- Mit der Abtretung der Kurilen und Südsachalins wurden das Ochotskische Meer und der fischreiche Nordteil der Japansee sowjetische Binnengewässer, in denen zu fischen noch heute das Risiko der Beschlagnahme von Boot und Fang sowie oft jahrelanger Gefangenschaft einschließt.
- Ein Großteil der Fischereiflotte war im Kriege verlorengegangen.

An der Spitze der Fischerei-Nationen

Da die reichen Fischgründe in unmittelbarer Nähe des Mutterlandes nur noch schwierig oder gar nicht mehr zugänglich waren, begann Japan seine Hochseefischerei auszubauen. Seit 1952 erschloß sie sich neue Fanggebiete bis weit in den Indischen Ozean und den Pazifik, ja bis an die atlantische Küste Südamerikas und in die Antarktis. Zogen Japans Fischer 1946 noch kaum 2 Millionen Tonnen Fisch aus dem Wasser, so waren es 1970 schon 9,3 Millionen Tonnen, großenteils an Bord von Mutterschiffen verarbeitet. (Im Vergleich dazu stagnierten die Fangergebnisse der Fischerei der BRD seit 1950 bei 0,5 bis 0,8 Millionen Tonnen). Heute steht Japan an der Spitze der Fischerei-Nationen und kann nicht nur seinen Eiweißbedarf decken, sondern auch, gleich von der See aus, Fischwaren exportieren. Dieser Aufschwung beruhte vor allem auf der Technisierung des gesamten Fischereiwesens. Um sie trotz hoher Kosten durchzuführen, schlossen sich die meisten Fischer, vom Staat mit Krediten gefördert, zu Genossenschaften zusammen, die heute bereits über 80 Prozent des gesamten Jahresfanges einbringen und fast alle Anlandemärkte kontrollieren.

Durch Forschung (an 12 Universitäten wird Fischereiwissenschaft unterrichtet) und Technisierung ist es möglich geworden, die künstliche Aufzucht von Fischen, Algen und Muscheln in großem Stile zu betreiben, wodurch sich die Fangergebnisse der Küstenfischerei bedeutend verbessert haben.

Perlen-Zucht

Eine weitere Einnahmequelle Japans ist ein Nebenzweig der Fischerei-Industrie: die Perlen-Zucht, die nicht nur als Devisenbringer geschätzt

Industrieproduktion ausgewählter Länder in Indexziffern
(Abbildung 15)

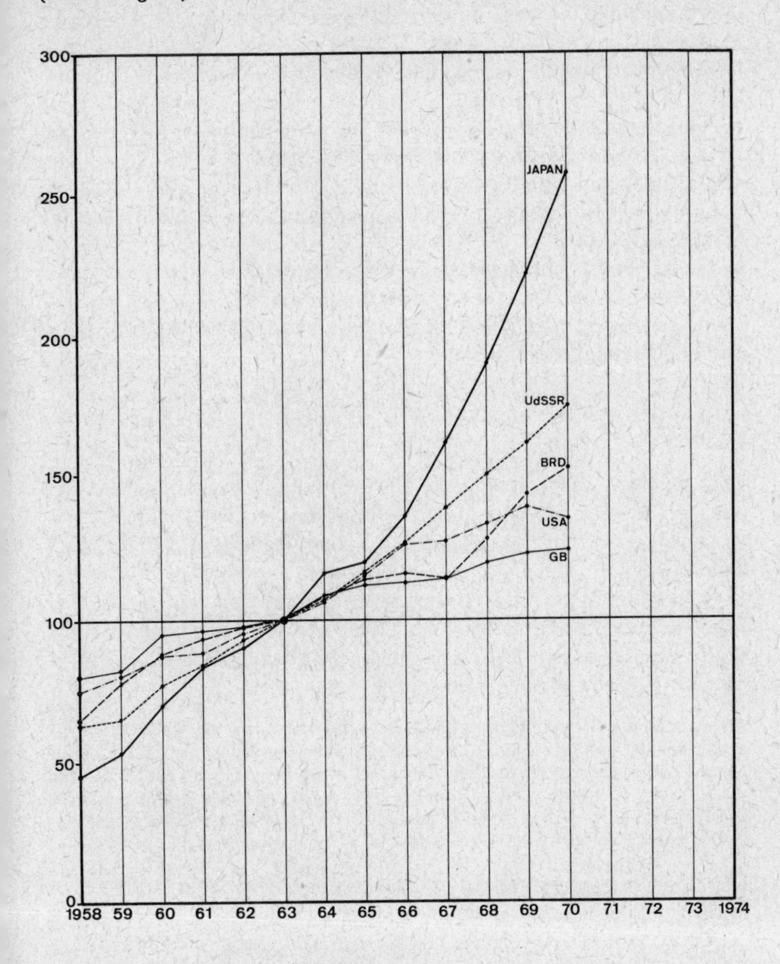

wird, sondern Japan bereits vor dem Kriege eine Monopolstellung auf dem Weltmarkt verschafft hat.

8.3.1.3 Industrie

Industriegigant ohne Rohstoffe

In offenem Widerspruch zu allen traditionellen Vorstellungen, daß Bodenschätze die Voraussetzung zur Entstehung einer Industriemacht sind, hat Japan ohne wesentliche Bodenschätze die drittstärkste Industriemacht der Welt aufgebaut. Von den wichtigsten Rohstoffen – Öl, Kohle und Eisen – besitzt Japan nur Kohle, und auch diese nicht in erforderlicher Qualität, so daß es drei Viertel des Industriekohlebedarfs aus Importen decken muß. Rohgummi, Eisen, Öl, Nickel, Bauxit, Wolle und Baumwolle muß es zu fast 100 Prozent, Kupfererz zu 90 Prozent einführen.

Das Schwergewicht der japanischen Industrie liegt heute auf der Stahl- und Eisen- und petrochemischen Industrie als der Grundlage der gesamten Industrie. Der Ausstoß an Rohmaterial wird zum Gradmesser für die Gesundheit der Wirtschaft. An die Grundstoffindustrien schließen sich die verarbeitenden Industrien an – wie die Schiffsbau-, die Fahrzeug-, die Maschinenbau-, die Chemie- und die Elektro-Industrie.

Grundstoffindustrien

Nicht die Textil- und Leichtindustrie sichern Japan seinen Platz auf dem Weltmarkt – wie das vor dem Zweiten Weltkrieg noch der Fall war –, sondern die Stahl- und Eisenindustrie. Allerdings muß Japan fast alle Rohstoffe einführen:

Zur Erzeugung von 66 Millionen Tonnen Rohstahl (1968) mußte es 68 Millionen Tonnen Eisenerz, 500000 Tonnen Fluorit und 32 Millionen Tonnen Verhüttungskohle importieren.

Die Unkosten dafür konnte die Stahlindustrie nur zum Teil dadurch ausgleichen, daß sie gegenüber den meisten ausländischen Konkurrenten Standortvorteile (siehe 8.3.2) und niedrigere Löhne hatte. Damit war sie abhängig von steigenden Erz- und Kohlepreisen, Schiffahrtsraten und Löhnen. Also modernisierten die japanischen Stahlkocher: Sie übernahmen die modernste Technik im Hochofenbau und verbrauchen daher heute weniger Kohle zum Schmelzen als irgendein Stahlwerk außerhalb Japans.

Ausbau der Stahlwerke zu Kombinaten

Alle großen Stahlwerke sind Kombinate mit eigenen Erz- und Kohleflotten und einem eigenen Vertriebsnetz. Von den fünf Giganten hält die Nippon Steel Co., (die aus einer Fusion der beiden größten Stahlwerke hervorgegangen ist) mit 35,5 Prozent der Gesamtproduktion Japans den zweiten Platz unter den Stahlkonzernen der Welt. Die Produktion der australischen Erzgruben ist für 15 Jahre zu festen Preisen von Japan gekauft, und damit ist ein Teil des Rohmaterials gesichert.

Schiffsbau

Die Schiffsbauindustrie hatte schon immer einen bedeutenden Platz in der japanischen Wirtschaft inne, aber weltweites Ansehen gewann sie erst in den 60er Jahren. Von 1955 bis 1960 war ihre Jahresproduktion nur unbedeutend von 0,7 auf 1,8 Millionen Tonnen gestiegen. Bis 1965 schnellte sie aber auf 5,5 Millionen und bis 1970 auf 12,7 Millionen Tonnen hoch, d. h. fast die Hälfte des gesamten Weltschiffsraumes bauen japanische Werften. Damit hat Japan den Platz eingenommen, den Großbritannien von 1900 bis 1955 innehatte.

Japan baut die größten Supertanker – zunächst zur Versorgung der eigenen petrochemischen Industrie, nach der Sperre des Suez-Kanals auch für andere Industriestaaten. Inzwischen hatte die japanische Schiffsbauindustrie ihre Werften so modernisiert, daß sie die größten Schiffe zu den niedrigsten Preisen in der kürzesten Zeit fertigstellen konnte und dadurch von immer mehr Industriestaaten Aufträge erhielt. Die hohen Investitionsausgaben wurden durch kostensparende Fusionierungen ermöglicht.

Schiffsbau in ausgewählten Ländern
(Abbildung 16)

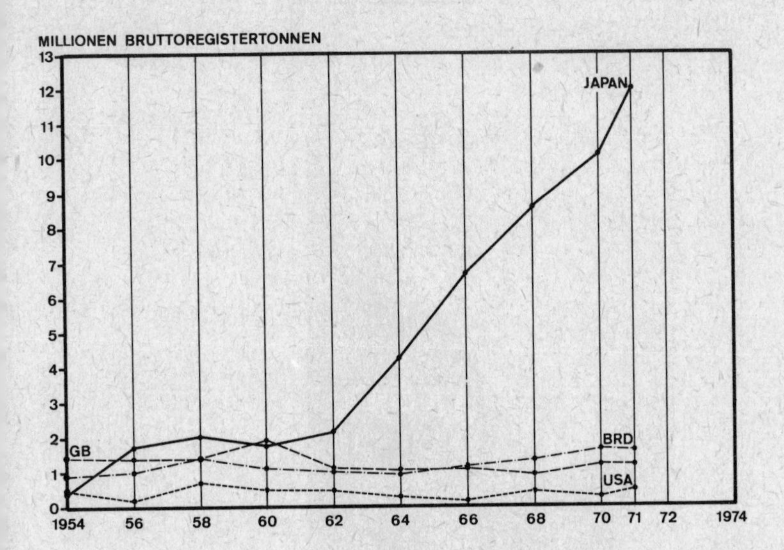

Der Schiffsbau versorgt über 40 andere Industriezweige mit Arbeit (70 Prozent der Baukosten eines Schiffes entfallen auf die Zulieferungen): 130000 Arbeitern im Schiffsbau entsprechen etwa 260000 Beschäftigte in der Zulieferungsindustrie.

Autoindustrie

Der zweitwichtigste Zweig der verarbeitenden Industrie ist die Fahrzeugindustrie. Sie hat in schnellem Aufschwung die europäischen Länder in der Auto- und Motorradproduktion nicht nur eingeholt, sondern weit überholt und stand mit einer Jahresproduktion von 6,3 Millionen Automobilen (1972) nur noch hinter den USA (10,6 Millionen), mit einer Fertigung von über 3 Millionen Motorrädern jedoch an der Spitze der Weltproduktion, von der über 60 Prozent aus Japan stammen.
Mit der Produktion wuchs auch die Ausfuhr: Von 149000 Wagen im Jahr 1964 stieg sie auf 1,9 Millionen im Geschäftsjahr 1971/72, von denen 53 Prozent in die USA gingen. Damit gehört Japan auch in der Automobilbranche zu den großen Exportnationen.

Mehr Nutzfahrzeuge als Personenwagen

Im Gegensatz zur BRD stellte Japan bis 1967 beträchtlich mehr Nutzfahrzeuge her als Personenwagen (im Verhältnis 2 : 1). Der Gütertransport hatte hier Vorrang vor dem Individualverkehr, der auch erst dann einsetzen konnte, als das Individualeinkommen zu steigen begann.

Anfang 1971 entfielen auf 1000 Einwohner 85 Pkws (USA 442, BRD 234) und gleichviel Lkws (USA: 88, BRD: 17).

Automobilproduktion in Japan und in der BRD
(Abbildung 17)

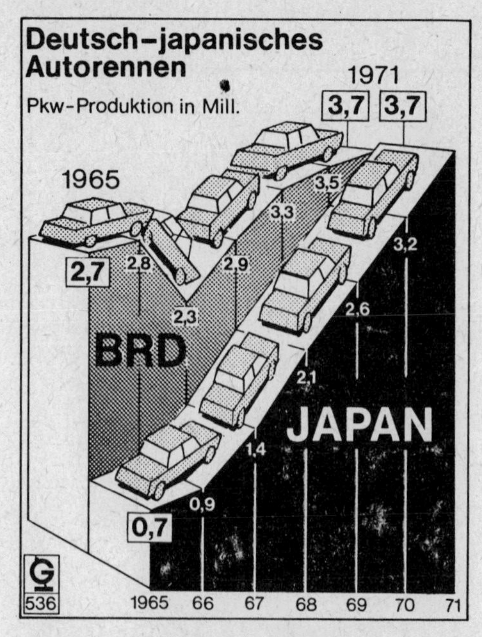

1972 betrug das Verhältnis zwischen Japan und BRD 4,0 : 3,5.

Unter dem Druck der Motorisierung begann der Staat mit dem Bau eines Autostraßennetzes, was wieder einen neuen Boom in der Bauindustrie hervorrief.

Den Autoboom ermöglicht haben die steigenden Einkommen breiter Schichten (siehe 8.5.1), dann aber auch die rechtzeitige Automatisierung (wie beim Schiffsbau), schließlich die Fusionierung der meisten Autowerke. Denn es gibt zwar auf dem japanischen Markt zwölf Automobilproduzenten, doch gehören acht davon den beiden Gruppen Toyota und Nissan an, die mit über 60 Prozent der gesamten Produktion den Markt beherrschen.

Chemische Industrie

Eine der Säulen der japanischen Industrie stellt die Chemie dar. Auch hier hat Japan die Bundesrepublik überholt und ist damit zum zweitgrößten Produzenten der Welt geworden, führt aber nur knapp ein Zehntel seiner Chemie-Erzeugnisse aus. Im Vordergrund steht die Produktion von Plastik, Kunstdünger und Schädlingsbekämpfungsmitteln, erst dann folgen Pharmazeutika und Kosmetika.

Der größte Absatzmarkt ist Südostasien mit 42 Prozent, dann der Ostblock mit 20, Nordamerika mit 17 und Westeuropa mit 15 Prozent aller Exporte (1969). Japanische Pharmazeutika und Kosmetika genießen heute in ganz Asien eine Vorrangstellung, japanische Kunstfaserstoffe haben die englischen und indischen Stoffe fast ganz vom Markt verdrängt, und auch nahezu alle Plastikprodukte in diesen Ländern stammen aus Japan.

Die größten japanischen Chemiewerke errichten überall in Asien Tochtergesellschaften und Zweigunternehmen, so daß sie noch billiger produzieren und billiger (ohne Importzölle) verkaufen können (z. B. in Südkorea, Taiwan, Thailand, Indonesien, Indien).
Im Inland jedoch führt der scharfe Konkurrenzkampf zu immer neuen Fusionen, bis schließlich die Großchemie in wenigen Händen konzentriert sein wird.

Computerproduktion

1971 gelang Japan der Durchbruch auf dem Gebiet der Computerherstellung. Die meisten Datenverarbeitungsanlagen, die bisher in Japan arbeiteten, waren entweder von IBM-Japan hergestellt oder nach amerikanischen Patenten gebaut worden. Nur auf dem Gebiete der Klein- und Kleinstcomputer hatte Japan eigene Weiterentwicklungen vorzuzeigen. Nun war es aber den japanischen Technikern gelungen, mit Hilfe von Regierungsinvestitionen eine eigene Anlage zu entwickeln, die nicht nur schneller als alle bekannten Anlagen arbeitet (300 Millionstel Sekunde pro Rechnung), sondern die auch über einen „Leser" für 2500 chinesische Schriftzeichen verfügt, womit sie nicht nur für Japan, sondern auch für Korea, Taiwan, Hongkong und vor allem für China interessant ist.
Zur Zeit sind in Japan 10000 elektronische Computer in Betrieb, davon 67 Prozent aus eigener Produktion (BRD 32 Prozent). Die Nachfrage wächst ständig, und Japan ist dabei, nicht nur seinen eigenen Markt zu befriedigen, sondern auch zu einem bedeutenden Computerexporteur zu werden.

Optische Industrie

Auch die optische Industrie zeigt Japans Aufstieg zur wirtschaftlichen Supermacht. In ganz Asien werden fast nur japanische Kameras, Ferngläser, Transistorradios und Fernsehgeräte benutzt; in den USA und Europa wird der Anteil Japans am Verkauf dieser Produkte immer bedeutender.
Optik und Elektronik hatten schon vor dem Kriege eine wichtige Rolle für die japanische Industrie gespielt, aber im wesentlichen nur für medizinische und militärische Zwecke. Als nach dem Kriege der innere Markt entdeckt wurde, produzierte die optische und elektronische Industrie fast ausschließlich zur Deckung der Inlandsnachfrage. Erst Anfang der 60er Jahre wagte sich Japan mit seinen Produkten auf den Weltmarkt und brach mit seinen Billigangeboten vor allem in den nordamerikanischen und europäischen Markt ein. Erst als die USA (Kodak) und Deutschland (Agfa) zum Gegenangriff übergingen und ebenfalls billige und leicht zu bedienende Kameras auf den Markt warfen, begann Japan, sich auf die Massenproduktion von Spitzengeräten einzustellen.

Viele Höchstleistungen wie beispielsweise Elektromikroskope mit einem 500000fachen Vergrößerungsvermögen, Farbfernsehkameras für Magenaufnahmen, Geräte zur Mikrophotographie, Herstellung weltraumsicherer Geräte zeigen, daß Japans optische und elektronische Industrie heute einen Spitzenplatz auf dem Weltmarkt einnimmt.

8.3.2 Standortvorteile der Industriezentren

Günstige Lage am Pazifik

Alle genannten Industrien liegen unabhängig von irgendwelchen Rohstoffvorkommen an der pazifischen Küste, an der die Rohstoffe angelandet werden. Nur in Nordkyushu und in Südhokkaido hat sich je ein Eisen- und Stahlproduktionsgebiet in unmittelbarer Nähe der Kohlenvorkommen herausgebildet.

Die Freiheit in der Standortwahl ist jedoch nur eine scheinbare, denn Voraussetzung für die Fabrikation waren Landemöglichkeiten und Arbeitskräfte, also Städte. So finden sich die großen Industriewerke vor allem in den alten Hafenstädten und zwischen Tokyo und Kyoto, aber auch noch weiter im Süden zwischen Kobe und Kyushu. Fast alle liegen in Vorderjapan, auf der „Sonnenseite" Japans, dem Pazifik zugekehrt, nur wenige Industriestädte konnten sich auf der „Schattenseite" Japans, an der Japansee, entwickeln (wie z. B. Niigata).

Damit liegen jedoch alle japanischen Industriewerke verkehrstechnisch außerordentlich günstig. Sie empfangen die Rohstoffe nahezu ohne weiteren teuren und zeitraubenden Zwischentransport aus dem Hafen und können ihre Produkte ebenso im Hafen zum Export oder zum Weitertransport an eine andere Stadt Japans verschiffen.

8.3.3 Ursachen des Wirtschaftsaufschwungs

Restauration und Koreakrieg

Die Voraussetzungen für den erstaunlichen Wirtschaftsaufschwung Japans bildeten

- die Restauration der Jahre 1948 bis 1950 (Verzicht auf Entflechtung der großen Konzerne, Rehabilitierung der belasteten Wirtschaftsführer, Währungsreform usw.)
- sowie der Koreakrieg, der Japan zur Nachschubbasis der US-Streitkräfte machte und Japans Industrie die notwendigen Auslandsaufträge und damit Deviseneinnahmen sicherte (siehe 4.3).

Strukturelle Gründe

Allerdings gibt es neben diesen beiden wichtigen Ereignissen eine Fülle von Gegebenheiten, die durch die Struktur und Organisationsform der japanischen Wirtschaft bedingt sind, und noch heute wesentlich zum raschen Wirtschaftswachstum beitragen. Es sind:

1. die Kostenvorteile der japanischen Industrie, die sich aus der Küstennähe aller größeren Industrieanlagen erklären;
2. die fortlaufende Modernisierung der Produktionsanlagen und Herstellungsmethoden, die Japan heute zu der modernsten Ausrüstung und den neuesten Fertigungssystemen verholfen hat,
3. die Automation in der Großindustrie, mit der die japanischen Betriebe bereits zu einer Zeit begannen, als der Arbeitsmarkt noch ein reichliches Angebot an Arbeitskräften zeigte.

Verteilung der Eisen-, Stahl- und Petrochemie-Industrie
(Abbildung 18)

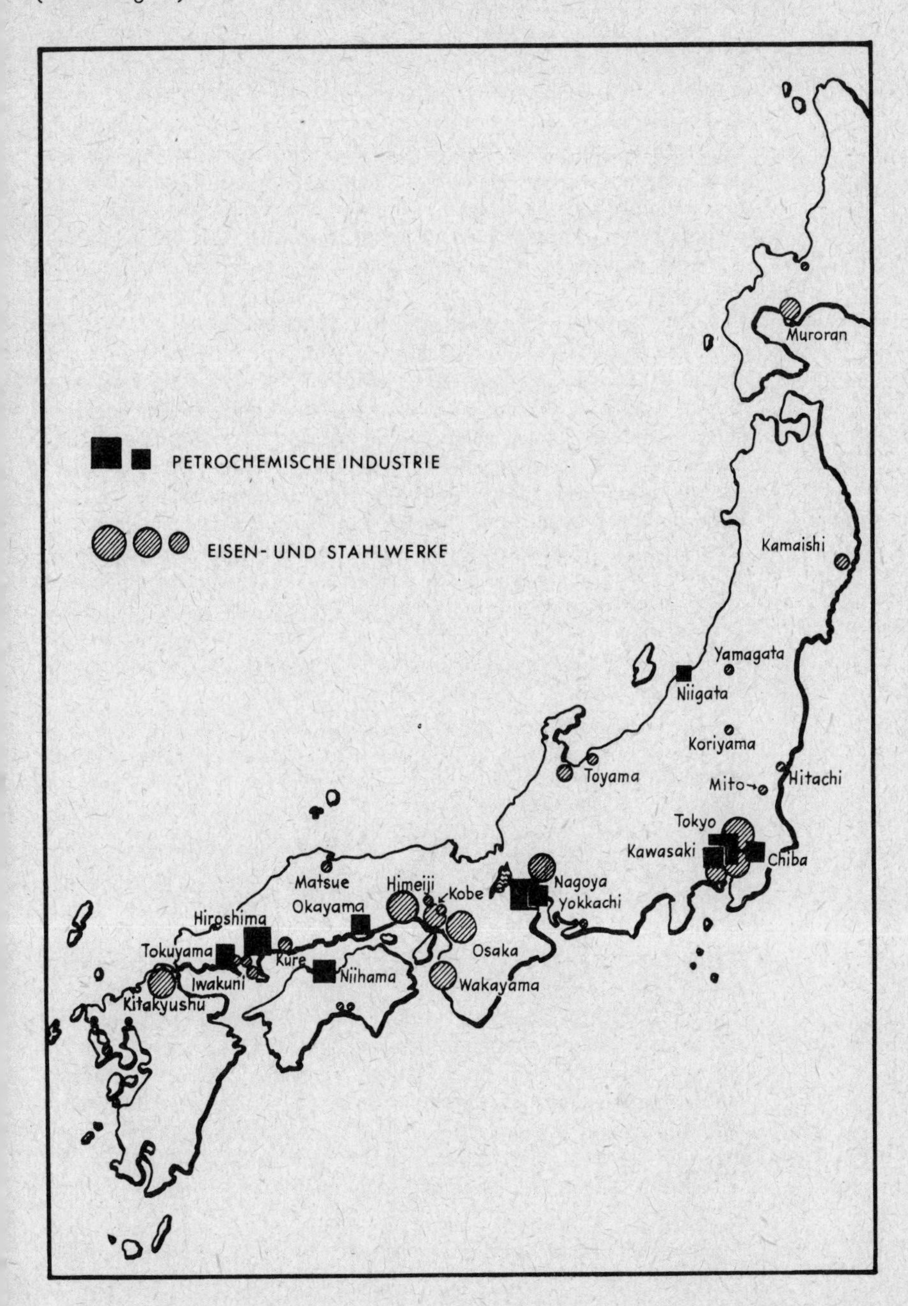

Als Ergebnis dessen kann heute ein 200000-Tonnen-Tanker in Kobe bei Hiroshima oder Nagasaki in etwa sechs Monaten gebaut werden, während englische oder deutsche Werften zwei Jahre und länger dafür benötigen. So erklärt es sich, daß der Fertigungspreis der japanischen Werften bis zur Hälfte unter dem der europäischen liegt.

Planung

Außerdem haben sowohl die japanischen Regierungsbehörden wie die Großunternehmen nicht nur den eigenen, sondern auch den ausländischen Markt sorgfältig beobachtet und daraus Richtlinien für die japanische Industrieentwicklung abgeleitet sowie Prioritäten für die Produktion aufgestellt. Solche Prioritäten hatten die elektronische und petrochemische Industrie, der Großschiffsbau sowie die Atomindustrie, d. h. die japanische Industrie entwickelte vorrangig Produkte für morgen.

Doppelstruktur

Schließlich kam der japanischen Wirtschaft bei ihrem Aufschwung auch ihre Doppelstruktur zu Hilfe, d. h. die Großbetriebe ließen einen guten Teil der lohnintensiven Arbeit von Zuliefererbetrieben ausführen, die auf Grund ihrer Kleinheit völlig von ihren großen Auftraggebern abhängig waren. Diese konnten ihnen niedrige Abnahmepreise diktieren, worauf die Kleinbetriebe dann ihrerseits sich gezwungen sahen, die niedrigen Preise durch niedrige Löhne aufzufangen.

Arbeitskräfte-reservoir

Außerdem nahm die Zahl der in der japanischen Landwirtschaft Tätigen Jahr für Jahr um 500000 Arbeitskräfte ab, die dann der Industrie zur Verfügung standen. So förderte das ständige Arbeitskräfte-Angebot eine Ausweitung der Produktivität, andererseits verhinderte es allzu starke Lohnerhöhungen. In den letzten Jahren wuchs allerdings die Zahl der Beschäftigten immer langsamer. Arbeitskräfte werden Mangelware.

Waren 1960 noch 69 Prozent der über 15jährigen erwerbstätig, so 1971 nur noch 65 Prozent. 1970 standen 1,137 Millionen offenen Stellen für Mittelschüler nur 182000 Bewerbungen, 4,418 Millionen offenen Stellen für Oberschüler nur 774000 Bewerbungen gegenüber.

Japan befindet sich also zur Zeit in einer Phase der Vollbeschäftigung, in der stärkere Lohnerhöhungen unvermeidlich sein können, weshalb den Großunternehmen eine schwache und zeitlich begrenzte Rezession sicher nicht unwillkommen sein dürfte.

Investitionen

Wachstumsfördernd wirkte, daß die Industriellen es vorzogen, zu investieren statt Gewinne zu verteilen. Dadurch nahm die Produktionskapazität stetig zu, was neue Produktionsrekorde möglich machte.

Konzentration

Im Zuge der Rationalisierung schlossen sich große Betriebe zusammen und schluckten kleinere. So bildeten sich immer riesigere Konzerne und Kombinate, die sich schließlich zu sich selbst versorgenden Mammutunternehmen entwickelten, die vom Rohstoffabbau im Ausland über den Transport nach Japan bis zum Verkauf der Fertigwaren in der ganzen Welt alles in eigener Regie ausführen können.

Hitachi Ltd. z. B. stellt in seinen 22 Hauptbetrieben in Tokyo 20000 verschiedene Erzeugnisse her, darunter Kraftwerksausrüstungen, Karosserien, Maschinen, elektronische Röhren und Halbleiter, Meßinstrumente, Kabel, Fernmeldeeinrichtungen,

Plastikprodukte, Haushaltsgeräte. Zweigstellen in Osaka bauen Docks, Brücken und Schleusen, Schiffe, Maschinen und komplette Fabrikanlagen. Eine eigene Handelsgesellschaft wickelt Ein- und Verkauf ab.
Ishikawajima-Harima Heavy Industries liefern Großschiffe und Werftanlagen, Stahlproduktionsanlagen für ihren Schiffsbau, Schiffs- und Flugzeugmotoren, Atomkraft- und Landwirtschaftsmaschinen, Kraftwerks- und Chemieausrüstungen, Papier- und Zementfabriken.

Tabelle 11: **Japans größte Unternehmen 1971**

Firma	Branche	Umsatz Mrd. DM	Beschäftigte
Nippon Steel	Stahl	14,3	100 800
Hitachi	Maschinen, Elektro	12,7	163 100
Toyota Motor	Fahrzeuge	11,6	53 700
Mitsubishi Heavy Ind.	Schiffe, Maschinen	11,0	116 000
Nissan Motor	Fahrzeuge	11,0	79 500
Matsushita Electric	Elektro	9,4	80 900
Tokyo Shibaura Electric	Elektro	8,9	124 000
Nippon Kokan	Stahl, Schiffe	7,4	49 700

Zum Vergleich: Das größte Unternehmen der Welt, der US-Konzern General Motors, setzte 98,9 Milliarden DM mit 773 400 Arbeitskräften um, das größte der BRD, das Volkswagenwerk, 17,3 Milliarden DM mit 202 300 Beschäftigten.

Hohe Sparquote

Weitgehend waren es Arbeiter und Angestellte, die durch eine hohe Sparquote (1971: über 20 Prozent ihrer Einkünfte, BRD = 12,8 Prozent) den Banken ermöglichten, den an Eigenkapital schwachen Unternehmen Kredite zur Modernisierung oder Ausweitung ihrer Werke zu geben. Rund ein Drittel der gesamten Kreditdecke stammt aus Sparaufkommen.

Ausbau des inneren Marktes

Nicht zu unterschätzende Faktoren des Wirtschaftsaufschwunges waren einmal die sehr niedrigen Militärausgaben (siehe 9.1.8) und zum anderen, vor allem in den sechziger Jahren, die Entdeckung – oder besser noch – Schaffung des „inneren Marktes". Denn von der Tokugawa-Zeit bis nach dem Zweiten Weltkrieg herrschte – teils erzwungenermaßen – ein recht niedriger Lebensstandard, besonders bei den mittleren und unteren Bevölkerungsschichten. Film, Funk, Fernsehen und Presse setzten zunächst planlos, später gezielt mit Reklame der Bevölkerung zu, diese unfreiwillige, aber doch gewohnte Genügsamkeit, die eine Art asketischer Lebenshaltung zur Folge hatte, zugunsten einer Konsumfreudigkeit aufzugeben. Einige Lohnerhöhungen, vor allem in den Großbetrieben, wirkten sich hier absatzsteigernd zugunsten der Unternehmer aus.
Eine stabile, ja produktionssteigernde Agrarwirtschaft und Fischerei, eine Industrie mit einer Fülle von Kostenvorteilen und nur verhältnismäßig geringe Aufwendungen für militärische Verteidigung infolge des Atomschirmes der USA können nur zum Teil den rapiden Wirtschaftsaufschwung erklären. Voll verständlich wird er erst, wenn man die besonderen Arbeitsverhältnisse kennt.

8.4 Besonderheiten der japanischen Arbeitswelt

8.4.1 Stamm- und Zeitarbeiter

Auch wenn sich in Japan neuerdings eine Tendenz zur Übernahme europäisch-amerikanischer Arbeitsverhältnisse zeigt, so ist doch in der jüngsten Vergangenheit und weitgehend noch in der Gegenwart die japanische Arbeitswelt grundlegend anders als die des Westens.

Die Doppelstruktur

Charakteristisch für die japanische Industrie ist ihre Doppelstruktur; nebeneinander bestehen relativ wenige große Unternehmen und eine Vielzahl mittlerer, kleiner und kleinster Unternehmen. So gab es beispielsweise 1969 insgesamt 1 095 000 Industriebetriebe in Japan, davon waren nur 20 000 größere Betriebe, hingegen 1 075 000 Klein- und Kleinstbetriebe.

Vorteile der Großbetriebe

Großbetriebe bieten wesentlich bessere Löhne und Sozialleistungen als Klein- und Kleinstbetriebe, die als Zulieferanten durch die ihnen diktierten Niedrigpreise die Lohn- und Sozialpolitik der Großen indirekt finanzieren.

Unterschied von Stamm- und Zeitarbeitern

Eine japanische Besonderheit ist die Unterscheidung von Stamm- und Zeitarbeitern.

- Die **Stammarbeiter** werden von den Groß-, Mittel- und Kleinbetrieben nach Schulabschluß eingestellt und bis zur Pensionierung beschäftigt. Ihr Arbeitsverhältnis ist praktisch unkündbar und unabhängig von leichteren ökonomischen Schwankungen wie auch von ihrer tatsächlichen Leistung.
- Die **Zeitarbeiter** werden von den Groß- und Mittelbetrieben zusätzlich nach Bedarf angeheuert, für die Kleinbetriebe sind sie das Hauptreservoir der Arbeitskräfte. Die Zeitarbeiter sind Wirtschafts-Schwankungen ausgeliefert, sie werden häufig gekündigt und erhalten keine der Sozialleistungen der Stammarbeiter (Bonus, freies Wochenende, Ausbildungsbeihilfen, Wohnung etc.).

Eine besondere Rolle spielen die Familienbetriebe, die über die Hälfte aller verarbeitenden Betriebe ausmachen. Auch sie nehmen oft Zeitarbeiter auf.

Der Aufstieg vom Zeitarbeiter zum Stammarbeiter ist erst in letzter Zeit durch den wachsenden Arbeitskräftemangel möglich geworden. Das Verschwinden des Zeitarbeiters als Berufstyp ist nur noch eine Frage der Zeit.

Gliederung der japanischen Arbeiter

Nach Einkommen und Ansehen lassen sich die japanischen Arbeiter etwa so gliedern:

1. Stammarbeiter der Großbetriebe,
2. Stammarbeiter der Mittelbetriebe,
3. Stammarbeiter der Kleinbetriebe,
4. Familienmitglieder (im weitesten Sinne) der Kleinstbetriebe,
5. Zeitarbeiter, die mehrere Jahre in einem Betrieb arbeiten (gestuft nach der Größe des Betriebes),
6. kurzfristige Zeitarbeiter der Großbetriebe,
7. kurzfristige Zeitarbeiter der Mittel- und Kleinbetriebe.

Ende 1972 waren 96 Prozent aller Unternehmen Klein- und Kleinstbetriebe, in denen fast 75 Prozent aller Beschäftigten tätig waren. **Nur ein Viertel aller Beschäftigten arbeitet also in der Großindustrie**, nur ein Teil von ihnen sind Stammarbeiter – eine Arbeitnehmerposition, die am meisten begehrt ist und über das höchste Ansehen verfügt.

Ein Viertel aller Beschäftigten in der Großindustrie

Der Wechsel eines Stammarbeiters galt früher und gilt vielfach heute noch als ein Zeichen von Unzuverlässigkeit. Die Unternehmer brauchen nicht mit größeren Fluktuationen zu rechnen, die Arbeitnehmer haben die Gewißheit, unter normalen Bedingungen nicht arbeitslos zu werden. Bei einschneidenden ökonomischen Krisen (z. B. in den 30er Jahren und nach 1945) sind allerdings auch ihre Arbeitsplätze bedroht.

Dienstalterslohn

Die Stammarbeiter werden nicht nach Arbeitsleistung, sondern nach Dienstalter entlohnt. Natürlich richtet sich das Anfangsgehalt nach der Vorbildung und der Fähigkeit, aber die Beförderung erfolgt der Dienstzeit entsprechend.

So erhält beispielsweise ein Universitätsabsolvent beim Eintritt in einen Großbetrieb ein Anfangsgehalt von monatlich etwa 500 DM, ein Abiturient 300 DM, ein Mittelschulabsolvent 250 DM. Ein fünfundfünfzigjähriger männlicher Arbeiter mit 41 Arbeitsjahren verdient fast viermal soviel wie ein sechzehnjähriger Arbeiter mit einem Arbeitsjahr.

Eine weitere Besonderheit sind die Bonuszahlungen, die aus einstigen Geschenken inzwischen feste Zuwendungen anläßlich bestimmter Feste wurden und, je nach Finanzlage des Betriebes, die Höhe von 2 bis 12 Monatsgehältern erreichen. 1969 betrug im Schnitt der gesamten Industrie der Jahresbonus 3,6 Monatsgehälter.

Sozialleistungen der Großbetriebe

Schließlich gewährt der Großbetrieb seinen Stammarbeitern eine Reihe von Sozialleistungen, die der Staat nicht übernimmt. Dazu gehören Zahlungen für Verheiratete, Kinder, Kindergarten, Schule usw., billige oder gar unentgeltliche Werkswohnungen, Versorgung in firmeneigenen Krankenhäusern, Geldgeschenke bei Geburts- und Sterbefällen und bei Hochzeiten. Großbetriebe haben sogar Sanatorien, Entbindungsheime, Kindergärten, Tennis- und Golfplätze, Vertragshotels in touristisch attraktiven Gegenden, Fremdsprachen- und andere Weiterbildungskurse (siehe 8.4.3).

Da eine staatliche Altersrente bisher kaum existierte, erhielt der Stammarbeiter beim Ausscheiden aus dem Arbeitsprozeß von der Firma 30 bis 40 Monatsgehälter, vorausgesetzt, er war ständiger Mitarbeiter in diesem Betrieb (siehe 7.3), was zu einer starken Bindung an den Betrieb beiträgt und eine größere Fluktuation von Arbeitskräften eindämmt. Großunternehmen bilden ihre Stammarbeiter intensiv aus bzw. „spezialisieren“ sie, d. h. passen sie an die im Betrieb herrschenden Werte, Regeln, Hierarchien etc. an.

Gruppentraining

Die jungen Leute müssen sich vor Arbeitsaufnahme häufig einem Gruppentraining unterziehen, vor allem, wenn sie Oberschul- oder Universitätsabsolventen sind. Die Firmen befürchten, daß sie zu einem zu starken Individualismus erzogen worden sind, der dem Gruppendenken, der Gruppenarbeit und dem Arbeitsfrieden abträglich werden könnte. So werden die „Rekruten" in Trainingslager in die Berge geschickt, wo (ausgediente) Unteroffiziere oder Offiziere sie durch Drill- und Härteübungen zu Disziplin, Ausdauer und vor allem zum Gruppendenken erziehen sollen. 1969 sandten 2500 Betriebe 93000 Anfänger in die Trainingslager. Andere Firmen haben Lehrwerkstätten, wo etwa 100 bis 200 Lehrlinge auf einen Pfiff des Aufsehers gleichzeitig auf ihren Meißel schlagen müssen. Wieder andere Firmen halten Seminare für die Anfänger ab, die nach vormittäglichen Sportübungen Vorträge anhören und dann in kleinen Gruppen darüber diskutieren müssen, offiziell bis 21 Uhr, meist aber noch bis Mitternacht. In jeder Gruppe befindet sich als Beauftragter der Werksleitung ein älterer Werksangehöriger, der in den Diskussionen sehr schnell das schwarze Schaf, den unbelehrbaren Individualisten, herausfindet. Dieser wird dann entweder als ungeeignet gar nicht erst aufgenommen oder aber für einen Führungsposten vorbereitet. Viele moderne Firmen lassen sich von Universitätsprofessoren Studentenrebellen benennen, die dann lukrative Angebote für eine Managerlaufbahn erhalten, für die sie auf Grund ihrer Aggressivität, Zähigkeit und Führungsqualitäten besonders geeignet erscheinen.

Historische Grundlagen des heutigen Arbeitssystems

Die Grundlagen dieses Arbeitssystems für die Stammarbeiter haben sich zu Anfang dieses Jahrhunderts entwickelt und seither grundsätzlich nicht verändert. Ausgangspunkt war der Mangel an industriellen Arbeitskräften: „Erstens war die Nachfrage nach weiteren Arbeitskräften hoch und mußte mit jungen Leuten vom Lande gedeckt werden, die selbst zu Hungerlöhnen in die Industrie gehen wollten. Zweitens mußten solche Arbeiter vom Unternehmer ausgebildet und durch irgendeinen Anreiz gehalten werden. Da drittens die Anfangslöhne nahe am Existenzminimum lagen, brauchte der Arbeiter, wenn er erwachsen war und eine Familie gründete, ein zusätzliches Einkommen. Schließlich: Moderne Betriebe konnten solche Zahlungen aufbringen, da dank eingeschränkten Wettbewerbs die Profite stiegen." (Shin-Ichi Takezawa, The Blue-Collar Worker in Japanese Industry, in: N. F. Dufty (Hrsg.), The Sociology of the Blue-Collar Worker, Leiden 1969, S. 184.)

Allmählicher Wandel

Erstaunlich ist die Dauerhaftigkeit dieses Systems auch unter gewandelten gesellschaftlichen Bedingungen. Allerdings verändern sich die Verhältnisse allmählich wegen des Mangels an qualifizierten Arbeitskräften.

Nichtstammarbeiter schlechter gestellt

Für die Nichtstammarbeiter sind die Arbeitsverhältnisse jedoch wesentlich anders. Sie haben keine Arbeitsplatzsicherung und sind kündbar. Hinzu kommt, daß Klein- und Mittelbetriebe immer häufiger in Konkurs gehen (1968 z. B. 10000), weil sie auf eine maximale Auslastung ihrer Produktionsmöglichkeiten angewiesen sind und so schon bei geringem Nachlassen der Konjunktur zahlungsunfähig werden. Die Löhne und Gehälter in den Kleinbetrieben sind, vor allem wegen der niedrigen Abnahmepreise ihrer Produkte durch die Großbetriebe, geringer als in den Großunternehmen.

Zwar haben sich inzwischen die Anfangsgehälter in den Klein- und Mittelbetrieben denen der Großindustrie angenähert, doch gibt es dort kaum Zulagen und auch nur zwei bis drei Monatslöhne als Bonuszahlungen.

Naturgemäß reicht die Finanzkraft der Klein- und Mittelbetriebe nicht aus, Sozialleistungen auch nur annähernd wie die Großunternehmen aufzubringen.

So kann z. B. der Arbeiter bei Erreichen des Pensionsalters in einem Kleinbetrieb höchstens 15 bis 25 Monatsgehälter als Abfindung erwarten.

8.4.2 Kollektive Entscheidungen

Innerbetriebliches Entscheidungssystem

Innerbetriebliche Entscheidungen fallen nach dem **„Ringi"-System** (rin = den Vorgesetzten einen Vorschlag vorlegen und Zustimmung erhalten; gi = Beratungen und Entscheidungen). Es räumt mittleren Führungskräften eine gewisse Mitwirkung ein, die trotz des paternalistisch-autoritativen Betriebsaufbaus stärker ausgeprägt ist als in Europa und den USA:

- Zu bestimmten Fragen von allgemeinem Interesse verfassen jüngere Beamte oder Angestellte ein Exposé für ihren Abteilungsleiter,
- der es mit den anderen Abteilungsleitern bespricht und solange ändert, bis eine Einigung erreicht ist.
- Dann legt er dieses neue Dokument der Unternehmensspitze vor, die es ebenfalls durchdiskutiert, Änderungsvorschläge beifügt, es unterzeichnet
- und dem Präsidenten oder Behördenchef weiterreicht, der nun keine andere Wahl hat, als es zu unterschreiben, wenn er nicht alle seine Mitarbeiter vor den Kopf stoßen will.

Zur Klugheit der Abteilungsleiter gehört es, das Dokument so zu formulieren, daß auch der Präsident sich nicht vor den Kopf gestoßen fühlt.

Das Führungskollektiv ist verantwortlich

„Unter diesem System sind für keine Führungsstufe Autorität und Verantwortungsbereich klar definiert. Das Spitzenmanagement legt keine Richtlinien fest. Infolgedessen muß jede Entscheidung ohne Berücksichtigung der Gesamtpolitik getroffen werden. Alle Entscheidungen mit Ausnahme der routinemäßigen bedürfen der endgültigen Zustimmung des Spitzenmanagements. Sie beruhen auf der Teilnahme und dem Einverständnis der Gruppe ... Aus diesen Gründen wird die Verantwortung für eine Entscheidung vom gesamten Führungskollektiv geteilt."
M. Y. Yoshino, Japans Management, Düsseldorf, Wien 1970, S. 352.

Die Gruppenentscheidung

Auch hier zeigt sich wieder die Bedeutung des Kollektivs, in dem die Verantwortung des einzelnen kaum strapaziert wird. Es haben sich hier konfliktvermeidende Verhaltensformen entwickelt, die sowohl in der Ich-Schwäche der japanischen Person als auch in der Stärke der Gruppe begründet sind. So wird deutlich, daß die Japaner in der Arbeitswelt zwar westliche Technik, aber nicht zugleich auch westliches Denken übernommen haben. Doch kann sich dies bald wandeln, denn in Großbetrieben zeigt sich das Entscheidungs-System bei der

Fülle der anstehenden Entscheidungen als zu schwerfällig. Auch wird immer stärker bewußt, wie notwendig eine Gesamtplanung ist. So gehen die Großbetriebe zu langfristigen Planungen über, in die das traditionelle Entscheidungs-System eingefügt wird, das Management jedoch mehr Verantwortung und Entscheidungsspielraum erhält, woran es bei dem bisherigen System in bedauerlichem Maße fehlte.

Wirksamkeit der Gruppenentscheidung von Führungskräften
„Für die deutschen Geschäftspartner ergibt sich ... oft der Eindruck, japanische Firmen seien wenig entscheidungsfreudig und oft geradezu verantwortungsscheu; in Wirklichkeit ist diese Praxis der internen Abstimmung ein Stück weiser Personalpolitik unter den (lebenslangen) Mitarbeitern des Hauses. Mit Recht weisen denn auch die japanischen Gesprächsteilnehmer gern darauf hin, daß es nach einer solchen Gruppenentscheidung, die sich jeder der daran Beteiligten unmittelbar zu eigen macht, niemals zu jenen Schwierigkeiten bei der Durchsetzung der „von oben" erlassenen Anordnungen kommen kann, wie sie bei uns an der Tagesordnung sind; wenn die große Familie, als die sich die Firmen mit ihren Mitarbeitern fühlen, einen kollektiven Beschluß gefaßt hat, setzt sich auch jeder voll und ganz dafür ein, ihn durchzuführen."
Günter Schmölders, Deutsche und japanische Wirtschaftsmentalität, in: Hans-Bernd Giesler (Hrsg.), Die Wirtschaft Japans, Düsseldorf 1971, S. 46 f.

Diese Mitwirkungsmöglichkeiten des Ringi-Systems gelten freilich nur für den Entscheidungsprozeß auf höherer Ebene des Betriebes. Die Masse der Belegschaft, vor allem die Arbeiterschaft, hat daran jedoch keinen Anteil, sondern bleibt den Anweisungen von oben unterworfen.

8.4.3 Der Betrieb als Lebensgemeinschaft

Arbeitseinstellung

Mit den geschilderten Realitäten des Arbeitslebens sind nun bestimmte Einstellungen der Arbeitnehmer verbunden (konfuzianische Familien- und Staatsvorstellungen), die von den Firmenchefs auf den Betrieb ausgedehnt bzw. übertragen werden. Entscheidend ist die Prosperität des Hauses, zu dem man gehört, wie überhaupt das Bewußtsein, in einem bekannten Betrieb zu arbeiten, ein ähnliches Gefühl des Stolzes zu verleihen scheint wie das Bewußtsein der Zugehörigkeit zu der auserwählten Nation „Nippon". Ebenso wie es für das Prestige des Studenten wichtig ist, an einer großen Universität des Landes zu studieren, ist es für das Prestige des Arbeiters wichtig, in einem der großen Unternehmen der Nation beschäftigt zu sein.
Arbeit ist für den Stammarbeiter kein Job, der nach Belieben gewechselt wird; die amerikanische Methode des „hire and fire" ist unvorstellbar, und die Arbeitsleistung wird auch nicht so sehr nach der tatsächlichen Effektivität gewertet als vielmehr nach der Bereitschaft, sich für die Firma „einzusetzen" (d. h. Treue, Mithilfe bei der Wahrung eines guten Arbeitsklimas, Bereitschaft zu Überstunden, etc.).
Während sich in Europa und in Amerika die Arbeitnehmer meist nach

Berufsgruppen organisieren (z. B. Metallarbeiter, Dockarbeiter, Transportarbeiter usw.), hat in Japan jeder größere Betrieb seine eigene Betriebsgewerkschaft, ist man seinem Betrieb gegenüber solidarisch und verhält sich zu ihm wie zu seiner Familie. Hier findet das sehr viel stärker gemeinschaftsbezogene Denken des Asiaten seinen Ausdruck. Die Firma nennt sich auch mit dem alten Wort „i ë", was nicht nur das Haus als Gebäude bedeutet, sondern auch die Lebensgemeinschaft aller in diesem Hause Wohnenden.

Der Betrieb als Familie

Und wie es im Hause eine Gehorsams- und Dienstpflicht der Jüngeren gegenüber den Älteren und der Diener gegenüber den Herren gibt, und dem wieder eine Sorge- und Schutzpflicht der Älteren und Herren gegenüber den Jüngeren und den Dienern entspricht, so sehen sich Arbeiter, Angestellte und Chefs in einem gegenseitigen Abhängigkeits- und Pflichtenverhältnis, das von den Japanern als „on" oder „giri" bezeichnet, von uns am besten mit Loyalität oder Treue umschrieben wird (siehe 7.1).

Der Betrieb als Lebensgemeinschaft

„Ich finde es viel zu einfach, zu glauben, daß die japanische Art und Weise des Denkens, die Art der menschlichen Beziehungen sich wie die europäische ändert oder sich der europäischen nähert, nur deshalb, weil Japan zu einem Industriestaat geworden ist. Obwohl die Japaner in einem modernen System leben, unterscheiden sie sich doch von den Europäern, und seit der Meiji-Restauration haben sie sich auch in wesentlichen Dingen kaum geändert ...

Was in der Verwaltung der Betriebe seit der Meiji-Zeit unverändert geblieben ist, ist das Verhältnis zum Menschen, das heißt zu den Betriebsangehörigen. Diese Beziehung zwischen Betriebsführung und Angestellten ist eher vergleichbar einer Beziehung, die durch Schicksal bestimmt ist, als einem zwischen Betriebsführung und Angestellten abgeschlossenen Arbeitsvertrag. Es handelt sich hier sozusagen um eine menschliche Beziehung, die der Ehebeziehung vergleichbar ist."

Nakane, Entdeckung der japanischen Gesellschaftsstruktur, in: Kagami III, 2, 1965.

Der Betrieb als Lebensversicherung

Man arbeitet also nicht nur für einen Monatslohn – obwohl dieser natürlich wichtig ist und man sich beim Eintritt in die Firma genau über dessen Höhe und die sonstigen Vorteile und Zuwendungen informiert –, sondern für das Wohl der gesamten Familie, d. h. der Betriebsgemeinschaft, zu der selbstverständlich auch der Chef gehört. Man schließt also nicht nur einen Arbeitsvertrag, sondern geht eine Lebensgemeinschaft ein, mit der man nun auf Gedeih und Verderb verbunden ist. In Klein- und Kleinstbetrieben gehört man damit quasi zur Familie, aber auch in den Großbetrieben mit tausend, zehntausend oder mehr Arbeitskräften spürt man die Zugehörigkeit zum Haus: der Betrieb kümmert sich um eine Wohnung, bzw. stellt eine firmeneigene zur Verfügung; bei Geburts- und Sterbefällen und bei der Hochzeit erhält der Firmenangestellte ein ansehnliches Geldgeschenk von der Firma, bei Krankheit versorgt ihn das Firmenhospital; die Firma hilft bei der Vermittlung eines Ehepartners und richtet sogar die Hochzeit in ihren eigenen Festräumen aus – immer vorausgesetzt, es handelt sich um einen „Stammarbeiter" (siehe 8.4.1).

Das Unternehmen als gemeinnützige Organisation
„Das Kapital und alles, was zu einem Unternehmen gehört, sind Dinge, die von der Gesellschaft geborgt werden; sie sollten deshalb nicht Privateigentum sein. Einen angemessenen Gewinn zu erzielen, ist die Pflicht eines jeden Unternehmers, und er sollte zum Teil an die Gesellschaft zurückgegeben werden, damit der Anspruch, eine gemeinnützige Organisation zu sein, gerechtfertigt ist."
Firmenprospekt von Matsushita.

Firmenhymne

Das Bewußtsein, einer großen Familie anzugehören, wird zum Beispiel durch das Absingen der Firmenhymne bei Arbeitsbeginn immer wachgehalten. Dabei wird der einzelne über die Werksgemeinschaft hinaus in den größeren Kreis des japanischen Volkes gestellt und schließlich mit der gesamten Menschheit verbunden, wie die folgenden Beispiele zeigen:

Firmenlieder

Für den Aufbau eines neuen Japan
laßt uns Kraft und Geist vereinen
zum besten der höheren Produktion
Unsere Güter gehen hinaus in alle Welt ...
Wachse, Industrie, wachse, wachse, wachse!
Harmonie und Reinheit!
Matsushita-Elektrowerk

Kommt heran! Schulter an Schulter!
Das Land unserer Väter ist immer
fortschrittlich gewesen.
Toyota! Toyota!

Wir geben unsere Arbeit.
Unseren Schweiß und unsere Schwielen
Für die Freude der Menschheit.
Komm, Nissans Stolz!

Glaubensbekenntnis der Matsushita-Werksangehörigen:

Unsere Ziele heißen nicht Wohlstand und Protzentum; unsere Mission dient der Erquickung und Wohlfahrt der Menschheit. Wir marschieren und arbeiten in einem Gemeinschaftsgeist gegenseitiger Hilfe, Fairness und Gerechtigkeit ... Allein sind wir schwach, nur zusammen sind wir stark. Wir sollen uns wie eine Familie vertrauens- und verantwortungsvoll die Hand reichen und demütigen vor den Problemen anderer und ihnen helfen. Nur Einheit und Verstehen sichern den Erfolg. Keiner soll herrschen, sondern jeder soll sein Bestes geben, damit er Selbstvertrauen und Selbstachtung gewinne ...

Allmählicher Einstellungswandel

Die Einstellung der Japaner zur Arbeit freilich beginnt sich allmählich zu wandeln, wie amtliche Meinungsumfragen zeigen:

- Hielten 1957 noch die meisten Arbeiter ihren Beruf für das wichtigste in ihrem Leben, so 1972 nur noch jeder fünfte, während schon über die Hälfte Familie und Kinder an vorderster Stelle nannte und ein Zehntel, vor allem Jüngere, die Erholung.
- Immerhin sehen heute noch 46 Prozent der Japaner, ob jung oder alt, Arbeit als eine Pflicht an, die sie gegenüber der Gesellschaft zu erfüllen haben. Und nur ein Drittel der Erwachsenen und bloß ein Fünftel der Jugendlichen behaupten, nur wegen des Verdienstes zu arbeiten. Erstaunlich ist auch die Angabe von 11 Prozent der Älteren und 33 Prozent der Jüngeren, in der Arbeit vor allem ihr Talent entwickeln zu wollen.

8.4.4 Japans Arbeitswelt von außen gesehen

Wie beurteilen Ausländer Arbeitswelt und Arbeitseinstellung in Japan?

Vom deutschen Unternehmerstandpunkt

Sehen wir zunächst das Lob der japanischen Arbeitstugenden vom deutschen Unternehmerstandpunkt:

„Die **hohe Leistungsmotivation**, Tüchtigkeit und Fleiß, Bescheidenheit und Sparsamkeit, alles das sind Tugenden, die in Deutschland in den letzten Jahren mehr und mehr verlorengegangen sind und weiterhin abzunehmen scheinen. Allein die betriebliche Fluktuation der Belegschaften, also das Gegenstück zur japanischen **Arbeitsplatztreue**, die Häufigkeit der Krankmeldungen und Feierschichten, das Nachlassen der Arbeitsdisziplin und die unaufhörliche Steigerung des Anspruchsniveaus lassen die heutige deutsche Wirtschaftsmentalität im Vergleich mit Japan ungünstig abschneiden ...

Zwar hat auch in Deutschland die kurze Rezession von 1967 einige der Haltungen wieder ein wenig korrigiert, deren beginnender Verfall die wirtschaftliche Leistungsfähigkeit der Bundesrepublik gefährdeten; die Arbeitsmoral und die Arbeitsplatztreue haben sich seitdem unverkennbar wieder etwas gefestigt. Aber auf der anderen Seite sind die japanischen Nationalcharakterzüge so viel fester in den Traditionen verwurzelt, daß ihr langsames Schwinden doch noch auf Jahre und Jahrzehnte hinaus keine merkbare Abschwächung der wirtschaftlichen Entwicklung nach sich zu ziehen braucht ... Nicht zuletzt ist die Art und Weise, wie der Japaner seine Rolle in der gesellschaftlichen Hierarchie versteht und nach außen zum Ausdruck bringt, vom Selbstverständnis des Westeuropäers weit entfernt. Der Sozialstatus und das Prestige des einzelnen Japaners liegen nicht im jeweils neuesten Automodell, in der aufwendigen Kleidung oder dem Swimming-pool, sondern in der Herkunft aus einer Familie, auf die er stolz sein kann, aus einer Schule, deren Namen einen guten Klang hat, und aus seiner Zugehörigkeit zu einem Unternehmen, das seiner Heimat zur Zierde gereicht; es ist ein **kollektives Selbstbewußtsein**, nicht ein individuelles. Der Sozialstatus des einzelnen ist viel zu sehr durch die gegebenen Umstände geprägt, als daß er durch äußerliches Auftrumpfen und eine möglichst aufwendige Lebensführung verändert oder gar verbessert werden könnte; nirgends ist die Verachtung der Neureichen und Emporkömmlinge weiter verbreitet als in Japan." (Günter Schmölders, Deutsche und japanische Wirtschaftsmentalität, in: Hans-Bernd Giesler (Hrsg.), Die Wirtschaft Japans, Düsseldorf 1971, S. 44 ff.).

Vom sozialistischen Standpunkt

Dagegen steht die Kritik des kapitalistischen Systems in Japan durch einen Sozialisten:

„Es ist ein Gradmesser des ideologischen Klimas in Japan, daß die Unternehmer fortwährend versuchten, sich als „feudalistisch" und familiär darzustellen, um ihren

Charakter als Emporkömmlinge zu verschleiern. Ihr Erfolg dabei hängt, abgesehen von ideologischen Taschenspieler-Tricks, von zwei Faktoren ab: Sie halten das gesamte Leben ihrer Beschäftigten unter vollständiger Kontrolle mit dem Ergebnis, daß es keine Sicherheit gibt außerhalb der „Familie", zu der der Arbeiter gehört. Aber damit dieses System wirksam sein konnte, war es wesentlich, daß der Staat keine alternative soziale Sicherung bot: Maßnahmen wie Arbeitslosenunterstützung, Wohnungsförderung usw. hätten die Macht der Firmen über ihre Arbeitskräfte ernstlich untergraben. Folglich geht in Japan die **paternalistische Kontrolle der Arbeitgeber über ihre Arbeitnehmer** Hand in Hand mit einer besonderen Beziehung zwischen den Einflußbereichen der Privatwirtschaft und des Staates in sozialen Fragen, die es der Arbeiterklasse äußerst erschwert, von irgendeiner verantwortlichen Stelle außer ihrem Arbeitgeber Unterstützung zu erlangen. Der zweite wichtige Umstand ist der, daß das paternalistische System die Arbeiterklasse spaltet in diejenigen, die einer Familie angehören, und diejenigen, die nicht dazu gehören: Dies ist eine Einteilung, die die Gewerkschaften (aus Selbstschutz) bis vor kurzem hingenommen haben. Dies hat es unmöglich gemacht, Klasseneinheit auf der Grundlage des Antikapitalismus herzustellen. Da der Staat sich um die meisten Gebiete der Sozialpolitik nicht kümmerte, wuchs ferner die Schwierigkeit, zu einheitlichem Handeln in sozialen Fragen zu gelangen. So war die Hauptwirkung des besonderen japanischen Systems, die Arbeiterklasse zu zersplittern. Deshalb konnte sie unbarmherziger ausgebeutet werden." (John Halliday, Japan – Asian Capitalism, in: New Left Review, Nr. 44/1967, S. 19.)

8.5 Schattenseiten des Wirtschaftswunders

8.5.1 Löhne

Löhne hinken hinter Wirtschaftswachstum her

Wenn auch die japanische Wirtschaftspropaganda nicht müde wird, immer wieder hervorzuheben, daß das japanische Bruttosozialprodukt das zweithöchste der Welt ist, so hat doch für den japanischen Arbeiter die Tatsache, daß das japanische Prokopfeinkommen in der Rangliste der Länder erst an 11. Stelle erscheint (Februar 1973), eine vielleicht noch größere Bedeutung.

Tabelle 12: **Durchschnittlicher Monatslohn eines Industriearbeiters 1970** (Löhne nach Kaufkraft umgerechnet.)

Staat:	USA	Schweden	BRD	Großbritannien	Japan	Frankreich	Italien
DM:	1760	1520	1165	1060	640	870	690

Selbst bei kräftig steigenden Löhnen ist der Lebensstandard des Japaners doch immer noch hinter den Zuwachsraten der Industrie zurückgeblieben.

Die Monatseinkommen stiegen in elf Jahren um nahezu 250, die Lebenshaltungskosten aber nur um 190 Prozent, so daß in dieser Zeit der Reallohn um etwa 60 Prozent zunahm, je Jahr um etwa 5,5 Prozent. Das ist eine erhebliche Verbesserung der Lebensverhältnisse des Arbeiters, doch müssen wir beachten, daß diese Lohnerhöhungen im wesentlichen nur den Arbeitern in den Groß- und Mittelbetrieben zugute kommen. Der Wert der Industrieproduktion wuchs gegenüber den Löhnen um 290 Prozent.

Tabelle 13: **Arbeitereinkommen und Lebenshaltungskosten seit 1960**

	Durchschnittliche monatliche Bruttoeinkünfte eines Arbeiters	Durchschnittliche monatliche Lebenshaltungskosten eines 4-Personen-Haushaltes	Index der Industrie-Produktion
1960	29 029 Yen*)	31 276 Yen	100
1962	35 012 Yen	38 587 Yen	129
1964	42 551 Yen	47 834 Yen	166
1966	51 856 Yen	56 097 Yen	197
1968	65 595 Yen	66 441 Yen	275
1970	88 537 Yen**)	82 792 Yen	373
1971	100 614 Yen	90 740 Yen	390
1972			
1973			

*) 100 Yen = 1,10 DM **) 100 Yen = 1,05 DM

Tabelle 14: **Entwicklung der Arbeiterlöhne in städtischen Gebieten** (1965 = 100)

	1960	1965	1970	1971	1972	1973
Nominal	61,6	100	190,5	218,1		
Real	82,6	100	146,1	160,9		

Tabelle 15: **Entwicklung der Verbraucherpreise in städtischen Gebieten** (1965 = 100)

	Insgesamt	Lebensmittel	Kleidung	Licht und Heizung	Miete	Verschiedenes
1950	50,0	50,2	78,7	52,4	36,7	40,2
1960	74,0	70,5	80,7	92,2	77,6	72,9
1971	138,8	142,4	138,9	106,4	133,6	141,0

Tabelle 16: **Verteilung der Ausgaben einer durchschnittlichen 4- bis 5köpfigen Familie** (in Prozent der gesamten Ausgaben)

	Lebensmittel, Getränke	davon Reis	Miete und Einrichtung	Licht und Heizung	Kleidung	Verschiedenes
1953	48,5	(18,5)	5,4	5,5	13,3	27,3
1963	38,5	(8,9)	10,1	4,6	12,4	34,4
1971	33,4	(5,1)	11,1	3,9	10,9	40,7

Löhne, Preise, Kaufkraft
(Abbildung 19)

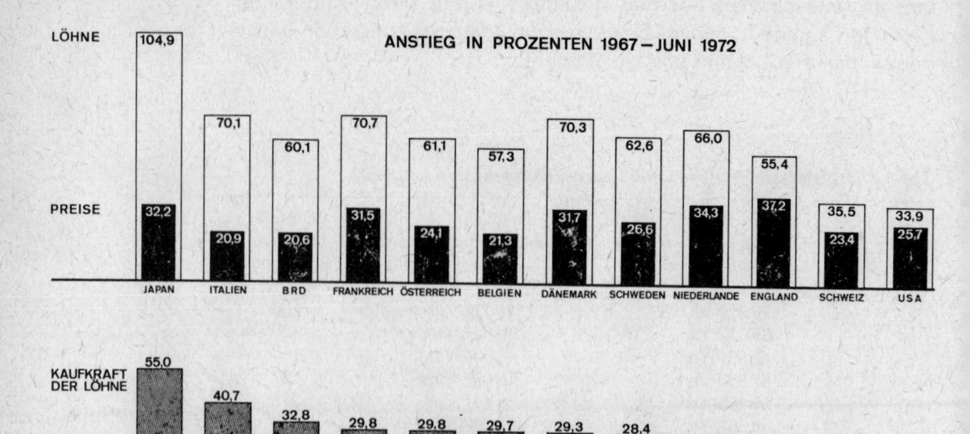

Starkes Lohngefälle

Zwar stehen die Reallöhne der Stammarbeiter in den japanischen Großbetrieben kaum noch hinter denen der europäischen zurück, doch sind sie – trotz Angleichungstendenzen – dort um so geringer, wo die Masse der Arbeitnehmer beschäftigt ist: in den Klein- und Mittelbetrieben. Hier liegen die Löhne um 30 bis 40 Prozent niedriger als in den Großbetrieben. Nur die Großunternehmen sind auch imstande, die Schwäche des japanischen Sozialstaates auszugleichen (siehe 8.4.1). Kleine und mittlere Firmen sind zu nennenswerten Sozialleistungen nicht fähig.

Frauenarbeit

Besonders kraß ist das **Mißverhältnis zwischen Leistung und Lohn bei Frauen**, von denen 1971 jede zweite über 15jährige berufstätig war und die mit rund 19,8 Millionen fast zwei Fünftel aller Beschäftigten stellten. Die Wirtschaft ist also auf sie angewiesen. Aber:

- Selbst Mittel- und Großunternehmen zahlen im Monatsdurchschnitt Frauen meist noch nicht einmal halb so viel wie Männern. So lag beispielsweise 1971 die monatliche Durchschnittslohnsumme für männliche Fabrikarbeiter etwas über 1 000 DM, die für weibliche Arbeitskräfte überstieg jedoch 500 DM nicht.
- Millionen von Frauen verdienten in der Heimindustrie nur 1,50 Mark je Stunde, Millionen Verheiratete als Teilzeit-Arbeitskräfte noch unter 2,50 Mark, während der durchschnittliche Stundenlohn für Männer in der Gesamtwirtschaft 1970 zwischen 4,50 und 5,00 Mark lag.

Ganze Branchen (z. B. Kamera-, Transistoren-, Radio- und Fernsehindustrie) beschäftigen nur Mädchen von 15 bis 20 Jahren und entlassen sie häufig, wenn sie heiraten – allerdings auf deren, im Arbeitsvertrag verankerten Wunsch, weil sie nach ihrer Heirat nicht weiterarbeiten wollen. 1971 betrug die durchschnittliche Arbeitsdauer der Frauen 4,4 Jahre (gegenüber 3,2 im Jahre 1949), wobei 51,5 Prozent verheiratet waren (gegenüber 8,2 Prozent im Jahre 1952).

Das Leitbild der Mutter, die sich vor allem dem Haushalt und der Familie widmet, ist noch tief verwurzelt. Bei Meinungsumfragen in den letzten Jahren sprachen sich drei Viertel aller Jugendlichen und zwei Drittel der Frauen selbst dafür aus. Nur 18 Prozent der Frauen glaubten, daß auch Mütter einen Beruf ausüben sollten.

8.5.2 Unzulängliche Wohnverhältnisse

Erzwungener Konsumverzicht

Japans Wirtschaftsaufschwung nach dem Zweiten Weltkrieg beruhte zum guten Teil auf dem erzwungenen Konsumverzicht der Bevölkerung. Dieser Konsumverzicht betraf zunächst fast alle Bereiche: Essen, Wohnen, Kleidung, Freizeitgenuß.
Heute sind Nahrung und Kleidung des Japaners weit besser als vor dem Kriege und halten jeden Vergleich mit Europa aus. Die Wohnungsverhältnisse sind jedoch trotz aller Versuche zur Verbesserung noch unbefriedigend.

Kleine, kalte Holzhäuser

Nach wie vor lebt die Mehrzahl der japanischen Familien in kleinen eigenen Holzhäusern, die nur mit transportablen Öl- oder Gasöfen in den Wintermonaten unzureichend zu heizen sind. Über die Hälfte aller Häuser ist noch nicht an die Kanalisation angeschlossen. Die zunehmend größere Zahl von Familien in billigen Appartementhäusern lebt auf winzigstem Raum und oft ohne eigenes Bad.
Den rund 28 Millionen Haushalten stehen heute rund 28 Millionen Eigenheime oder Mietwohnungen zur Verfügung. Trotz großer Anstrengungen der Regierung und der Wohnungsbaugesellschaften in den letzten Jahren (von 1967 bis 1971 wurden 2,9 Millionen Eigenheime und 2,4 Millionen Mietwohnungen gebaut) hat sich die Wohnungsnot in den Ballungszentren (siehe 6.2) noch verschärft, wo
- der Hausbau hinter dem Zuwandererstrom nachhinkt,
- die Bodenpreise wie in der BRD hochschnellen (allein 1960 bis 1970 um das Fünffache) und die Baukosten jährlich um 10 bis 20 Prozent klettern (BRD um 10 bis 15 Prozent).

Besonderheiten des Wohnens und der Statistik

In ihren vier Wänden haben die Japaner wenig Raum. Die statistischen Angaben sind erschreckend: nach ihnen haben die 14,6 Millionen Eigentumshäuser im Durchschnitt kaum über 50 qm Wohnfläche, die 9,6 Millionen Mietwohnungen sogar nur 21 qm. Das sind für uns kaum vorstellbare Zahlen, doch muß man bedenken, daß Bad, Toilette und Diele nicht als Wohnfläche mitgezählt werden und daß das Wohnzimmer mit ein paar Handgriffen in ein Schlafzimmer verwandelt werden kann – denn man zieht immer noch vor, auf dem Tatami-

(Reisstrohmatten)-fußboden zu schlafen, auf den nachts dünne Matratzen (futon) gelegt werden, die tagsüber in den großen Einbauschränken aufbewahrt werden, so daß ein besonderes Schlafzimmer überflüssig erscheint.
Wenn man all dies bedenkt, ergeben sich etwa doppelt so große Wohn- und Nutzflächen wie die Statistiken sie ausweisen.
Aber selbst dann muß man die Wohnverhältnisse immer noch als ungewöhnlich beengt ansehen. Sie sind im Verhältnis zum industriellen Fortschritt unterentwickelt und bedürfen dringend der Verbesserung durch den Staat, der erst in jüngster Zeit begonnen hat, sich um den Wohnungsbau zu kümmern.

Tabelle 17: **Wohnungsgrößen in Japan**

Anzahl der Zimmer	Von 100 Wohnungen in Städten	auf dem Lande	Durchschnittliche Wohnfläche der Neubauten 1972	
1–2	33,7	15,5	Zentraljapan	66,4 qm
3–5	51,3	57,2	Westjapan (Kinki)	71,0 qm
6 und mehr	15,0	27,3	Nord-Honshu	82,2 qm

Wie hoch sind die Mieten?

Für eine Appartementwohnung von drei Zimmern zahlt man in Tokyo rund 35000 Yen (350 DM). Die durchschnittlichen Mietausgaben in Japan betrugen hingegen im August 1972 bei Bauten der öffentlichen Hand 3900 Yen (rund 39 DM), wobei allerdings zu berücksichtigen ist, daß nahezu drei Viertel aller Japaner in familieneigenen Häusern wohnen, für die keine Miete gezahlt werden muß. Die durchschnittlichen Mietpreise betrugen bei Bauten der öffentlichen Hand 3900 Yen (ca. 40 DM) und bei Bauten privater Gesellschaften 7000 Yen (70 DM). Doch beziehen sich diese Angaben nur auf einen rechnerisch ermittelten Durchschnitt für ganz Japan; in den Ballungsgebieten sind selbst Einzimmerwohnungen nicht unter 10000 Yen (100 DM) zu bekommen. Gut ausgestattete Appartementwohnungen mit Zentralheizung und Klimaanlage kosten in Tokyo monatlich zwischen 100000 bis 1000000 Yen (1000 bis 10000 DM). In den neuen Appartement-Blöcken, die an die deutschen Neubaublöcke der fünfziger Jahre erinnern, betragen die Mieten zwar im Durchschnitt nur 15000 Yen (150 DM), doch geht hier die reine Wohnfläche kaum jemals über 20 qm hinaus.
Die neue Regierung Tanaka hat sich das Ziel gesteckt, der bestehenden Wohnungsnot durch Umsiedlung der Industrien und Schaffung von 10 Millionen neuen Wohnungen in den neu zu gründenden Mittelstädten ein Ende zu machen.

8.5.3 Mangel an Freizeit

Widersprüchliches Konsummodell

Das japanische Konsummodell ist sehr widersprüchlich:
- Zwar sind langlebige Konsumgüter weit verbreitet.

99 Prozent aller Haushalte besitzen ein Fernsehgerät, 88 Prozent eine Waschmaschine, 85 Prozent einen Kühlschrank, 30 Prozent ein Auto.

- Doch lassen sich Grundbedürfnisse wie Wohnung oder Erholung nur sehr unzureichend befriedigen – was vor allem die einkommensschwachen Schichten betrifft.

Lange Arbeitszeiten

In vielen Klein- und Kleinstbetrieben gibt es noch keine Sonntagsruhe, während die meisten Groß- und viele Mittelbetriebe sogar schon den freien Sonnabend verwirklicht haben.
1972 hatten erst 6,7 Prozent aller Betriebe, d. h. nur die Großbetriebe, die Fünf-Tage-Woche eingeführt, in deren Genuß bis Ende 1972 jeder vierte Arbeitnehmer kam.

Tabelle 18: **Durchschnittliche tatsächliche Arbeitszeit in der Woche** (in Stunden)

1955	1960	1965	1971	1972	1973
49	50,5	48,25	46,6		

Bei einer weiteren Zunahme der Fünf-Tage-Arbeiter werden sich sicher auch in Japan ganz ähnliche Probleme ergeben wie seinerzeit in Deutschland und den USA. Auch wird die Wohnung dann nicht mehr vorwiegend Schlafstätte sein, was sicher zur Forderung nach größeren Wohnungen führen wird.

Weniger Urlaub

„Der Japaner verwendet auch heute noch wesentlich weniger Zeit und Geld für die Gestaltung seines Urlaubes als der Europäer und Amerikaner. Der zur Verfügung stehende gesetzliche Urlaub ist wesentlich geringer als in der Bundesrepublik. Er beträgt mindestens sechs Tage bei einer mehr als einjährigen Beschäftigungszeit und Wahrnehmung von mindestens 80 Prozent der jährlichen Arbeitstage. Pro weiterem Beschäftigungsjahr steigt der Urlaub um jeweils einen Tag bis zur Höchstgrenze von 20 Tagen. Nur wenige Japaner nutzen jedoch den ihnen zur Verfügung stehenden Urlaub in voller Länge aus, meistens werden nur drei oder vier Tage im Zusammenhang freigenommen. Die eingesparte Zeit kommt den Unternehmen zugute. Die psychologische tiefere Ursache dieses Verhaltens liegt zum einen darin, daß der Urlaubnehmende befürchtet, der Geschäftsgang seines Betriebes könne während seiner Abwesenheit ungünstig beeinflußt und insofern seine Arbeit überflüssig werden; zum anderen spielen auch Gedanken an eine mögliche Beförderung und an Bonuszahlungen eine Rolle. Nicht zuletzt bildet aber auch das kollektive Bewußtsein der Japaner eine wesentliche Basis für die ohne Murren hingenommene ganzjährige Betriebsamkeit."
Werner Walbröm, Beziehungen zwischen Wirtschaftswachstum, Lebensstandard und Konsumgewohnheiten in Japan, in: Hans-Bernd Giesler (Hrsg.), Die Wirtschaft Japans, Düsseldorf 1971, S. 226.

8.5.4 Umwelt-Notstand

Zerstörung des natürlichen Lebensraumes

Die Natur selbst fällt in wachsendem Maße der Industrialisierung zum Opfer und ist in manchen Regionen, wie z. B. auf dem Wege zwischen Tokyo und Osaka, fast völlig verschwunden. Die früher fischreichen Flüsse und Seen werden zu Fabrikabwässer-Kloaken, die ständig mit künstlichem Dünger und mit Schädlingsbekämpfungsmitteln bearbeiteten Reisfelder und Obstgärten zu Friedhöfen nicht nur der Schädlinge, sondern auch der Singvögel, der Reiher und Störche, die nun keine Nahrung mehr finden können.

Industrielles Wachstum auf Kosten der Gesundheit

Da alle großen Produktionsstätten am Meer liegen, die Wohngebiete landeinwärts, werden letztere ständig in Abgaswolken eingehüllt, verlieren ihr Trinkwasser, ihren Sauerstoff sowie die Bäume und Büsche durch die ähnlich wie im Ruhrgebiet vorhandene Luftverschmutzung. Jeder weitere Ausbau der Industriekapazitäten erhöht die Verschmutzung und Zerstörung der Umwelt so sehr, daß eine echte Gefahrensituation voraussehbar ist. Schon heute müssen nach Smog-Warnung in einzelnen Bezirken Tokyos und Osakas Schüler und Kinder im Hause bleiben und Polizisten mit Gasmasken den Verkehr regeln.

Unterschiedliche Reaktionen auf Umweltzerstörung

Der Naturkreislauf ist, wie bei uns, durch Gedankenlosigkeit und Gewinnstreben in ernster Gefahr, zerstört zu werden, und es ist fraglich, wann und ob er sich überhaupt wieder herstellen läßt. Wie den sozialen Problemen der Bevölkerung gegenüber zeigte sich die Regierung bisher auch der Umweltzerstörung gegenüber weitgehend hilflos, wenn nicht sogar gleichgültig. Zwar verabschiedete das Parlament 1970/71 eine ganze Reihe von Schutzgesetzen, jedoch mit nur milden Strafandrohungen. Vor allem die zunehmend heftigere öffentliche Kritik führte zu einer allmählichen Verschärfung der Vorschriften.

Wie eine Untersuchung von Gewerkschaften und Bürgergruppen 1972 ergab, fühlen sich 92 Prozent der Städter Japans von Umweltschäden, vor allem von Luftverschmutzung, bedroht. Vier Fünftel halten die Maßnahmen der Regierung für unzureichend. Von den befragten Firmen gaben zwei von drei keine Antwort und fanden 10 Prozent die öffentliche Aufregung über Umweltzerstörung übertrieben.

Die Bemühungen der Regierung Tanaka

Erst die Regierung des Millionärs und ehemaligen Bauunternehmers Tanaka (seit Juli 1972) unternahm einen ernsthaften Versuch, den Umwelt-Notstand zu beheben. Dazu schuf sie im Amt des Premierministers eine Behörde, die die „Umgestaltung Japans" vornehmen soll und von einem Staatsminister geleitet wird. Der Premierminister selbst hatte bereits vor seiner Wahl zum Parteivorsitzenden eine „Studie über die Umgestaltung des japanischen Inselreichs" veröffentlicht, die zum Bestseller und damit zum Wahlschlager wurde.

Das Programm

In ihr fordert er neue Wege zur

- **Lösung des Raumproblems** durch Dezentralisierung und Umsiedlung der Industrie in siedlungsarme Gebiete sowie ein integriertes Verkehrssystem mit dem Ausbau der neuen Superexpreßstrecke von jetzt 676 auf 9000 km und der Autobahnen von jetzt 812 auf 10000 km.
- **Eindämmung der Landflucht** durch Ansiedlung von Klein- und Mittelindustrie im Binnenland, Anlage von neuen mittelgroßen Städten (ca. 250000 Menschen)

mit allen kulturellen und technischen Annehmlichkeiten und damit erhebliche Einschränkung des Pendlerverkehrs.
- **Finanzierung dieser Aufgaben** durch neue Steuergesetze, Schuldverschreibungen, und Strafgebühren für umsiedlungsunwillige Unternehmer.

Die Kritik

Doch hat die öffentliche Kritik sowohl von Unternehmer- als auch von Gewerkschaftsseite diesen Plan bereits verurteilt:

- Die Dezentralisation verteile die Umweltvergiftung gleichmäßig über das ganze Land und schaffe anstelle der bisherigen schadenfreien Landschaften (ca. 80 Prozent) eine monotone Industriewüste aus ganz Japan.
- Die unvorstellbaren Kosten des Projekts führten zu einer galoppierenden Inflation, die durch die unvermeidlichen Bodenspekulationen noch verschlimmert werde.
- Und schließlich würde die japanische Industrie durch den Verlust ihres geographischen Vorteils (Küstenlage) auf dem Weltmarkt nicht mehr wettbewerbsfähig sein, was zur Massenarbeitslosigkeit und Verelendung der Arbeiterschaft führen würde.

8.5.5 Fetisch Wachstum

Wachstumsideologie

Besonders bedenklich ist die Wirkung der – nicht nur von Regierung und Industrie, sondern auch von einem Teil der Bevölkerung akzeptierten – Wachstumsideologie.

Bei einer vom Amt des Ministerpräsidenten in Auftrag gegebenen Meinungsumfrage hielten 1971 das Wirtschaftswachstum

– für überwiegend positiv	27 Prozent,
– für etwa gleich positiv wie negativ	29 Prozent,
– für vorwiegend negativ	14 Prozent.

Unentschieden zeigten sich 30 Prozent der Befragten.
Weißbuch 1971 über das Leben des japanischen Volkes. In: Neues aus Japan, 177 vom Dezember 1971, S. 2 f.

Der höchste Wert für die Regierung scheint die Zuwachsrate des Bruttosozialproduktes zu sein, das einzige Ziel der Unternehmer wie der Arbeiter die Steigerung der Zuwachsrate, die den einen höheren Profit, den anderen höhere Löhne verspricht. Die Schüler müssen ständig „pauken", um die Versetzung und Aufnahmeprüfung zu bestehen. Selbst die Vier- und Fünfjährigen müssen zu Hause mit der Mutter das japanische Silbenalphabet lernen, um im Kindergarten nicht hinter den anderen zurückzubleiben. Die ganze Nation scheint aus Sportlern zu bestehen, die nach dem Motto „noch höher, noch weiter, noch schneller" unaufhörliche Leistungssteigerungen vollbringen müssen.

Werbemanipulationen

Die von der Regierung geförderte Industrie macht selbst die Hausfrau zu einem solchen „wachstumsbewußten" Menschen. Die unablässig von Film, Funk, Presse, Fernsehen und Lautsprecherwagen auf sie einströmende Reklame zwingt sie zu einem Repräsentationswettkampf mit den Nachbarn um die besseren, größeren, modischeren Haushaltsgeräte und Einrichtungsgegenstände. So stiegen die Ausgaben für

Werbung von 167 Millionen DM im Jahre 1950 auf 7 Milliarden DM im Jahre 1970.

Kapitalismus verändert die Mentalität

Damit könnte in absehbarer Zeit der Kapitalismus mit dem beherrschenden Prinzip der Profitmaximierung endgültig den Sieg über die ästhetisch-ethisch bestimmte Kultur der Japaner erringen und so auch Mentalität und Denkweise entscheidend verändern. Diese Art der Sinnesänderung könnte dann folgenreicher sein als die materielle Umweltzerstörung, der man allem Anschein nach nicht mehr entrinnen kann, solange die Wachstumsideologie vorherrscht.
So hat die japanische Wirtschaft zwar einen erstaunlichen Wiederaufstieg erlebt, aber es ist zu fragen, ob dieser Wiederaufstieg wirklich den Preis wert war, der dafür gezahlt wurde und der noch täglich zu zahlen ist.

Was ist Wohlstand?

„Die Frage, ob nach dem Ansteigen der Löhne und der Steigerung des Konsumniveaus die entsprechend gewachsenen sozialen Bedürfnisse der verschiedenen Bevölkerungsschichten befriedigt worden sind, kann man keinesfalls bejahen. Das Konsumverlangen steigt nämlich unter dem Einfluß der Reklame und des Fernsehens unbegrenzt weiter. Obgleich das Konsumniveau bereits weit höher ist als in der Vorkriegszeit, sind wir Japaner Gefangene einer Art neuen Armutsbewußtseins geworden. Trotz steigender Löhne und vermehrter Freizeit ist niemand mit seinen Lebensbedingungen zufrieden . . .
Am Arbeitsplatz regieren Gefühle der Vereinsamung, der Entfremdung, der Unfähigkeit und der Hilflosigkeit . . .
Das plötzliche Wirtschaftswachstum der letzten Jahre, die Europäisierung und die „Modernisierung" haben die Lebensbedingungen und die Lebensweise der Japaner von Grund auf verändert. Bei völlig gewandelten Umweltbedingungen, bei einem im Vergleich mit der Vorkriegszeit um rund 20 Jahre längeren Leben, mit einem neuen Armutsbewußtsein und unter dem Verlust des Willens zur Arbeit werden sie von dem Bewußtsein der Verfremdung als Menschen geplagt und gehen langsam, aber sicher auf dem Weg vorwärts in eine stagnierende Gesellschaft hinein . . .
Die Frage, was echter Wohlstand als Ziel unserer Wirtschaft sein soll, ist heute für Japan das vordringlichste Problem."
Kazuo Okochi, Entwicklungstendenzen der japanischen Wirtschaft nach dem Zweiten Weltkrieg; in: Karl Hax, Willy Kraus (Hrsg.), Industriegesellschaften im Wandel. Japan und die BRD, Düsseldorf 1970, S. 15 ff.

8.6 Gewerkschaften

8.6.1 Entwicklung der Gewerkschaften

Durchbruch erst nach 1945

Die Gewerkschaften haben zwar eine lange Tradition, sind aber erst nach dem Zweiten Weltkrieg zu großer Bedeutung gelangt. In den 90er Jahren von Intellektuellen nach europäischem Vorbild gegründet, wurden sie durch das berüchtigte Polizeigesetz von 1900 zur Wirkungslosigkeit verurteilt und lebten erst wieder nach dem Ersten Weltkrieg auf. Aber kaum mehr als jeder zehnte Industriearbeiter war gewerkschaftlich organisiert. Schon 1940 wurde die Selbständigkeit der Gewerkschaften durch ihre Überführung in die „Großjapanische Vereinigung für den Dienst am Staat durch die Industrie“ aufgehoben, in der sie, ähnlich der „Reichsarbeitsfront“, nur eine harmonisierende Rolle spielen und in den einzelnen Betrieben zwischen Arbeitnehmer und Arbeitgeber vermitteln durften.

Rückschlag durch „Kalten Krieg“ und Koreakrieg

Der „Wiederaufbau“ nach dem Zweiten Weltkrieg war in Wirklichkeit ein völliger Neuanfang. Da SCAP (amerikanisches Oberkommando) in den Gewerkschaften ein ganz wesentliches Mittel zur Demokratisierung der japanischen Gesellschaft sah, unterstützte es sie großzügig auch gegen den Widerstand der amtierenden japanischen Regierung. So hatten die Gewerkschaften schon nach wenigen Monaten den Vorkriegsmitgliederbestand wieder erreicht und zählten 1947 bereits über 5 Millionen Mitglieder, d. h. sie hatten ihren Vorkriegsmitgliederstand mehr als verzehnfacht (siehe 4.1.2). Erst der sich verschärfende „Kalte Krieg“ und schließlich der Koreakrieg änderten die Haltung von SCAP, das bisher auch den führenden Einfluß der Kommunisten in der Gewerkschaftsbewegung gutgeheißen hatte.
Der Beginn des Koreakrieges und die Ankündigung eines kommunistischen Generalstreiks in Japan, der den Nachschub der amerikanischen Streitkräfte in Korea lahmgelegt hätte, führte auf Drängen von SCAP zu einer „Säuberungspolitik“ durch die japanischen Behörden. Von diesem Schlag erholten sich die Gewerkschaften nur langsam, und erst 1958 konnten sie die Stärke wieder erreichen, die sie vor dem Koreakrieg besessen hatten.

8.6.2 Streiks und Tarifverträge

Betriebsgewerkschaften

1972 waren in 63718 Gewerkschaften 11,9 Millionen, d. h. 34 Prozent aller Lohn- und Gehaltsempfänger organisiert. Die große Zahl der Einzelgewerkschaften zeigt, daß auch hier die Zugehörigkeit zu einer bestimmten Firma, zu einem bestimmten Hause (iё) entscheidend ist. Fast alle sind Hausgewerkschaften, die nur die Interessen der Arbeitnehmer des eigenen Betriebes vertreten. Die Gewerkschaftsbeiträge behält die Betriebsleitung bei der Lohnzahlung ein und händigt sie den Gewerkschaftsvertretern aus. Die Betriebsleitung stellt den Gewerkschaftsvertretern auch Sitzungs- und Büroräume zur Verfügung und besoldete sie in den Nachkriegsjahren sogar. Nachdem dies fortgefallen ist, ist die Gewerkschaftsleitung zwar finanziell unabhängig von der Direktion, aber die Bindung an den Betrieb ist dadurch nicht gemindert – und zum Betrieb gehört nun einmal auch die Betriebsleitung. So sind viele Arbeitnehmer überzeugt, daß hohe Lohnforderungen zu höheren Preisen und sinkendem Absatz der Produkte ihres Betriebes führen können und deshalb ebensowenig in ihrem Interesse lägen wie Streiks, die die Produktion vermindern und die Auslieferung

rung von Waren verzögern. Außerdem richtet sich der Bonus nach der finanziellen Lage des Betriebes.

Kompromißbereitschaft

Auch in den Betriebsversammlungen wird der Kompromiß gesucht, da eine Abstimmung anders als in Amerika oder in Europa nicht eine Mehrheit anstrebt, die eine Minderheit majorisieren könnte, sondern die Zustimmung aller sucht. Kampfabstimmungen führen zu Konfrontationen, zum Gesichtsverlust für die Minderheit und damit zur Spaltung der Gewerkschaft in eine Erst- und eine Zweitgewerkschaft, wobei letztere meist der Unterstützung der Betriebsleitung sicher sein und so bald die alte Gewerkschaft zum Rücktritt zwingen kann. So hat sich auch in den aus dem „Westen" übernommenen Gewerkschaften die traditionelle Ansicht durchgesetzt: Kompromißlosigkeit führt zum Untergang, zumindest zur Bedeutungslosigkeit.

Funktion des Streiks

Gestreikt wird aber dennoch, wenn auch die Funktion des Streiks eine andere als bei uns ist: Streik ist in Japan meist nicht das letzte Mittel, Arbeitnehmerinteressen durchzusetzen oder zu verteidigen, sondern der erste Schritt, der Verhandlungen vorausgeht. Er ist eher ein Warnschuß und ein Mittel zur Solidarisierung der Mitglieder, eher eine Verständniswerbung in der Öffentlichkeit, um so einen Druck auf den Arbeitgeber auszuüben, als ein Zeichen der Unüberbrückbarkeit der Gegensätze.

Der „Frühlingslohnkampf" ...

Eine solche Form des Streiks ist auch der „Frühlingslohnkampf", der regelmäßig jedes Jahr im April oder Mai stattfindet und die breite Öffentlichkeit zur Solidarisierung mit den Forderungen der Arbeitnehmer zwingen will.

Er wird von den „Dachorganisationen" (siehe 8.6) in enger Zusammenarbeit mit den Betriebsgewerkschaften vorbereitet und richtet sich vor allem gegen Wirtschaftsbereiche, deren Lahmlegung jeden einzelnen empfindlich treffen muß (Verkehrs- und Transportbetriebe, Müllabfuhr, Hafenarbeit, Kraftwerke und ähnliches). Eine andere

und der politische Demonstrationsstreik

Form des Ausstandes sind die politischen Demonstrationsstreiks, die vor allem Verkehrs- und Transportwesen betreffen und die politischen Forderungen der Dachgewerkschaften bzw. der mit ihnen verbundenen politischen Parteien durchsetzen sollen.

Diese beiden Typen sind vorherrschend, der einzelne rein innerbetriebliche Kampfstreik um Durchsetzung höherer Löhne, verbesserter Arbeitsbedingungen etc. macht nur einen geringen Teil aller Streiks aus.

Geringer Einfluß auf Produktion

Wenn also 1970 etwa 1,7 Millionen Arbeitnehmer 3,9 Millionen Arbeitstage streikten, bedeutet das keinen Produktionsausfall in dieser Höhe, da über die Hälfte aller Streikenden den Verkehrs- und Transportbetrieben angehörten. Beteiligt waren insgesamt nur 14 Prozent aller Gewerkschaftsmitglieder und trotz vieler politischer Demonstrationsstreiks nur etwa 3,3 Prozent der Berufstätigen.

Statistisch steht so Japan mit der Anzahl der Streikenden und der Streiktage gleich hinter den USA, Italien und Großbritannien, an Produktionskraft hat jedoch Japan durch die Streiks kaum wesentliche Einbußen erlitten.

Der hohe Anteil an Gewerkschaftsmitgliedern aus der Nachkriegszeit (1949 = 55 Prozent) konnte nicht wieder erreicht werden (1972 = 34 Prozent). Das könnte eine Reaktion darauf sein, daß sich die Gewerkschaftsführer im wesentlichen um die Massen der Stammarbeiter in den Mittel- und Großbetrieben bemühen, also um die „Arbeiteraristokratie", nicht aber um das Proletariat der unterbezahlten „Taglöhner", Zeitarbeiter, Mädchen und Heimarbeiterinnen sowie der Arbeiter in Klein- und Kleinstbetrieben. In letzteren sind nur 0,6 Prozent der Arbeiter gewerkschaftlich organisiert, in den Kleinbetrieben nur 8,5 Prozent gegenüber 31 Prozent in Mittel- und 60 Prozent in Großbetrieben. Diese Entwicklung ist jedoch nicht nur durch das Desinteresse der Gewerkschaften an den Klein- und Kleinstbetrieben zu erklären, sondern auch durch die schlechte Ertragslage dieser Unternehmen, die gewerkschaftliche Forderungen oft als aussichtslos erscheinen läßt.

Gewerkschaftsmitglieder sind vor allem Stammarbeiter

Die von den Gewerkschaften abgeschlossenen „Tarifverträge" wiederholen meist nur die gesetzlichen Bestimmungen (Urlaub, Feiertage, Arbeitszeit, Zuschläge für Überstunden etc.) und geben über Löhne nur allgemeine Richtlinien. Die Gewerkschaften fordern auch nie feste Stundenlöhne, sondern je nach Ertragslage eine prozentuale Steigerungsrate der Gesamtlohnsumme des betreffenden Betriebs. Nach dem Gesetz müssen alle solchen Verträge spätestens nach drei Jahren erneuert werden, aber meist geschieht dies automatisch, wenn der Betrieb den Lohnforderungen der Gewerkschaft zustimmt.

Andere Funktion der „Tarifverträge"

Gewerkschaftliche Praxis in Japan

„So hat eine Umfrage des japanischen Arbeitsministeriums bei einer repräsentativen Auswahl von Gewerkschaften des Privatsektors in ganz Japan gezeigt, daß z. B. eine normale gewerkschaftliche Betätigung während der Arbeitszeit 52% der befragten Betriebsgewerkschaften nur mit ausdrücklicher Zustimmung des Arbeitgebers, 11% aber überhaupt nicht gestattet ist. Daß zwar 66% dieser Gewerkschaften sogenannte Tarifverträge abgeschlossen haben, aber nur 49% dieser Verträge Lohnvereinbarungen enthalten. In allen übrigen Fällen bleibt die Festsetzung der Entlohnung also den vom Arbeitgeber aufzustellenden Beschäftigungsbedingungen vorbehalten, die nicht der Zustimmung der Gewerkschaften bedürfen, allenfalls – und auch das nur kraft ausdrücklicher Vorschrift – ihrer Anhörung."

Gebhard Hielscher, Die Gewerkschaften im sozialen System Japans, in: Hans-Bernd Giesler (Hrsg.), Die Wirtschaft Japans, Düsseldorf 1971, S. 177.

8.6.3 Dachorganisationen

Auch die Dachgewerkschaften spielen in Japan eine andere Rolle als in Europa oder Amerika. Sie haben keine individuellen Mitglieder, sondern vertreten nur Betriebsgewerkschaften, von denen sie auch ihre Finanzen erhalten. Da die Betriebsfunktionäre nur ein Zehntel ihrer Gelder an die Dachgewerkschaften abführen, verfügen diese also nur über recht bescheidene eigene Mittel und damit nur über begrenzte

Dachorganisationen

Wirkungsmöglichkeiten. In Fragen der Arbeitsbedingungen, Lohnerhöhungen oder Sozialfürsorge, für die fast ausschließlich Betriebsgewerkschaften zuständig sind, haben sie nur indirekten Einfluß. Nur Seeleute, Hafen- und Transportarbeiter, Beschäftigte der Verkehrsbetriebe und Lehrer, die alle zu keinem eigentlichen lokal abgrenzbaren Betrieb gehören und sich also horizontal organisieren, werden direkt von den Dachgewerkschaften betreut und oft zu überregionalen Lohnkämpfen geführt.

Allerdings spielen zwei Dachgewerkschaften (Sohyo und Churitsu Roren) eine bedeutende Rolle bei der Vorbereitung und Durchführung des traditionellen „Frühlingslohnkampfes", den sie monatelang vorbereiten und für den sie Serien von Streiks an strategisch günstigen Arbeitsplätzen organisieren. Die Koordinierung der Streiks, die Auswahl der zu bestreikenden Betriebe und die Beratung der Einzelgewerkschaften bei ihren Lohnforderungen durch die „Streikexperten" der Dachgewerkschaften tragen wesentlich zum positiven Ausgang der Lohnkämpfe bei.

An die Öffentlichkeit treten die Dachgewerkschaften jedoch nur bei politischen Aktionen wie Wahlkämpfen oder Demonstrationen zur Außenpolitik.

Sohyo

Der bedeutendste Dachverband ist der Sohyo (Generalrat der Gewerkschaften). Mit seinen 4,3 Millionen Organisierten in den angeschlossenen Gewerkschaftsverbänden vertritt er 36 Prozent aller Gewerkschaftler Japans. 1964 freilich waren es noch 43 Prozent gewesen; seitdem stieg seine Mitgliederzahl nicht mehr. Nahezu zwei Drittel seiner Mitglieder sind in Staatsbetrieben oder im öffentlichen Dienst beschäftigt. Die radikalste Gruppe, die dem Sohyo auch seine außenpolitische Stoßkraft verleiht, ist die Lehrergewerkschaft mit über 500 000 Mitgliedern.

Der Sohyo war ursprünglich als Kampforgan der sozialistischen Arbeiterführer gegen die Versuche der Kommunisten, die Arbeiter auf ihre Seite zu bringen, begründet worden. Heute gilt er als sehr links und stellt die eigentliche Basis der Sozialistischen Partei dar, deren Wahlkampf er zur Hälfte finanziert. Er arbeitet eng mit dem prosowjetischen Weltgewerkschaftsbund zusammen.

Der Präsident der Sohyo bezeichnet Karl Marx und Rosa Luxemburg wegen ihrer „humanistischen Einstellung" gegenüber dem einfachen Arbeiter als seine Vorbilder. Die Bewegung ist unabhängig von der Sowjetunion und China und ist der Überzeugung, daß alle Rüstung dem Wohle der Arbeiterschaft schädlich ist; daher wendet sie sich besonders heftig gegen alle militärischen Bündnisse Japans, so gegen den amerikanisch-japanischen Sicherheitspakt und das Verbleiben der amerikanischen Atomwaffen auf Okinawa. Bei Kundgebungen zu diesen Fragen tritt sie oft sehr radikal und militant auf und setzt Generalstreiks und Massendemonstrationen für ihre Ziele ein.

Er war die einzige Gewerkschaft eines großen kapitalistischen Landes, die imstande war, einen Generalstreik gegen den Vietnamkrieg zu organisieren.

Der Domei-Kaigi (Alljapanische Gewerkschaftsbund) zählt 2,2 Millionen Mitglieder, die vorwiegend in der Privatwirtschaft organisiert sind, und vertritt damit 19 Prozent aller Gewerkschaftler Japans. Im letzten Jahrzehnt nahm er an Mitgliederzahl und Bedeutung ständig zu (1964 erfaßte er 1,5 Millionen Beschäftigte, 15 Prozent aller Gewerkschaftler). Er unterstützt die bürgerliche Demokratisch-Sozialistische Partei, gibt als Ziel die Stärkung der internationalen Arbeiterbewegung an und steht dem prowestlichen Internationalen Bund Freier Gewerkschaften sehr nahe.

Domei

Ihm gehören als größte nationale Gruppen die Verbände der Metall- und Textilarbeiter an. Sein Ziel ist, die materiellen Lebensumstände der Industriearbeiter zu verbessern, nicht – wie Sohyo dies will – die Gesellschaft zu verändern. So gehört er auch nicht dem Vorbereitungs-Komitee des Frühlingslohnkampfes an, obwohl er seine Mitgliedergewerkschaften zur gleichen Zeit über Lohnerhöhungen verhandeln läßt. Er wird vom Sohyo wegen seiner gemäßigten, „unpolitischen" und „kapitalistenfreundlichen" Haltung kritisiert und wirft seinerseits wieder dem Sohyo vor, daß dieser sich zu stark außenpolitisch engagiere und politisch zu einseitig gebunden sei.

Churitsu Roren

Der drittgrößte Dachverband ist der Churitsu Roren (Föderation unabhängiger Gewerkschaften) mit 1,4 Millionen Mitgliedern in den angeschlossenen Verbänden, von denen der größte der Gewerkschaftsbund der Elektroindustrie ist. Er umfaßt ausschließlich Arbeitnehmer der Privatindustrie und berät die Einzelgewerkschaften bei ihren Lohnforderungen. Anders als der Domei ist er auch Mitglied des Vorbereitungskomitees für den Frühlingslohnkampf.

Seine Ziele nennt er selbst so:

1. Verbesserung der Arbeitsbedingungen (Lohnerhöhung, Arbeitszeitverkürzung, Heraufsetzung der Dienstaltersgrenze),
2. Ausbau der Sozialversicherung,
3. Lebensverbesserung (Steuerermäßigung, bessere und mehr Wohnungen),
4. Umweltschutz,
5. Friedenssicherung (gegen den Sicherheitspakt mit den USA),
6. Schutz der Demokratie und der Verfassung gegen antidemokratische Bestrebungen,
7. Einheit der Arbeitsfront (Abbau von Cliquenwirtschaft und Streitigkeiten unter den Gewerkschaftsführern).

Auch dieser Dachverband hat sich in den letzten zehn Jahren aufwärts entwickelt: von 0,93 Millionen Mitgliedern und 9,5 Prozent (1964) bis auf 1,4 Millionen Mitglieder und 12 Prozent (1972).

Daneben bestehen noch mehrere Tausend unabhängige Einzelgewerkschaften mit insgesamt 4,1 Millionen Mitgliedern. Sie erhielten in den letzten zehn Jahren den größten Zuwachs (1,6 Millionen) und konnten ihren Anteil an der gesamten Gewerkschaftsbewegung von 24 auf 34 Prozent erhöhen.

Begrenzte Funktion

Die Funktion der Dachgewerkschaften bleibt somit beschränkt auf ein Organisationskomitee, das den Lohnforderungen der Betriebsgewerkschaften durch Ausarbeitung und Durchführung einer Streikstrategie

mehr Nachdruck verleiht. Eigene Verhandlungen können ihre Funktionäre nicht führen, sondern nur die Betriebsgewerkschaften.
Gesellschafts- und außenpolitisch aktiv wird nur der Sohyo, dessen Spitzenfunktionäre auch der Sozialistischen Partei angehören und zum großen Teil aus der radikalen Lehrergewerkschaft stammen.
In Zeiten einer ernsthaften Rezession könnten jedoch die Dachgewerkschaften gerade aufgrund der politischen Zielsetzung des Sohyo eine bedeutende Rolle spielen.

8.6.4 Schwächen der Gewerkschaftsbewegung

Politische und organisatorische Zersplitterung

Die Wirksamkeit der japanischen Gewerkschaftsbewegung ist stark behindert durch ihre Zersplitterung:
- politisch: durch die Aufspaltung in Richtungsgewerkschaften,
- organisatorisch: durch die Abkapselung in Betriebsgewerkschaften, die innerhalb der Betriebe in zum Teil scharfer Konkurrenz zueinander stehen.

Entfremdung zwischen Führung und Basis

Die Gewerkschaftsbewegung ist weiterhin geschwächt durch die spezifische Form der Arbeitsteilung, die den Betriebsgewerkschaften die Vertretung lohn- und begrenzter sozialpolitischer Forderungen überläßt, den Dachverbänden aber die „allgemeine" Politik zuweist. Das führt zu einer Entfremdung zwischen Führung und Basis, wie z. B. auch folgende Befragung sie widerspiegelt.

Wunsch nach einem „reformierten Kapitalismus"
Eine Umfrage des Sohyo 1967 bei 14300 Gewerkschaftsmitgliedern in der Privatindustrie ergab folgendes Ergebnis:
Bekanntlich ist Japan eine kapitalistische Gesellschaft, über deren Vor- und Nachteile wir viel diskutieren. Welche der folgenden Ansichten unterstützen Sie?

1. Ich anerkenne sie so, wie sie ist:	5,3 Prozent
2. Ich bin mehr für einen reformierten Kapitalismus:	51,9 Prozent
3. Sie muß in eine sozialistische Nation umgewandelt werden:	24,3 Prozent
4. Ich weiß nicht:	11,7 Prozent
Keine Antwort:	6,8 Prozent

Entnommen aus: Shin-Ichi Takezawa, The Blue-Collar Worker in Japanese Industry, in: N. F. Dufty (Hrsg.), The Sociology of the Blue-Collar Worker, Leiden 1969, S. 192.

Spaltung der Arbeitnehmer

Die Gewerkschaften wenden sich, vom staatlichen Bereich abgesehen, ganz überwiegend an die Stammarbeiter der Großbetriebe und lassen die Arbeiter der Klein- und Mittelbetriebe und vor allem die Zeitarbeiter im Stich, die am dringendsten der lohnpolitischen Hilfe bedürften und für die ihre Betriebe und der Staat sozialpolitisch fast nichts tun. Damit festigen sie die von Unternehmerseite geschaffene Hierarchie der Beschäftigten und tragen selbst zur Spaltung der Arbeitnehmerschaft bei. Sie können so auch nicht der Anwalt der an den bestehenden Staat zu richtenden Forderung sein, Sozialstaat zu werden.
Aus der Sicht der Unternehmer der Großindustrie sind die Betriebsgewerkschaften ein wirksames Regulativ im Arbeitsprozeß: gemein-

sam mit ihnen sorgen sie dafür, daß der Arbeitsfrieden erhalten bleibt, die Produktion und der Absatz erhöht und die Arbeitnehmer im Rahmen der oben beschriebenen Lohnpolitik befriedigt werden.

Regulativ im Arbeitsprozeß

8.7 Unternehmerverbände

Die Wirtschaftspolitik der Regierung wird zu wesentlichen Teilen von drei Unternehmerverbänden mitbestimmt:
1. **Keidanren** (Bund der Wirtschaftsorganisationen) repräsentiert alle führenden Konzerne und 750 große Einzelbetriebe in Industrie, Handel und Finanzen. Er befaßt sich mit Preis- und Kartellpolitik, mit Finanzierungsproblemen, Außenhandels- und Zollfragen und übt großen Einfluß auf die Regierung aus.
2. **Nikkeiren** (Bund der Arbeitgeberverbände Japans) wurde 1948 als Gegenorganisation zu den Gewerkschaften gegründet, bemüht sich jedoch heute um ein besseres Verhältnis zu ihnen. Ihm gehören 500 Arbeitgeberverbände an, die 23600 Unternehmen mit 10 Millionen Beschäftigten vertreten. Er legt die Grundzüge der Unternehmenspolitik fest, bringt zu allen arbeits- und wirtschaftspolitischen Fragen die Auffassung der Arbeitgeber zu Gehör und versucht, durch eigene Vorschläge Regierung und Parlament bei sozialpolitischen Entscheidungen zu beeinflussen. Er ist jedoch ebensowenig tariffähig wie die Dachverbände der Gewerkschaften.
3. **Nissho** (Industrie- und Handelskammer Japans) setzt sich für eine Ausweitung des Außenhandels und für die Förderung der Mittelstandsunternehmen ein, er repräsentiert 445 Industrie- und Handelskammern.

Diese Verbände werden zu einem bedeutenden Teil von ehemaligen hohen Ministerialbeamten geleitet, die schon mit 50 Jahren aus dem Staatsdienst ausscheiden und dann im Unternehmerverband die gleichen Abteilungen leiten wie vorher im Ministerium.

Von ehemaligen Beamten geleitet

So ist es durchaus üblich, daß z. B. ein hoher Beamter aus dem Verkehrsministerium nach seiner Pensionierung an die Spitze des Schiffahrtsverbandes rückt und mit seinen früheren Kollegen bzw. Untergebenen verhandelt.

Die drei großen Unternehmerverbände sind in Abteilungen gegliedert, die in etwa den Bereichen der Ministerien entsprechen. An den Beratungen der Abteilungsleiter in den Ministerien nehmen meist auch die betreffenden Abteilungsleiter der Verbände teil und umgekehrt. So werden Gesetzesvorhaben schon lange vor der Vorlage im Unterhaus mit den betroffenen Wirtschaftsverbänden besprochen, wobei die Stellungnahme der Verbände gebührende Berücksichtigung findet. Der Einfluß der Verbände wird durch die engen persönlichen Kontakte mit den hohen Ministerialbeamten gewährleistet, die sich oft über Jahrzehnte hinziehen, da die Führungsspitze der Verbände nur höchst selten ausgewechselt wird.

Einfluß der Verbände auf die Gesetzgebung

Managerverband ist liberaler

Eine im Vergleich zu den genannten Unternehmerverbänden liberalere Haltung nimmt der Managerverband Keizai-Doyukai (Verein für freundliche Beziehungen in der Wirtschaft) ein. Seine meist jüngeren Mitglieder treten für gute Beziehungen zwischen Betriebsleitung und Arbeitnehmern, für eine gewisse Mitbestimmung der Arbeitnehmer, für Leistungslohn, Rationalisierung, völlige Liberalisierung der Einfuhren und Verbindung mit der EWG ein. Seine Führungsspitze arbeitet in den Planungsgremien der Regierung mit und hat so maßgeblichen Einfluß auf die Wirtschaftspolitik der Regierung.

8.8 Die Rolle des Staates

Planungshilfe der Regierung

Von der Tokugawa-Herrschaft über die Zeit der Meiji-Reformen bis hin zur Militärdiktatur der 30er und 40er Jahre wurde die Wirtschaft immer vom Staate gesteuert und kontrolliert. Diese Einflußnahme ist auch heute vorhanden, doch eine Planwirtschaft gibt es nicht. Wohl aber hat die Industrie erreicht, daß die Regierung eine Reihe von Planungs- und Forschungsstellen einrichtete, die zum Nutzen der Industrie Inlands- und Auslandsmärkte sorgfältig beobachten und ihr Prognosen als Empfehlungen geben. Da sich diese fast immer als nützlich erwiesen haben, ist die Industrie weitgehend diesen Empfehlungen gefolgt, was wie eine Lenkung der Industrie durch die Regierung aussehen könnte, wenn man nicht wüßte, daß die Regierung alle wichtigen wirtschaftlichen Beschlüsse nur im Einvernehmen mit der Industrie und den Banken faßt. Man hat das Verhältnis von Regierung (bzw. Bürokratie) und Wirtschaft im Bild der Münze dargestellt: die eine Seite ist die Regierung, die andere die Wirtschaft.

Japan-AG

„Wie aus dem Ausdruck ‚Japan-AG' schon hervorgeht, bezieht er sich auf die grundlegende Annahme, daß zwischen den Zielen der Regierung und den privaten Geschäften kein Unterschied besteht. Diese Ziele sind die Erhaltung einer gesunden japanischen Wirtschaft und die Förderung der nationalen Interessen . . ., ‚Japan-AG' ist die besondere Form einer Gesellschaft – ein Konzern in unserem Sprachgebrauch. Ein solcher Konzern kann den Fluß der Geldmittel von den Gebieten, die nur langsam wachsen, in solche mit einer hohen Wachstumsrate lenken und kann die Kreditkapazität stabiler und entwickelter Geschäftszweige dazu verwenden, um schnell wachsende, aber risikoreiche Unternehmen zu finanzieren. Er kann in eine neue und dynamische Industrie mit Finanzmitteln einsteigen, die ein anderer Konkurrent niemals aufbringen könnte . . .
Seine Selbstkosten sind im Vergleich mit der Konkurrenz so niedrig, daß er noch immer zu vernünftigen Preisen verkaufen kann und trotzdem riesige Gewinne erzielt. In diesem Sinne ist die ‚Japan-AG' wirklich ein Riesenkonzern . . . Die Bank von Japan ist dabei das Finanzzentrum, mit deren Hilfe jeder schnell wachsende Industriezweig mehr Kredit aufnehmen kann, als ihm das aus eigener Kraft gestattet wäre. Die Kreditfähigkeit des gesamten Portefeuilles – Japans selbst – steht jedem Industriezweig zur Verfügung. Die Wirtschaft als Ganzes stützt neue Unternehmen, hält Preise niedrig, konkurriert erfolgreich auf dem Weltmarkt und erzielt große Gewinne."
James C. Abegglen, The Economic Growth of Japan, in: Scientific American, Bd. 22 (März 1970), H. 3.

Das Instrumentarium, das die japanische Regierungsbürokratie zur Marktforschung und Wirtschaftslenkung bereitstellt, ist beeindrukkend:

Planungsbehörden

- Dem Amt des Ministerpräsidenten ist ein zentrales Planungsamt für die Wirtschaft unterstellt, das 600 Beschäftigte zählt und an dessen Spitze ein Staatsminister steht.
- Daneben gibt es ein Amt für Wissenschaft und Technik beim Ministerpräsidenten mit 1400 Beschäftigten,
- einen Wirtschaftsrat mit 200 Beschäftigten
- und einen Rat für Wirtschaft und Technologie.
- Die JETRO (Japan Export and Trade Organization) hat ihre Zweigstellen in allen wirtschaftlich interessanten Ländern und liefert ihre Wirtschaftsberichte wöchentlich an das japanische Wirtschaftsministerium, von dem es dafür subventioniert wird.

Personelle Verflechtung von Bürokratie und Wirtschaft

„Frühere Beamte führen ganz selbstverständlich öffentliche Unternehmen, aber darüber hinaus findet man sie in großer Zahl in den Vorständen und Aufsichtsräten großer Privatunternehmen. Von ihnen werden weniger Unternehmensführung denn Public-Relations-Bemühungen erwartet: sie sollen die guten Beziehungen mit ihren früheren Kollegen aufrechterhalten. Sie sind ein lebenswichtiges Bindemittel für die enge Zusammenarbeit zwischen der Bürokratie und der Wirtschaft."
Robert J. Balton, Der Konzern Japan, in: Hans-Bernd Giesler (Hrsg.), Die Wirtschaft Japans, Düsseldorf 1971, S. 30.

Wachstumsplanung

Im Gegensatz zu den meisten westlichen Industriestaaten verfügt so die japanische Regierung über einen voll ausgebauten und glänzend funktionierenden Apparat zur Feststellung des eigenen und des ausländischen Wirtschaftsbedarfs. Aus allen Einzelbeobachtungen werden Prognosen für die eigene Wirtschaftsentwicklung errechnet. Seit 1965 nimmt man eine mittel- und eine langfristige Planung vor mit Alternativmodellen des künftigen Weltwirtschaftsablaufs. Die Wirtschaft erhält diese Vorausschätzungen und versucht nun, durch rechtzeitige Steigerung, Einschränkung oder Änderung ihrer Produktionen sich der voraussichtlichen Wirtschaftsentwicklung anzupassen.

Programmiertes Wachstum

„Zukunftsbewußtsein, Planungsorientierung und Wachstumswille sind der Ausdruck eines vehementen nationalen Ehrgeizes der Japaner . . .
Außenpolitik und Innenpolitik, Wachstumspolitik, Technologiepolitik, Wettbewerbspolitik und Handelspolitik werden vom politischen Management Japans – ganz im Gegensatz zur BRD – fast lückenlos aufeinander abgestimmt."
Klaus von Dohnanyi, Japanische Strategien oder Das deutsche Führungsdefizit, München 1969, S. 89 f.

Schutzzollpolitik

Gleichzeitig benutzt die Regierung noch die Mittel der kontingentierten Einfuhren und der Importzölle.
So hat Japan seine Wachstumsindustrien nur aufbauen können durch Schutzzölle (zwischen 50 und 75 Prozent des Warenwertes), die es

auch nach Liberalisierung der Importe beibehielt. Damit ist es der japanischen Regierung im Auftrage der Industrie bisher gelungen, einen echten Wettbewerb in Japan zu verhindern.

So wurde jahrelang ein Mittelklassewagen von Nissan, der in Japan 1000 US-Dollar kostet, für 700 Dollar exportiert und in den USA, nach Aufschlag von Fracht und Zoll, für 945 Dollar verkauft. Ein vergleichbarer amerikanischer Wagen war in den USA nicht unter 1200 Dollar zu haben, in Japan kam er bei 50 Prozent Einfuhrzoll auf 2100 Dollar zu stehen, war also kaum abzusetzen. Erst um die Jahreswende 1971/72 mußte Japan unter dem Druck der US-Regierung seinen Import-Schutzzoll auf 10 Prozent senken.
Aber noch Ende 1972 kostete ein amerikanischer Wagen in Japan infolge der komplizierten und kostspieligen Import- und Verkaufsmodalitaten immer noch über das Doppelte seines Verkaufspreises in den USA. Aus diesem Grunde betrug der Import ausländischer Kraftfahrzeuge 1971/72 auch nur 18000 Wagen gegenüber einem japanischen Export von über 1,9 Millionen Wagen.

Staatsbank steuert Investitionspolitik

Für die immer neuen Investitionen und Fusionen reicht die knappe Kapitaldecke der Unternehmen nicht aus. Hierfür wie zur Vorfinanzierung von Auslandsaufträgen vergibt die Hochfinanz günstige Kredite, an ihrer Spitze die Staatsbank (Bank of Japan). Aktionäre verfügen in Japan nur über 20 bis 30 Prozent des Geschäftskapitals: das mag die überragende kredit- und damit wirtschaftspolitische Funktion der Staatsbank verdeutlichen.
Aber auch bei Krisenerscheinungen hilft die Staatsbank mit Überbrückungskrediten aus. Immer wieder wird das als eine Subventionierung durch die Regierung gewertet, was aber eine recht formalistische Betrachtungsweise ist. In Wirklichkeit handelt es sich um Investitionen der Hochfinanz, die ihre besten Kunden und größten Schuldner stützt, da sie von deren Zusammenbruch selbst betroffen wäre.
So ist es der Staat, der in Japan als der subventionierende oder dirigierende Senior-Partner erscheint, während es in Wahrheit die Industrie oder die Banken sind, die handeln.

8.9 Außenhandel

Vom Außenhandel abhängig

Der Außenhandel spielt für Japan eine entscheidende Rolle, hängt seine Wirtschaft doch ganz entscheidend vom Import und Export ab: Um seine Bevölkerung versorgen zu können, muß Japan Lebensmittel und die meisten Rohstoffe importieren, die es nur durch Exporte von Industriewaren bezahlen kann, zu deren Herstellung es wiederum auf Importe von Rohstoffen (besonders Eisen, Verhüttungskohle und Erdöl angewiesen ist.

Um seinen Roheisenbedarf zu sichern, hat Japan Lieferabkommen mit australischen Bergwerken über 250 Millionen Tonnen Eisenerz für eine Laufzeit von über 15 Jahren abgeschlossen. Damit bestimmen die Bedürfnisse der japanischen Wirtschaft in erheblichem Maße die Wirtschaft Australiens.

Die Menge der von der japanischen Bevölkerung und Industrie benötigten Lebensmittel und Rohstoffe sowie der exportierten Fertigprodukte ist derart angestiegen, daß nahezu 30 Prozent des verfügbaren Weltschiffsraumes ständig in Anspruch genommen sind, um Japans Außenhandel aufrechtzuerhalten. Ein Rückgang dieses Handels um nur wenige Prozent würde einen erheblichen Einbruch in den Frachtratenmarkt und damit zum Zusammenbruch vieler europäischer und amerikanischer Reedereien führen, wie sich das bereits Ende 1971 abzeichnete beim Produktionsrückgang in der japanischen Industrie.

Positive Handelsbilanz

So überwog bis 1963 die Einfuhr bei weitem. Erst seitdem exportiert Japan mehr als es importiert: Die Handelsbilanz wurde positiv, die Gold- und Devisenreserven schwollen an, der Yen wandelte sich zu einer der härtesten Währungen.

Tabelle 19: **Gold- und Devisenreserven verschiedener Staaten**
(in Millionen US-Dollar jeweils am Jahresende)

	1967	1968	1969	1970	1971	1972	1973	1974
Japan	2 030	2 906	3 654	4 840	15 360	18 365		
BRD	8 153	9 948	7 129	13 610	18 382	23 100		
USA	14 830	15 710	16 964	14 487	13 190	13 150		

Bis 1971 Angaben der UNO nach: International Financial Statistics, in: Statistical Survey of Japans Economy 1972.

Das sprunghafte Ansteigen der Devisenreserven in Japan 1971 (und in der BRD seit 1970) ist zu erklären aus der Hoffnung der Währungsspekulanten auf eine bevorstehende Aufwertung des Yen (und der DM).

Japanisches Kapital drängt ins Ausland

Nach dem Kriege, zunächst mit dem Wiederaufbau seiner Wirtschaft ausgelastet, zog Japan Auslandskapital ins Land und bremste eigenen Kapitalexport. Erst als sich Mitte der sechziger Jahre Devisenüberschüsse ansammelten, lockerte die Regierung nach und nach ihre Sperr-Bestimmungen bis zur völligen Liberalisierung der Kapitalausfuhr Mitte 1971. Unterstützt durch günstige Staatsdarlehen und Steuervorteile, begann nun japanisches Kapital mit rascher Expansion ins Ausland, vor allem in die westlichen Industriestaaten, neuerdings auch in Entwicklungsländer. In hartem Verdrängungswettbewerb gegen westliche Konkurrenz, sicherte sich Japans Wirtschaft durch Auslandsinvestitionen Absatzmärkte und Rohstoffbasen. Doch trotz fast stürmischer Zunahme machen Japans Kapitalanlagen in Übersee mit 3,6 Milliarden US-Dollar immer noch erst 3 Prozent aller Auslandsinvestitionen in der Welt aus.

Tabelle 20: **Bestand japanischer Privatinvestitionen im Ausland**
(Ende März 1971; in Millionen US-Dollar)

Nord-Amerika	Asien	Europa	Latein-Amerika	Mittel-ost	Ozeanien	Afrika
912	780	638	559	334	281	92

Weltweiter Einfluß

So baut Japan in Australien große Erzhäfen und Zubringerbahnlinien. In der arabischen Erdölindustrie beginnt sich der Einfluß des japanischen Kapitals bemerkbar zu machen. Um ihren Mammuttankern den gefährlichen und kostspieligen Umweg durch die Straße von Singapore zu ersparen, haben japanische Unternehmen Thailand angeboten, entweder einen Kanal durch den Isthmus von Kra zu bauen oder eine Pipeline quer über ihn zu legen. In Südamerika und Südostasien haben japanische Unternehmen Bergwerke aufgekauft oder angelegt, um die notwendigen Blei-, Zink-, Kupfer- und Salpeterlieferungen an ihre Werke in Japan sicherzustellen.

Japanisches Kapital wird nicht nur in Anlagen zur Rohstoff-Gewinnung investiert, sondern zunehmend auch in Produktionsstätten im Ausland. Im Iran, auf Ceylon, in Thailand, in Indonesien, in Hongkong, in Taiwan, Korea und in Brasilien existieren bereits japanische Autofabriken, die mit wesentlich billigeren Arbeitskräften, als sie in Japan vorhanden sind, den Markt erschließen. In Brasilien gründete der größte japanische Schiffsbaubetrieb ein Tochterunternehmen, in Südostasien wurden Warenhaus- und Hotelketten errichtet. Über die Beteiligung der japanischen Industrie an der Erschließung Sibiriens, das den gesamten Kohle- und Kupferbedarf Japans befriedigen könnte, wird verhandelt.

Tabelle 21: **Die zehn wichtigsten Handelspartner Japans 1971**
(Rechnungseinheit = Millionen US-Dollar)

Land	Gesamthandel	Export nach	Import aus
USA	12 473	7 495	4 978
Australien	2 470	718	1 752
Kanada	1 880	876	1 004
Iran	1 599	238	1 361
Indonesien	1 307	453	854
BRD	1 265	658	607
Taiwan	1 209	923	286
Südkorea	1 129	855	274
Liberia	1 073	999	74
Großbritannien	991	574	417
Gesamtaußenhandel 1971:	43 731	24 019	19 712
Gesamtaußenhandel 1972:	47 078	28 025	19 053

Konkurrenz USA – Japan

Das japanische Handelsvolumen hat zumindest in Asien das amerikanische übertroffen. Das zeigt sich auch in der Verlagerung des japanischen Außenhandels:

- 1946 gingen 65 Prozent aller Exporte Japans in die USA, aus denen wiederum 86 Prozent aller Importe kamen.
- 1971 waren es zwar noch 31 Prozent aller Exporte, hingegen nur noch 25 Prozent aller Importe, was zu einem beträchtlichen Handelsdefizit der USA gegenüber Japan führte. Diese expansive Exportpolitik hat Anfang der siebziger Jahre zu ernsten Spannungen zwischen den USA und Japan geführt. Der amerikanische Markt wurde mit japanischen Fernsehgeräten, Transistorradios, Stereoanlagen, Automobilen, Motor- und Fahrrädern, Textilien und Stahllieferungen zu ungewöhnlich niedrigen Preisen geradezu überschwemmt, so daß viele amerikanische Firmen infolge von Absatzschwierigkeiten in eine kritische Situation gerieten. Eine von der Industrie getragene antijapanische Presse- und Reklamekampagne zwang schließlich die amerikanische Regierung zu ihren Schutzzollmaßnahmen und zu ihrer Forderung nach Aufwertung des Yen, der Japan dann auch nachkommen mußte.

Außenhandel Japans 1971
(Abbildung 20)

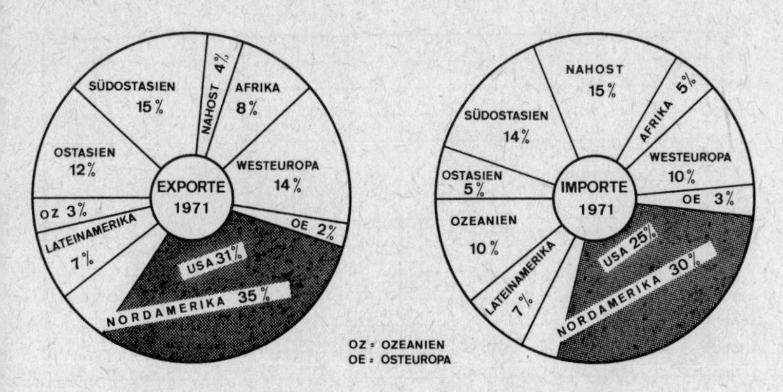

Zwar sind die USA der größte Handelspartner Japans geblieben, aber Asien und Australien nehmen heute bereits 44 Prozent der japanischen Exporte auf, und es wird deutlich, daß Japan immer stärker bemüht ist, sich zum Hauptlieferanten und Hauptabnehmer Asiens zu entwickeln, um damit von den USA unabhängig zu werden.

Abschließung des eigenen Marktes

Seinen eigenen Markt hatte Japan trotz aller Liberalisierungsankündigungen bisher durch Importzölle so abgesichert, daß eine wesentliche Konkurrenz durch die Industriemächte nicht bestand. Von den Entwicklungsländern hat es keine Konkurrenz zu erwarten. So ist Japan heute nach den USA, der BRD und Großbritannien die viertstärkste Handelsmacht der Welt.

Für das Jahr 1980 sagte das japanische Wirtschaftsministerium – unter der freilich ungewissen Annahme gleichbleibender Konjunktur – japanische Exporte im Werte von 80 Milliarden US-Dollar voraus (USA = 80,5; BRD = 73,6). Die japanische Ausfuhr werde jährlich um 16,2 Prozent zunehmen (die der BRD um 9,7 und die der USA um 7,3 Prozent) und so werde Japan bald in die unmittelbare Nähe des Handelsgiganten USA aufrücken.

Investitionen in Entwicklungsländern

Eine zunehmend bedeutende Rolle in Japans Außenwirtschaft spielt der Kapitalfluß in Entwicklungsländer:

- 1960 bis 1965 verdoppelte er sich fast von 246 auf 486 Millionen Dollar.
- Von da an schnellte er bis zu den 2141 Millionen des Jahres 1971 auf über das Vierfache hoch.
- Während er in den sechziger Jahren die Summe von 7,5 Milliarden Dollar ausmachte, plant das Wirtschaftsministerium für die siebziger Jahre eine Gesamtleistung von 32 bis 36 Milliarden.

Damit erreichte Japan 1970 die zweite Stelle in der Welt, vor der Bundesrepublik, aber noch weit hinter den USA.

Leistungen Japans an Entwicklungsländer
(Abbildung 21)

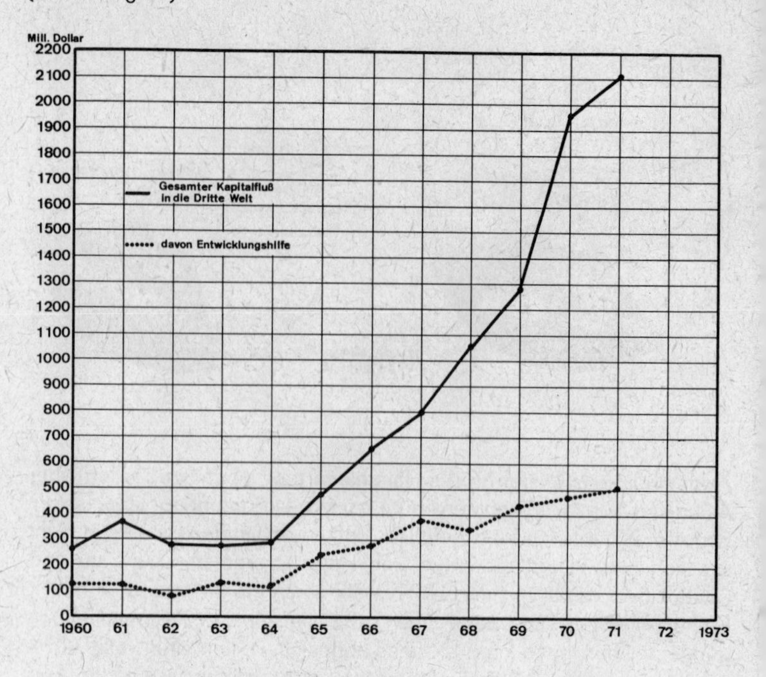

Entwicklungshilfe als Geschäft

Bei näherem Zusehen freilich erweist sich Entwicklungshilfe auch in Japan vor allem als Geschäft für die eigene Wirtschaft: Von den 9657 Millionen Dollar, die es 1960 bis 1971 aufbrachte, waren

- nur 3226 Millionen Hilfe im heute anerkannten Sinne: öffentliche Geschenke und verbilligte Darlehen an Staaten und internationale Organisationen,
- 6431 Millionen aber staatliche und private Kapitalübertragungen zu marktüblichen Bedingungen: Exportkredite, die überwiegend heimischen Unternehmen nutzen, Anleihen zu hohen Zinsen, gewinnabwerfende Investitionen und sonstige Kapitalanlagen privater Firmen, die nicht vorrangig entwicklungspolitischen Zielen dienen.

Während die von den OECD-Ländern gewährten Kredite an Entwicklungsländer im Durchschnitt eine Laufzeit von 29,1 Jahren und einen Zinssatz von 2,6 Prozent haben, vergibt Japan seine Kredite bisher nur für eine Laufzeit von 22,1 Jahren und einen Zinssatz von 3,5 Prozent.

Die Masse der Mittel strömt nach Südostasien. Dort hat Japan als ständiger Vorsitzender der Asiatischen Entwicklungsbank ausschlaggebenden Einfluß. Neuerdings wendet es sich auch Lateinamerika und Afrika zu. Noch stärker als andere Staaten setzt Japan seine **Entwicklungspolitik** in erster Linie dazu ein, **um seinen Handel und seine**

Rohstoffversorgung zu fördern. Die lebhafte internationale Kritik, Japan suche nur eigenen Profit, hat daran bisher tatsächlich noch nichts geändert: Der Anteil der Hilfe am Gesamtaufwand sank von 1965 bis 1971 von 50 auf 24 Prozent. Doch erklärte die Regierung, sie wolle die echte (nicht rückzahlbare) Entwicklungshilfe von bisher 0,23 auf 0,7 Prozent des Bruttosozialprodukts steigern.

9. Politisches System

9.1 Politische Institutionen

9.1.1 Verfassung

Ursprung und Ziele

Die japanische Verfassung von 1947 ist anders als die von 1889 nicht ein Werk der herrschenden Oligarchie, sondern die Leistung der amerikanischen Reformer, die mit dieser Verfassung das politische Ziel verfolgten, die autoritären Strukturen zu zerschlagen und die Entwicklung einer demokratischen Gesellschaft zu gewährleisten. So ist es nur zu verständlich, wenn sich immer wieder Stimmen für eine Verfassungsreform erhoben, besonders in Hinsicht auf die Stellung des Kaisers und den Artikel 9 (Verzicht auf eigene Streitkräfte). Wenn auch in den letzten Jahren die Regierungspartei sich oft zum Sprecher solcher Strömungen gemacht hat, so bleibt doch festzuhalten, daß es ihr bisher nicht gelungen ist, die notwendige Zweidrittelmehrheit für eine Verfassungsänderung zu finden.
Aber selbst wenn sie eines Tages über die notwendigen Stimmen im Parlament verfügte, ist es fraglich, ob sie davon Gebrauch machen würde, denn die Mehrheit der Bevölkerung hält die Verfassung gerade in den zur Diskussion stehenden Punkten für gut und lehnt eine Verfassungsänderung ab. Diese Tatsache allein zeugt von dem richtigen Weg, den die Reformer damals eingeschlagen haben, obwohl die Grundsätze dieser Verfassung sich aus einem politischen Denken herleiteten, das der japanischen Tradition und den japanischen Wertvorstellungen in keiner Weise entsprach.

Gründe für die Zustimmung des japanischen Volkes

Einer der Gründe für das Gelingen dieses Experimentes ist zweifellos darin zu suchen, daß durch die neue Verfassung dem japanischen Volk endlich jene Rechte und Freiheiten garantiert wurden, die ihm bisher vorenthalten worden waren.
Erleichtert wurde die Durchsetzung dieser Verfassung zweifellos dadurch, daß man nicht etwas völlig Neues einführte, sondern sich auf die schon vorhandenen Elemente eines modernen Staates – wie Parteien, Parlament und ein ausgebautes Erziehungswesen – stützen konnte.

Nur zwei Konzessionen machten die Amerikaner den japanischen Konservativen:

- Sie akzeptierten den Tenno weiterhin als Oberhaupt des Staates, wenn sie ihm auch nur eine symbolische Funktion beließen.
- Sie ließen die zweite Kammer, das ehemalige Oberhaus, weiter bestehen, wenn auch nur zur Kontrolle des Unterhauses sowie als Vertretung der Gesamtbevölkerung und nicht nur einer Gruppe.

Grundsätze der Verfassung

Von diesen beiden – unwesentlichen – Konzessionen abgesehen, konnten die Verfassungsväter jedoch ihren Reformwillen verwirklichen und die beiden Grundprinzipien der Demokratie in der Verfassung verankern:

1. das Prinzip der Volkssouveränität,
2. die Grundrechte.

Volkssouveränität

Der Gedanke der Volkssouveränität ist Grundlage der ganzen Verfassung. Er steht im völligen Gegensatz zur alten Vorstellung von der kaiserlichen Souveränität und damit zur gesamten Tradition der japanischen Geschichte.

Bereits in der Präambel heißt es:
„Wir, das japanische Volk, proklamieren ausdrücklich, daß die Souveränität beim Volke liegt." Von der Regierung wird gesagt, daß „deren Autorität vom Volke abgeleitet" ist.

Aus dem Grundsatz der Volkssouveränität ergibt sich auch die Gewaltenteilung mit Vorrangstellung der Legislative, der Verantwortlichkeit der Regierung, der Überprüfung der obersten Richter durch das Parlament und der Garantie der Selbstverwaltung in den Gemeinden und Präfekturen.

Grundrechte

Der Abschnitt über die Rechte und Pflichten des Volkes umfaßt 30 Artikel, in denen die Grundrechte in beeindruckender Zahl und Genauigkeit erläutert werden, unter anderen die Gedanken- und Gewissensfreiheit, die akademische Freiheit, die Gleichberechtigung vor dem Gesetz, das Recht zur Ein- und Absetzung von Beamten, das Recht, den Staat und seine Vertreter anzuklagen, das Petitionsrecht, das Recht auf Arbeit, Glück und Wohlstand, das Recht auf gleiche Erziehung, das Recht auf ordnungsgemäßes Gerichtsverfahren. Revolutionär mußte die nachdrückliche Betonung des Individualwertes wirken: „Alle Volksangehörigen werden als Individuen respektiert." Doch ist weitaus häufiger vom „Volke" oder den „Volksangehörigen" die Rede als von einzelnen. Daraus ergibt sich denn auch ein Pflichtenkatalog, der unter anderem fordert, daß „die garantierten Freiheiten und Rechte durch . . . dauernde Anstrengungen des Volkes aufrechtzuerhalten" sind, daß alle nicht nur das Recht, sondern auch die Pflicht zur Arbeit haben und daß schließlich alle die Pflicht haben, „allen in ihrer Obhut stehenden Knaben und Mädchen eine ordnungsgemäße Erziehung und Ausbildung angedeihen zu lassen".

Gleichberechtigung von Mann und Frau

Ein anderer wesentlicher Grundsatz ist die gleiche Stellung von Mann und Frau, auch dies revolutionär in einem so patriarchalischen Gesellschafts-System wie dem Japans.

Staatsaufbau Japans
(Abbildung 22)

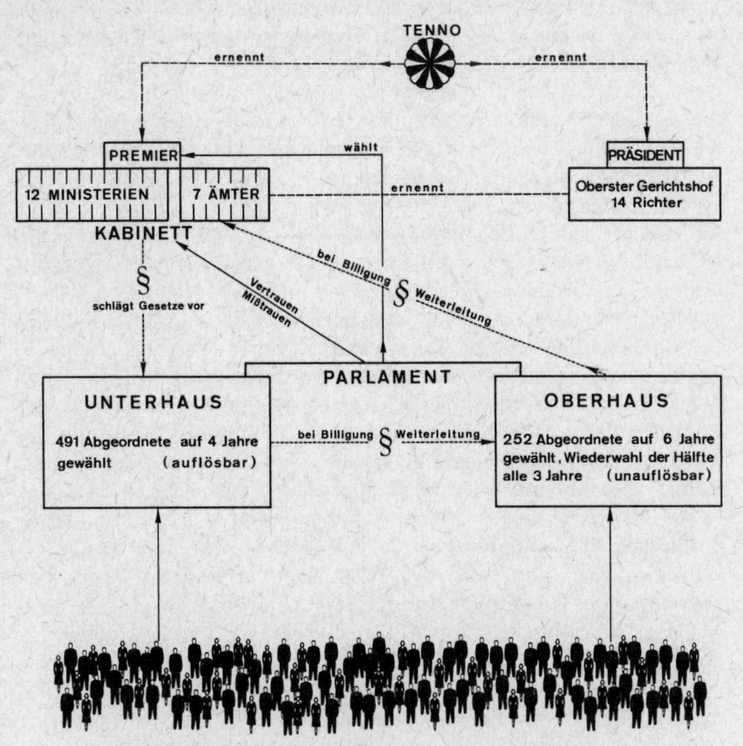

Gewaltverzicht

Der Gedanke der Volkssouveränität, die Grundsätze der Freiheit, der Gleichheit und der Verpflichtung gegenüber der Gemeinschaft sind so die bestimmenden Prinzipien der neuen japanischen Verfassung. Gehören diese Prinzipien zum allgemeinen modernen Verfassungsdenken, so fügt die japanische Verfassung noch ein weiteres Element hinzu: den Verzicht auf die Anwendung von Gewalt, wie er in dem berühmten Artikel 9 formuliert ist: Das japanische Volk „verzichtet für immer auf den Krieg als ein souveränes Recht der Nation und auf die Androhung und die Anwendung von Gewalt als Mittel, internationale Streitigkeiten zu regeln." (Vgl. auch das Verbot der Vorbereitung eines Angriffskrieges in Art. 26 des Bonner Grundgesetzes.)

Verzicht auf Wiederbewaffnung

Darüber hinaus verspricht die Verfassung, daß nie mehr irgendwelche militärischen Streitkräfte unterhalten werden. Eine solche radikale Absage an den Waffengebrauch steht ebenfalls in völligem Gegensatz zur japanischen Tradition. Um so erstaunlicher, daß dieser Artikel im wesentlichen japanischen Vorstellungen entsprang und von den Amerikanern, als übereinstimmend mit ihren Vorstellungen von einer neuen friedlichen Nachkriegszeit, gern akzeptiert wurde (zum späteren Schicksal des Artikels siehe 9.1.7 und 9.1.8).

Hier zeigt sich, daß im japanischen Volk 1945 Kräfte lebendig waren, die den Zusammenbruch der alten Ordnung als notwendig und heilsam begrüßten und bereit waren, mit der neuen Verfassung am Aufbau eines verwandelten Staates und einer verwandelten Gesellschaft mitzuarbeiten.

Ein Vergleich der Abbildung 22 mit denen zur Verfassung von 1889 (2.6, Abb. 3 und 4) zeigt am deutlichsten den revolutionären Wandel, der sich durch die Verfassung in Japan vollziehen konnte.

Parlamentarische Regierung

War es in der Verfassung von 1889 der Tenno, der durch das Kabinett und das Oberhaus seinen Willen zu verwirklichen schien, so ist es in der neuen Verfassung die Exekutive mit dem Premierminister und den Ministern, die die tatsächliche Macht auszuüben scheinen. Da der Premierminister jedoch Abgeordneter sein muß, vom Reichstag gewählt wird und auch gestürzt werden kann, liegt die Staatsmacht formal beim Parlament. Damit ist nach der Verfassung eine demokratische Staatsordnung mit einer ständigen Kontrolle der Regierung durch das Volk vorgesehen.

Wie stark die Väter dieser Verfassung von Mißtrauen erfüllt waren gegenüber der zukünftigen Entwicklung der japanischen Gesellschaft, wie sehr sie befürchteten, daß die feudalen Strukturen und patriarchalischen Verhältnisse doch überleben würden, und wie sie die zukünftigen Generationen Japans davor bewahren wollten, wird aus den folgenden Verfassungsartikeln sichtbar:

Sicherungsbestimmungen

Art. 8: Ohne Erlaubnis des Reichstags darf dem Kaiserhaus kein Eigentum gegeben oder von ihm angenommen, noch dürfen von ihm Geschenke gemacht werden.
Art. 14, Abs. 2: Edelleute und Reichsadel werden nicht anerkannt.
Art. 15, Abs. 2: Alle öffentlichen Beamten sind Diener der ganzen Gemeinschaft und nicht irgendeiner ihrer Gruppen.
Art. 18: Niemand darf in irgendeiner Art von Knechtschaft gehalten werden, unfreiwillige Dienstbarkeit ist, außer als Strafe für Verbrechen, verboten.
Art. 20, Abs. 3: Der Staat und seine Organe haben sich der religiösen Erziehung oder jedweder anderer religiöser Tätigkeit zu enthalten.
Art. 24: Die Ehe darf nur auf die gegenseitige Zustimmung der beiden Geschlechter gegründet werden und durch wechselseitige Zusammenarbeit mit gleichen Rechten für Ehemann und Ehefrau als Grundlage bestehen.
Art. 27: Alle haben das Recht und die Pflicht zu arbeiten. Richtlinien für Löhne, Arbeitszeit, Erholung und andere Arbeitsbedingungen werden gesetzlich festgelegt. Kinder dürfen nicht ausgebeutet werden.
Art. 36: Die Anwendung der Folter durch einen öffentlichen Beamten und grausame Bestrafungen sind unbedingt verboten.
Art. 66, Abs. 2: Der Premierminister und andere Staatsminister müssen Zivilisten sein. (Dieser Artikel soll die Wiederholung der Generalskabinette der 30er und 40er Jahre verhindern.)
Art. 76 Abs. 2: Kein Sondergericht darf eingerichtet werden, noch darf irgendeinem Organ oder Träger der Exekutive endgültig entscheidende Gerichtsgewalt verliehen werden.

Art. 99: Der Kaiser oder der Regent sowie die Staatsminister, Reichstagsmitglieder, Richter und alle übrigen öffentlichen Beamten sind verpflichtet, diese Verfassung zu respektieren und aufrechtzuerhalten.

9.1.2 Stellung des Kaisers

Unterschied zur Meiji-Verfassung

Der Tenno, dessen Stellung in der Meiji-Verfassung noch folgendermaßen umschrieben wurde: „Der Kaiser ist das Haupt des Imperiums, er vereinigt in sich die souveränen Rechte und übt sie aus . . .", ist nach der neuen Verfassung nur noch ein „Symbol des Staates und der Einheit des Volkes und leitet seine Stellung vom Willen des Volkes ab, das die Souveränität innehat."

Machtlosigkeit

Es wird ausdrücklich vermerkt, daß er keine Regierungsbefugnisse besitzt, nicht einmal das Recht „Handlungen in staatlichen Angelegenheiten vorzunehmen, die in der Verfassung vorgesehen sind", wenn er nicht dafür jeweils den „Rat und die Billigung des Kabinetts" hat. Er darf keine Reise unternehmen, keinen Empfang geben, kein Beglaubigungsschreiben entgegennehmen ohne die Billigung des Kabinetts. Seine Stellung läßt sich ungefähr vergleichen mit der eines überwiegend auf die Repräsentationspflichten eines Staatspräsidenten beschränkten Monarchen in westlichen konstitutionellen Monarchien. Trotz aller Machtlosigkeit aber hat er sich als Symbol der Einheit als ausstrahlungskräftig erwiesen.

Angriffe gegen den Tenno unpopulär

Die Angriffe, die Kommunisten und Sozialisten gegen ihn richteten, erhöhten nur die Achtung vor ihm und verstärkten die Unpopularität der beiden Parteien, vor allem der Kommunisten. Erst als die Kommunisten ihre Anti-Tenno-Kampagne einstellten, konnten sie wieder mehr Wählerstimmen gewinnen.

Tenno verhindert Diktator

Sein Dasein verhindert auch das Auftreten eines machthungrigen Diktators, da ein Teil der nach oben gerichteten Bewunderung des Volkes dem Tenno gehört, dem Manne, der es auf sich genommen hatte, den sinnlos gewordenen Krieg gegen den Widerstand des Offizierskorps zu beenden, der sich selbst den Gegnern als Alleinverantwortlicher für alle Kriegsverbrechen anbot, der sich selbst und seine Institution entmythologisierte und der heute als zurückgezogener Wissenschaftler und Familienvater vielen Japanern als Vorbild erscheint.

Nur kleine Minderheit gegen den Tenno

Bei allen inneren Unruhen hat es in Japan doch noch nie eine breite Bewegung gegeben, die sich für die Abschaffung des Kaisertums eingesetzt hätte (der Versuch der Sozialisten und Kommunisten unmittelbar nach dem Kriege endete mit einem katastrophalen Mißerfolg). Jüngste Meinungsumfragen erbrachten 70 Prozent Stimmen für Beibehaltung des Tennotums und nur 7,5 Prozent für dessen Abschaffung. Sicher würden Umfragen unter der studentischen Jugend ein fast entgegengesetztes Ergebnis bringen. Aber die Mehrzahl der Bevölkerung glaubt doch, daß es gut sei, diesen Kaiser zu haben, oder mindestens lehnt sie ihn nicht ab. Daß nach seinem Tod die

Ausstrahlungs- und Anziehungskraft des Tennoamtes verlorengeht und Japan dann eine Republik werden könnte, ist allerdings nicht auszuschließen.

Die Interessen der Staatsautoritären

Es sind aber auch entgegengesetzte Bewegungen zu beobachten: Viele der Konservativen hoffen, die „Zuchtlosigkeit der Jugend" und anderes, was sie als Verfallserscheinungen bewerten, eindämmen zu können, wenn das Volk wieder auf den Kaiser als den pater patriae, als moralisches und religiöses Vorbild, hin ausgerichtet würde. Sie fordern eine Erneuerung des Staatsshinto und der konfuzianischen Werteordnung durch eine Stärkung der Stellung des Tenno, notfalls auch durch Verfassungsänderung. Davon erwarten sie eine Festigung des gesellschaftlichen Status quo und damit ihrer eigenen Positionen.
Eine so notwendig weitgehende Verfassungsänderung könnte aber leicht zur Aushöhlung des Grundsatzes der Volkssouveränität und der parlamentarischen Verantwortlichkeit der Exekutive führen.

9.1.3 Regierung

Verantwortlichkeit gegenüber dem Parlament

Im Gegensatz zur Meiji-Verfassung ist der Premierminister nicht dem Tenno und auch nicht irgendeiner außerparlamentarischen Gruppe verantwortlich, sondern nur dem Parlament, das ihn aus seiner Mitte wählt, worauf der Tenno ihn nur noch förmlich ernennt. Auch das Kabinett, vom Ministerpräsidenten zu ernennen und zu entlassen, bedarf als Ganzes des parlamentarischen Vertrauens. Mehr als die Hälfte der Minister muß dem Parlament angehören. Hat das Parlament auch verfassungsrechtlich den Vorrang, so liegt die eigentliche Macht doch bei der Regierung mit ihren zwölf klassischen und sieben Staatsministerien.

Macht des Ministerpräsidenten

Besonders stark ist die Stellung des Premierministers:

Amt des Ministerpräsidenten
(35 Abteilungen, Ämter und Ausschüsse)

Sekretariat des Ministerpräsidenten Statistische Abteilung Wissenschaftlicher Beirat Ausschüsse für: Beschäftigungspolitik, Atomenergie, Sozialversicherung etc.	Kartellamt Landeskoordinierungsausschuß Ausschuß zur Verbesserung der Großstadtgebiete Amt für die kaiserliche Familie	Ministerämter: Zentrale Verwaltungsbehörde Nationale Sicherheitsbehörde Verteidigungsamt Ämter für: Wirtschaftsplanung, Wissenschaft und Technik, Umweltschutz, Entwicklung der Hauptstadt, Entwicklung Hokkaidos, Entwicklung Okinawas, Umgestaltung Japans
Zentrale Personalbehörde	Gesetzgebungsamt	Kabinettssekretariat

Wie zu sehen, sind ihm nicht nur zahlreiche Abteilungen, Ämter, Ausschüsse und Beiräte mit über 50 000 Beschäftigten unterstellt:

- Ihm untersteht auch direkt die von einem Minister geleitete Nationale Sicherheitsbehörde, die für Staatssicherheit, Ausbildung und Subventionierung der lokalen Polizei, landesweite Verbrechensaufklärung zuständig ist sowie die gesamte Polizei bei größeren Unruhen und Katastrophen einsetzen kann.
- Er lenkt als Vorsitzender die beiden wichtigsten Entscheidungsgremien des Kabinetts: den Ministerrat für Wirtschaftsfragen und den Verteidigungsausschuß.
- Er ernennt und entläßt die Minister. Kabinettsumbildungen kommen recht oft vor, weil der Premier seinen Gefolgsleuten Posten verschaffen muß.
- Er hat das Recht, das Abgeordnetenhaus aufzulösen. Davon machte er so häufig Gebrauch, daß seit 1947 kein Parlament über eine ganze Legislaturperiode hinweg bestanden hat. Die Auflösungsdrohung kann Mißtrauens-Anträgen zuvorkommen und zwingt die Abgeordneten zu hoher Fügsamkeit. Denn für sie bedeuten Neuwahlen leicht das Ende ihrer politischen Karriere, während Kabinettsmitglieder dank ihrer Bekanntheit und einflußreichen Beziehungen sehr viel bessere Chancen haben, wieder ein Mandat oder ein Amt zu erhalten.

Zwang zu Kompromissen

Aber wie fast überall in der Welt hat auch in Japan der Premierminister Kompromisse zu schließen mit anderen Parteien oder – und dies ist in Japan besonders stark ausgeprägt – mit Gruppen innerhalb seiner eigenen Partei, deren Stimmen er für eine Mehrheit braucht und durch politische Belohnungen – wie Kabinettsposten für ihre Führer – gewinnen muß.

Ministertausch als politisches Mittel

„Der Premierminister steht tatsächlich unter ständigem Druck, sein Kabinett so oft wie möglich umzubilden, um eine endlose Reihe von politisch Verdienten unterzubringen.
Der Ministerstatus wird allgemein als das summum bonum politischen Lebens in Japan angesehen, und ein erfolgreicher Premierminister muß, um seine eigene Position zu halten, diese Ämter so weitgestreut wie möglich verteilen. ...
Weil diese ‚Austauschminister' nicht auch die Regierungsgewalt innehaben können, herrschen in Wirklichkeit die politischen Führer mit dem Premierminister, die Führer der verschiedenen Fraktionen in der Regierungspartei, die irgendwie dauerhafteren höheren Ränge der berufsmäßigen Bürokratie und die Wirtschaftsführer, die die Liberaldemokratische Partei finanzieren."
Robert E. Ward, Japans Political System, New Jersey 1967, S. 81.

Zusammensetzung der politischen Führungsschicht

Die Minister kommen zum größten Teil aus der höheren Beamtenschaft, dem Geschäftsleben oder aus der Gruppe der Rechtsanwälte. Über zwei Fünftel von ihnen haben an der berühmten Todai, andere in Kyoto studiert. So ergibt sich eine relative Homogenität der Führerschicht (siehe 7.2).

Das Sato-Kabinett z. B. verfügte jahrelang über 10 Todai- und 3 Kyotoabsolventen und über keinen Minister, der nicht sein Studium ordnungsgemäß zuende geführt hätte. Das Kabinett bestand meist aus ehemaligen Staatssekretären, Unternehmern oder Juristen, die nur wenig Kontakt mit den Wählern gehabt und sich nur selten kommunalpolitisch betätigt haben, denen es aber gelungen ist, in der Fraktion eine Gruppe von Abgeordneten um sich zu scharen, für deren Stimmen sie dem Premier gegenüber bürgen und dafür mit einem Ministeramt belohnt werden.
Eine Ausnahme macht jedoch der 1972 von der LDP gewählte Nachfolger Satos, der bisherige Außenhandels- und Wirtschaftsminister Tanaka. Er stammt aus einer Fischerfamilie von der Schattenseite Japans an der Japansee, hat nur eine technische Fachschule besucht und niemals studiert. Sein Weg ähnelt dem der Großunternehmer Matsushita und Honda, die nach dem Kriege einen spektakulären Aufstieg erlebten. Aus dem Bauarbeiter wurde ein Bauunternehmer und ein Abgeordneter der Unternehmerpartei, der es aufgrund seiner Doppelfunktion als Politiker und Geschäftsmann bald zum Millionär brachte. Aus dem parlamentarischen Staatssekretär wurde bald ein Finanzminister und schließlich ein Wirtschafts- und Außenhandelsminister, mit seinen 54 Jahren einer der Jüngsten im Kabinett der ‚Alten Herren'.
Daß ein Nichtakademiker, ein Mann ohne „Familie" und ohne Beamtenlaufbahn – ein bloßer Selfmade-Millionär – zum bedeutendsten Staatsamt aufsteigen konnte, scheint zu zeigen, daß von den Spitzengremien der LDP Leistungs- und Führungsfähigkeit höher bewertet werden als akademische Ausbildung oder Staatsdienst. Allerdings sollte nicht übersehen werden, daß Tanaka bereits seit 1960 verschiedenen Kabinetten angehörte und vor allem als Generalsekretär der LDP seit 1968 sich eine „Hausmacht" aufbauen konnte, mit der es ihm gelang, seine Mitbewerber um das höchste Amt zu überspielen.

Bedeutung des Beamtenapparats

Daß trotz der unzureichenden politischen Qualifikation einzelner Minister und trotz häufiger Kabinettsumbildungen die Regierung selten ernsthafte Rückschläge zu verzeichnen hatte, lag wohl daran, daß die Hauptarbeit von der Verwaltung geleistet wurde. Diese wird durch den politischen Wechsel kaum gestört, zumal es ja bisher immer nur einen Wechsel von Personen, aber nicht der politischen Richtung gab.
Die wohlfunktionierende Bürokratie trägt so dazu bei, politische Auseinandersetzungen möglich zu machen, ohne daß der Staatsappa-

Tabelle 22: **Die Regierungen Japans seit 1945**

Amtsdauer	Premier	Parteien	Kabinette
6. 10. 45 – 22. 4. 46	Shidehara	„Fortschrittler"	1
22. 5. 46 – 20. 5. 47	Yoshida	Liberale	1
23. 5. 47 – 10. 2. 48	Katayama	Sozialisten Demokraten	1
21. 2. 48 – 6. 10. 48	Ashida	Demokraten Sozialisten	1
14. 10. 48 – 7. 12. 54	Yoshida	Liberale	4
9. 12. 54 – 14. 12. 56	Hatoyama	LDP	3
20. 12. 56 – 22. 2. 57	Ishibashi	LDP	1
24. 2. 57 – 15. 7. 60	Kishi	LDP	2
18. 7. 60 – 25. 10. 64	Ikeda	LDP	3
9. 11. 64 – 4. 7. 72	Sato	LDP	5
5. 7. 72 –	Tanaka	LDP	2

rat dadurch gelähmt würde. Das setzt natürlich eine prinzipielle Übereinstimmung von Regierung und Bürokratie voraus, wie sie meist gewährleistet ist, wenn konservative Kräfte die Macht ausüben – was in Japan (von einer neunmonatigen Ausnahme 1947/48 abgesehen) seit 1945 in 23 Kabinetten der Fall war.

9.1.4 Parlament

9.1.4.1 Praxis der Parlamentsarbeit

Machtbefugnisse

Das Parlament besteht aus zwei Häusern, dem Abgeordneten- oder Unterhaus und dem Haus der Staatsräte oder Oberhaus. Nach Artikel 41 der Verfassung stellt es das höchste Organ der Staatsgewalt dar. Es
- wählt den Premierminister,
- kann ihn und sein Kabinett zum Rücktritt zwingen,
- kontrolliert jeden Minister durch einen parlamentarischen Stellvertreter,
- ist das einzige Gesetzgebungsorgan,
- ratifiziert alle Verträge,
- kann Regierungshandlungen untersuchen
- und von der Regierung Rechenschaft verlangen.

Vergleich mit dem Vorkriegsparlament

Mit dieser verfassungsmäßigen Verlagerung des Schwergewichts auf das Parlament ist wohl die stärkste Abkehr von dem Reichstag der Meiji-Verfassung vollzogen, den Prinz Ito so charakterisierte: „Die Aufgabe des Reichstags ist es, das Staatsoberhaupt in die Lage zu versetzen, seine Funktionen auszuüben und den Staat in einem wohldisziplinierten, starken und gesunden Zustand zu halten.".

Heute ist es die Aufgabe des Parlaments, die Regierung durch Ausübung der gesetzgebenden Gewalt zu kontrollieren. Die Mitglieder beider Häuser sind vom Volke gewählt, also Vertreter des ganzen Volkes. Dabei steht das „Unterhaus" nach spätestens vier Jahren zur Wiederwahl an, das „Oberhaus" muß jeweils die Hälfte seiner Sitze alle drei Jahre zur Wahl stellen.

Vorrang des Unterhauses

Die Kompetenzen des Unterhauses sind größer als die des Oberhauses – so kann es sich z. B. mit einer Dreiviertel-Mehrheit über dessen Entschlüsse hinwegsetzen. Außerdem sollen der Premierminister und die Mehrheit seines Kabinetts aus dem Unterhaus kommen. In der Praxis hat sich gezeigt, daß nahezu vier Fünftel aller Minister aus dem Unterhaus kommen, nur jeder zehnte aus dem Oberhaus und nur wenige – meistens Staatsminister ohne Portefeuille – nicht aus einem der beiden Häuser.

Die Sprecher

Jedes Haus wählt seinen Präsidenten (Sprecher), der meist der Mehrheitspartei angehört. Sein Vertreter wird dann aus den Reihen der Opposition gewählt. Bei den mitunter tumultösen Sitzungen, die in beiden Häusern schon oft in Schlägereien ausarteten, ist die Aufgabe des Sprechers immer schwieriger geworden. Schon mehrmals mußte er die Polizei zu Hilfe rufen, um Ruhe und Ordnung wiederherzustellen, was jedesmal seinen Rücktritt erforderlich machte, da er „sein Gesicht verloren" hatte.

Ausschüsse

Die Ausschüsse sind die eigentliche Kontrollinstanz. Sie sind neuerdings auf 16 ständige und einige Sonderausschüsse beschränkt worden. Die Aufgabenbereiche der ständigen Ausschüsse entsprechen etwa denen der Ministerien. So werden praktisch alle Gesetzesvorlagen in den Ausschüssen beraten und dort auch gebilligt oder abgelehnt; das Plenum entscheidet kaum noch selbständig, sondern folgt fast immer den Berichterstattern der Ausschüsse.

Öffentlichkeit der Ausschußarbeit

Da die Ausschußarbeit öffentlich ist und über sie in der Presse berichtet wird, werden die Ausschüsse zum wichtigsten Ort der Auseinandersetzung mit der Regierung und zu deren Kontrolle durch die Opposition. Weil die Regierung die Wichtigkeit der Ausschußberatungen für die Billigung der Gesetzesvorlagen im Plenum kennt, verteidigen die Kabinettsmitglieder häufig die Vorlagen ihres Hauses vor dem Ausschuß, wobei sie sich gleichzeitig eine gute Berichterstattung in der Presse und damit einen Propagandaeffekt für ihre Person und Partei erhoffen.

Die Stärke der Regierungspartei

Seit die konservativen Kräfte sich Mitte der 50er Jahre zur Liberaldemokratischen Partei zusammengeschlossen haben und dadurch die absolute Mehrheit in beiden Häusern gewannen, konnten sie ihre Position im Parlament immer stärker ausbauen, so daß sie eine Abstimmungsniederlage kaum mehr zu befürchten brauchen. Die einzige Gefahr stellen die Faktionen der eigenen Partei dar, die jedoch durch den Anreiz eines Ministerpostens oder durch die Auflösungsdrohung zur Fraktionsdisziplin gebracht werden können (siehe 9.1.3).

Möglichkeiten der Opposition

Aus der Aufstellung wird deutlich, daß die sozialistische Opposition eigentlich niemals eine Chance hatte, auf legalem Wege Gesetze oder Verträge zu verhindern. Also greift sie oft zu aufsehenerregenden Maßnahmen. Dazu gehören Filibustermethoden im Ausschuß, um den Regierungsentwurf so lange wie möglich zu verzögern, die Lenkung von Demonstrationen auf den Straßen und vor dem Parlament, um die Regierung unter den Druck der Öffentlichkeit zu setzen, die Anwendung von physischer Gewalt im Plenarsaal, um die Unterbrechung, womöglich Schließung der Sitzung zu erzwingen, und schließlich der Auszug der Oppositionsfraktionen aus dem Parlament, um so ein Votum der Regierungspartei als ungültig erscheinen zu lassen (nach japanischem Brauch ist ein Beschluß, der nicht durch einen consensus omnium zustande gekommen ist, unehrenhaft den Überstimmten gegenüber, obwohl er rechtlich zulässig ist).

Die Obstruktionspolitik der sozialistischen Opposition, die sich wesentlich von der üblichen japanischen Verhaltensweise unterscheidet, nimmt sich den Radikalismus der Linksoppositionellen in Europa und in den USA zum Vorbild, die wie sie antitraditionell und zum Teil auch antiparlamentarisch in ihrer Haltung sind.

Tabelle 23: **Die Fraktionsstärken im Unterhaus seit 1947**

Datum	Liberal-Demokratische Partei (LDP)			Sozialistische Partei (SPJ)			Demokratisch-Sozialistische Partei (DSPJ)		Kommunistische Partei (KPJ)		Komeito		Splitterparteien, Unabhängige		Insgesamt	
		Sitze	vH		Sitze	vH	Sitze	vH	Sitze	vH	Sitze	vH	Sitze	vH	Sitze	vH
27. 4. 1947 Wahl	Lib. Dem.	131 121	28,1 26,0		**143**	30,7	–	–	4	0,8	–	–	67	14,4	466	100
23. 1. 1949 Wahl	Lib. Dem.	**264** 69	56,7 14,8		48	10,3	–	–	35	7,5	–	–	50	10,7	466	100
1. 10. 1952 Wahl	Lib. Dem.	**240** 85	51,4 18,2	LS RS	54 57	11,6 12,9	–	–	0	0	–	–	30	6,4	466	100
22. 5. 1958 Wahl		**287**	61,5		166	35,5	–	–	1	0,2	–	–	13	2,8	467	100
21. 11. 1963 Wahl		**283**	59,3		144	30,2	23	4,8	5	1,0	–	–	12	2,5	477	100
29. 1. 1967 Wahl		**277**	57,0		140	28,8	30	6,3	5	1,0	25	5,1	9	1,9	486	100
27. 12. 1969 Wahl		**288**	59,3		90	18,5	31	6,5	14	2,8	47	9,6	16	3,2	486	100
10. 12. 1972 Wahl		**271**	55,2		118	24,0	19	3,9	38	7,7	29	5,9	16	3,3	491	100
Februar 1973		**284**	57,8		118	24,0	20	4,1	39	7,9	29	5,9	1	0,2	491	100

Lib. = Liberale Partei
Dem. = Demokratische Partei
LS = Linkssozialisten
RS = Rechtssozialisten

Heute nicht mehr vorhandene Parteien, Splitterparteien und Unabhängige sind nicht einzeln aufgeführt. Die Mandate der jeweiligen Regierungspartei(en) wurden fett gedruckt.
Die letzten Wahlen fanden 1972 statt. Die Tabelle führt nicht alle Wahlen seit 1945 auf.
Zur Erhöhung der Abgeordnetenzahl 1967 und 1972 siehe Wahlsystem (9.3.1).

9.1.4.2 Gesetzgebung

Gesetzesinitiative

Die Gesetzgebungsinitiative, die nach der Verfassung auch dem Parlament zusteht, nimmt heute zum überwiegenden Teil die Regierung wahr, die in der Regel 70 bis 75 Prozent aller Gesetzesvorschläge einbringt. Die von den Mitgliedern des Parlaments eingebrachten Gesetzesentwürfe kommen meistens von Interessentengruppen, die sie auch durch außerparlamentarische Aktionen unterstützen. Vorschläge von Einzelpersonen haben kaum eine Aussicht, die Billigung des Parlaments zu erhalten, denn nach einem Gesetz vom Jahre 1955 muß ein Gesetzesvorschlag von mindestens 50 Abgeordneten unterstützt werden, wenn mit dem Gesetz Ausgaben verbunden sind.
So wurden von allen Vorlagen, die aus dem Unterhaus stammten, 1960 bis 1964 nur jeweils 15 Prozent angenommen, von solchen aus dem Oberhaus sogar im Durchschnitt nur 6 Prozent, von den Gesetzesvorlagen der Regierung passieren aber neuerdings über neun Zehntel die Prüfung des Parlaments, was darauf hinweist, daß die Regierung nicht nur über eine stabile Mehrheit in beiden Häusern, sondern auch über ausreichende Fraktionsdisziplin verfügt. Alles dies zeigt, daß die Regierung bereits wesentliche Aufgaben der Legislative übernommen hat.

Gang der Gesetzgebung

Der Gang der Gesetzgebung ist folgender:

- Das zuständige Ministerium entwirft einen Gesetzesvorschlag und nimmt durch die Mitarbeit des Wissenschaftlichen Beirats, des Amtes für Wissenschaftsplanung, oder des Amts für Wissenschaft und Technik bereits den ersten Kontakt zu den betreffenden Wirtschaftszweigen bzw. Interessengruppen auf.
- Wenn der Entwurf dann dem Minister vorliegt, zieht dieser die Vertreter der betreffenden Verbände zur Beratung hinzu. Sehr oft kommen aber die Gesetzesvorschläge bereits von den einzelnen Interessengruppen, deren Vertreter in den Beratungsgremien der Regierung sitzen.
- Der Minister reicht den Gesetzesvorschlag schließlich an das Kabinettssekretariat weiter, wo das Gesetzgebungsbüro den Entwurf prüft und dann den parlamentarischen Staatssekretären zuleitet.
- Ist deren Prüfung positiv ausgefallen, erörtert das Kabinett den Gesetzesvorschlag.
- Nach Billigung durch das Kabinett wird er dem Parlamentspräsidenten des Unterhauses zugeleitet, der ihn zu Überprüfung an den zuständigen Ausschuß gibt. Hier beginnt dann die Arbeit der Lobby, d. h. der Interessenvertreter, die oft Abgeordnete in den Ausschüssen haben, in denen die Bewilligung oder Ablehnung des Gesetzesvorschlages entschieden wird.
- Das nicht sachkundige Plenum folgt fast immer dem Votum der Ausschüsse.

9.1.4.3 Faktionen in den Fraktionen

Faktionalismus

Das Kabinett kann jedoch der Annahme seiner Vorschläge nur dann sicher sein, wenn es die Mehrheit seiner Fraktion hinter sich weiß. Da die LDP seit 1952 die absolute Mehrheit im Parlament hat, schien das keine Schwierigkeit zu bieten. Doch fühlen sich die Abgeordneten weniger der Fraktion ihrer Partei verpflichtet als vielmehr innerhalb der Fraktion einer der zahlreichen meist als Klub organisierten Gruppen (Faktionen), deren Führer sie Gefolgschaft leisten.

Die Faktionsführer

Jede Faktion hat einen Faktionsführer, der über Stimmverhalten und Meinungsäußerungen im Plenum und in den Ausschüssen entscheidet. Ohne die Unterstützung der **Faktionsführer** der eigenen Partei ist eine Regierung hilflos. Diese **haben** also **die eigentliche Macht** in den Händen und bestimmen das Schicksal der Regierung. Die Rivalitäten zwischen ihnen sind so groß, daß sie oft ihre Zugehörigkeit zur gleichen Partei zu vergessen scheinen.

Die „ha" und ihre Führer

„Die primäre Grundeinheit japanischer Politik wie der japanischen Gesellschaft war die Führer-Gefolgschaft-Gruppe – die „ha" oder Faktion ... Der ideale japanische Führer verfügt über Seniorität, Persönlichkeit und die Erfahrung, die nötig ist, um widerstrebende Elemente zusammenzubringen, und über den Zugang zu Geldmitteln ...

Doch nicht alle japanischen Führer sind aus einem Guß. Einige „Führer" sind wegen ihrer Schwäche und nicht wegen ihrer Stärke gewählt worden. Ihre Tendenz, freundlich und neutral zu sein, befähigt sie als Vermittler ... Führerschaft in Japan muß nicht notwendig mit Macht gleichgesetzt werden. Der starke unauffällige Mann, dessen Klugheit man an den Ergebnissen privater Aktionen erkennt, kommt dem japanischen Ideal näher.

Seinen Anhängern gegenüber hat der Führer die oberste Pflicht, sie mit Posten, Geldmitteln und allen Notwendigkeiten eines angenehmen Lebens zu versorgen. Diese Verbindung repräsentiert ein politisches Unternehmen zum gegenseitigen Vorteil der Beteiligten."

Robert A. Scalapino, Junnosue Masumi, Parties and Politics in Contemporary Japan, Berkeley, Los Angeles 1965, S. 18/19.

Faktionsabsprachen

Er kann aber auch einen Pakt mit dem Premierminister abschließen, der diesem Wohlverhalten der Faktion bei Abstimmungen garantiert und dafür eine Belohnung des Faktionsführers nach einem bestimmten Zeitraum in Form eines Ministerpostens in Aussicht stellt. So kommt es zu den „rotierenden Kabinetten". Aber solch ein Pakt ist recht schwierig durchzuführen, denn jede Faktion wird von bestimmten außerparlamentarischen Gruppen finanziert, die dafür natürlich die Vertretung ihrer Interessen im Parlament verlangen.

Bei den Liberaldemokraten sind es Interessengruppen aus Industrie, Handel und Landwirtschaft, bei den Sozialisten sind es die Gewerkschaften, wobei die sozialistischen Faktionen in gewisser Weise freier sind, denn ihre Bindungen sind nicht so sehr von wirtschaftlichen Interessen, als vielmehr von ideologischen Faktoren bestimmt. Allerdings mindert die Zersplitterung der sozialistischen Fraktion ihre Stärke und ihr Gewicht im Parlament.

9.1.4.4 Oberhaus

Funktionswandel des Oberhauses

Das Oberhaus ist eine alte Einrichtung des japanischen Parlaments. Doch ist das heutige „Haus der Staatsräte" in keiner Weise mit dem alten Oberhaus zu vergleichen, das dazu diente, die Machtpositionen von Adel und Großbürgertum aufrechtzuerhalten. Seine Mitglieder wurden auch nicht gewählt, sondern gehörten ihm durch Geburt oder durch Ernennung des Kaisers an.
Die Mitglieder des jetzigen Oberhauses werden jedoch vom Volke gewählt und zwar 100 in überregionalen, nationalen und 150 in Präfekturwahlen. Sie haben fast die gleichen Aufgaben wie ihre Kollegen im Abgeordnetenhaus: sie

- wählen den Premierminister und können ihn stürzen,
- haben das Recht der Gesetzesbewilligung und der Budgetkontrolle.

Sie haben den Mitgliedern des Abgeordnetenhauses sogar etwas voraus: ihr Haus kann nicht vom Premierminister aufgelöst werden. Alle drei Jahre wird (nach amerikanischem Vorbild) die Hälfte aller Staatsräte neu gewählt, die Amtsdauer des einzelnen Abgeordneten beträgt wie im amerikanischen Senat sechs Jahre. So sind sie unabhängiger von der Regierung als die Mitglieder des Abgeordnetenhauses.

Zweifel am Sinn des Oberhauses

Doch kann das Unterhaus das Oberhaus mit Zweidrittel-Mehrheit überstimmen, wenn es eine vom Abgeordnetenhaus angenommene Gesetzesvorlage ablehnt. Daher hat die Tätigkeit des Oberhauses bisher meist nur hemmend und verzögernd gewirkt. Da die Oberhausmitglieder auch den gleichen Parteien angehören, wie die Mitglieder des Unterhauses, ist die Frage nach dem Zweck dieser Institution des öfteren in der Presse gestellt und meist negativ beantwortet worden. Man sprach von einem „hinkenden Zweikammersystem" oder davon, daß das Oberhaus ein bloßes Duplikat des Unterhauses geworden sei und sich damit seines Daseinszweckes beraubt habe. In der Tat ist es weder eine Ländervertretung (wie in der BRD) noch eine Vertretung der Adelsgruppe (wie in England) und insofern in seinem Wert bestreitbar.

Hatten 1947 parteilose Unabhängige noch 44 Prozent aller Sitze inne, so ist ihr Anteil zugunsten der Parteivertreter auf bloße 3 Prozent gesunken.

Abschaffung befürwortet

Deswegen wird heute von weiten Kreisen die Abschaffung des Oberhauses in der bisherigen Form befürwortet. Dafür soll es entweder eine zweite Kammer geben, die nur aus Präfektur- und Kommunalwahlen hervorgeht, oder eine nichtgewählte zweite Körperschaft, in der ernannte Vertreter von Berufsgruppen als Berater tätig sein sollen. In jedem Falle ist hier ein ständiger Stein des Anstoßes geschaffen, dessen Aufhebung eine Verfassungsänderung notwendig macht, für die allerdings zwei Drittel der Abgeordneten beider Häuser stimmen müßten, was jedoch kaum erwartet werden kann.

Tabelle 24: **Die Machtverhältnisse im Oberhaus seit 1947**

Parteien	Sitze jeweils nach den Wahlen von				
	1947	1953	1959	1965	1972[1])
Liberal-Demokratische Partei (LDP)	66	96	132	141	135
Sozialistische Partei (SPJ)	47	43	85	73	62
Demokratisch-Sozialistische Partei	–	26	–	7	12
Kommunisten	4	–	3	4	10
„Unabhängige"	111	29	11	1	6
Komeito	–	–	–	20	23

[1]) 4 Sitze unbesetzt.

9.1.4.5 Zusammensetzung des Parlaments

Soziale Zusammensetzung

Die einzelnen Parlaments-Fraktionen und ihre Faktionen in beiden Häusern setzen sich aus recht wenigen Gruppen zusammen:
1. ehemalige höhere Staatsbeamte,
2. a) ehemalige Abgeordnete aus den Landtagen,
   b) Kommunalbeamte,
3. ehemalige Präsidenten oder Direktoren von Wirtschafts- oder Landwirtschaftsverbänden,
4. Gewerkschaftsführer oder Führer von landwirtschaftlichen Genossenschaftsverbänden.

Beamte

Die erste Gruppe ist zweifellos die wichtigste, handelt es sich hier doch um Männer, die an einer Staatsuniversität, meist an der Todai, einen Grad erworben haben, bevor sie in den höheren Staatsdienst eintraten, in dem sie oft bis zum Rang eines Ministers, Staatssekretärs, Gouverneurs oder Botschafters aufgestiegen sind. Als ihre Karriere durch das Kriegsende oder neuerdings durch die frühzeitige Pensionierung beendet wurde, gingen sie in die Politik und erreichten hier, dank ihrer Bekanntheit und ihrer zahlreichen und wichtigen Verbindungen (aus Schul-, Universitäts- und Dienstzeit) bald einen Sitz im Parlament. Sie sind die mächtigste Gruppe, stellen die Faktionschefs, die Ausschußvorsitzenden, die parlamentarischen Staatssekretäre und sind wegen ihrer zahlreichen Erfahrungen in Regierungs- und Verwaltungsfragen auch für die jeweilige Regierung unentbehrlich. Von der LDP gehören 25 bis 30 Prozent aller Abgeordneten zu dieser Gruppe, von der Sozialistischen Partei nur 2 bis 4 Prozent.

Lokalpolitiker

Die zweite Gruppe bezeichnet alle diejenigen, die wir eigentlich als die „wahren" Politiker ansehen: Leute, die sich jahrelang in Städten und Gemeinden politisch betätigt haben, dort eine gewisse Unabhängigkeit erworben, aber auch gelernt haben, mit Interessenverbänden als Partnern zu arbeiten. Sie sind geformt durch ihre jahrelange Tätigkeit als Landespolitiker in relativer Unabhängigkeit von der Zentralregierung und stehen so in einem erklärten Gegensatz zu den zentralistisch orientierten ehemaligen Staatsbeamten. Anders als jene sind sie meistens Absolventen von Privatuniversitäten oder Colleges. Diese Gruppe ist stärker in der sozialistischen Fraktion repräsentiert (25 bis 30 Prozent) als in der Liberaldemokratischen (15 bis 25 Prozent). In den Kabinetten sind sie seit langer Zeit nicht mehr vertreten.

Wirtschaftler

Die dritte Gruppe (ehemalige Aufsichtsräte, Präsidenten von Unternehmen und Verbänden) scheint neben den ehemaligen Beamten eine immer größere Rolle zu spielen: von der LDP-Fraktion gehören ihr zwischen 50 bis 60 Prozent aller Abgeordneten an, von der sozialistischen Fraktion allerdings nur 15 bis 20 Prozent. Das ist auch die Gruppe, die am stärksten unter dem Druck der Wirtschaftsverbände steht, mit denen diese Abgeordneten durch ihre eigene Tätigkeit jahrelang verbunden waren.

Gewerkschaftler

Die vierte Gruppe wird fast nur von den sozialistischen Fraktionen gestellt, deren Mitglieder zu mehr als der Hälfte Gewerkschaftsführer oder Genossenschaftsleiter sind.

Innerhalb der LDP-Fraktion hat sich die erste Gruppe zur beherrschenden gemacht, so daß man bereits von einer „Verbeamtung" dieser Fraktion sprechen kann. Die drei letzten Regierungen (Kishi, Ikeda, Sato) wurden immer von Faktionsführern gebildet, deren Anhänger vor allem ehemalige Staatsbeamte waren und deren Kabinette daher auch zur Mehrzahl aus solchen bestanden.

9.1.5 Zentralverwaltung

Vorkriegsverhältnisse

Nichts kennzeichnet das Verhältnis zwischen Bevölkerung und Beamtenschaft in der Zeit vor 1945 besser als das alte Wort aus der Tokugawa-Zeit „kanson mimpi" (der Beamte geehrt, das Volk verachtet). Dieses Denken befand sich in Übereinstimmung mit der konfuzianischen Tradition, nach der der Beamte sein Leben Kaiser und Staat weiht und unermüdlich und unbestechlich seinen Dienst zum Wohl des Ganzen tut.

Da der Beamte vom Kaiser ernannt wurde, handelte er auch in dessen Namen. Verdienste um den Staat oder der erfolgreiche Studienabschluß an den Rechtsfakultäten der Eliteuniversitäten von Tokyo und Kyoto waren die Bedingungen, die erfüllt sein mußten, um Zutritt zur höheren Beamtenlaufbahn zu erhalten.

Die höhere Beamtenschaft war es auch, die die Reformen der Meiji-Zeit vorantrieb, die auf technischem, wirtschaftlichem und administrativem Gebiet umwälzend waren. So wuchs der Respekt vor dem höheren Beamtenkorps. Es gehörte meistens zur intellektuellen Elite, die allerdings mehr einer Gedächtnis- als einer Denkschulung an den Universitäten unterzogen worden war. Das Wort vom Diener des Volkes, wie es nach dem Kriege üblich war, konnte in der Vorkriegszeit nicht auf den Beamten angewandt werden. Er war eher der

Fachmann, der über eine Fülle von Detailwissen verfügte und dieses zum Wohle des Staates einsetzte. Oft erschien ihm der Staat jedoch nur noch reduziert auf sein Ministerium oder seine Abteilung, und es kam zu starken Machtkämpfen innerhalb der Verwaltung. In der „konstitutionellen Periode" der 20er Jahre erkannte die hohe Bürokratie sehr bald ihre Chance, nach der frühzeitigen Pensionierung (mit 45 bis 50 Jahren) eine neue Karriere in der Politik zu beginnen, und spannte schon ihre Fäden zu den Parteien. Die Militärdiktatur der 30er und 40er Jahre beendete diese Möglichkeit; die Wiederbelebung des parlamentarischen Systems durch die Besatzungsbehörden eröffnete sie jedoch wieder. Bereits unter der Besatzung wurden die ersten Gesetze zu einer Reform der Verwaltung ausgearbeitet, die vorsahen, daß die Verwaltung nicht mehr das Volk beherrscht, sondern ihm dient. Dazu wurden drei Kontrollämter geschaffen, die dafür sorgen sollten, daß die Verwaltung sich nicht verselbständigte:

Verwaltungsreform nach 1945

- die Zentrale Verwaltungsbehörde, die direkt dem Büro des Premierministers untersteht,
- die Zentrale Personalbehörde, die über die Einstellung, Beförderung und Ernennung der Beamten entscheidet sowie über die Arbeitsbedingungen, Gehaltsfragen etc.,
- die Budgetabteilung des Finanzministers, die bei der Bewilligung der Verwaltungsausgaben kontrolliert.

Kontrollbehörden

Der Tatsache, daß die Kambatsu (Bürokratenclique) gleichzeitig eine Gakubatsu (Universitätsclique) war, suchte man dadurch entgegenzuwirken, daß man diese Laufbahn auch für Graduierte anderer Universitäten öffnete. Doch waren noch in den 60er Jahren über 60 Prozent aller höheren Staatsbeamten Absolventen der Todai, im Range der Amtschefs waren es sogar über 80 Prozent.

Bürokratenclique zugleich Universitätsclique

Die höhere Verwaltung (Kambatsu) ist trotz aller Kontrollorgane sehr selbständig geblieben, so selbständig, daß sie oft nicht mehr als ausführende, sondern schon als bestimmende Gewalt angesehen werden muß. Sie wird mitunter sogar als vierte Gewalt bezeichnet. Die Gründe dafür sind mannigfaltig:

Ausführende oder bestimmende Gewalt

1. Die Mitgestaltung der politischen Entscheidung durch das höhere Beamtenkorps gehört zur japanischen Tradition.
2. Das Parlament hat nicht genügend Experten und keinen genügend großen Apparat, um mit den komplizierten verwaltungsmäßigen und fachlichen Problemen fertig zu werden, die sich bei jeder Gesetzesvorbereitung stellen. So verläßt es sich hier auf Empfehlungen der besser ausgestatteten Bürokratie.
3. Ein großer Teil der Parlamentarier kommt immer noch aus der Verwaltung (26 Prozent der LDP-Abgeordneten), denn diese gilt weitgehend als Grundlage der politischen Laufbahn. Der Beamte kommt oft mit den wichtigsten Politikern, Geschäfts- und Finanzleuten, den Verbands- und Gewerkschaftsführern zusammen, wenn er über die Vergabe von Aufträgen, Krediten und Lizenzen zu entscheiden hat. So ist er bereits eine bekannte Persönlichkeit, wenn er sich

zu den ersten Wahlen stellt, in denen er dann aufgrund seiner Beziehungen zu den „Lokalbossen" aus der Verwaltungszeit auch gute Gewinnchancen hat. Einmal im Parlament, hat er infolge seiner Sachkenntnisse gute Aussichten, Ausschußvorsitzender oder zumindest Ausschußmitglied zu werden. Im Ausschuß trifft er mit seinen ehemaligen Kollegen zusammen, die von der Seite des Ministeriums her das geplante Gesetz erläutern. Hier kommt es dann meist zu einer guten Zusammenarbeit zwischen derzeitigen und ehemaligen Verwaltungschefs.

4. Die Bürokratie bleibt beständig bei dem sehr häufigen Wechsel der Kabinette (von 1945 bis Anfang 1973: 24 verschiedene Kabinette). So werden die Staatssekretäre und die höheren Verwaltungsbeamten der eigentliche Führungsstab der Regierung, die immer mehr von ihnen abhängig wird, je öfter sie sich umbildet, was in Japan auf Grund des Rotationssystems (siehe 9.1.4.3) kaum vermeidbar ist.

5. Um die Bedeutung der Bürokratie innerhalb des politischen Prozesses richtig einzuschätzen, ist noch zu beachten, daß die Kabinette in den letzten Jahren fast zur Hälfte aus ehemaligen Karrierebeamten bestanden und daß von den sechs Premierministern zwischen 1948 und 1964 vier Karrierebeamte waren.

Bürokratisierung der Politik

Der Gewinn aus einer solchen Vorherrschaft der Verwaltung über die Politik lag zweifellos in der Effizienz, mit der gearbeitet werden konnte. Zu fragen ist aber, ob die Vorherrschaft des administrativen Denkens in der politischen Entscheidung nicht das Bewußtsein der Verantwortlichkeit gegenüber der Bevölkerung verdrängt hat. Viele Mißstände (Luft- und Wasserverschmutzung, Vernachlässigung von Schul- und Universitätsbauten sowie des Schutzes der Arbeiter in Klein- und Mittelbetrieben und anderes mehr) scheinen diese Vermutung zu bestätigen. Das Problem der „verwalteten Gesellschaft" ist aber nicht das Japans allein, und es wird interessant sein zu sehen, welche Wege Japan zu seiner Lösung gehen wird.

9.1.6 Örtliche Selbstverwaltung

Die Selbstverwaltung vor den Reformen

Lokale Selbstverwaltung gab es in Japan seit der Meiji-Verfassung und dem Gesetz von 1890 über die Schaffung von städtischen und ländlichen Präfekturen. Aber diese Präfekturen ersetzten in Wirklichkeit nur die alten Herrschaftsgebiete der Daimyos; an ihrer Spitze stand jeweils ein vom Kaiser ernannter und von der Zentralregierung mit Weisungen versehener und kontrollierter Gouverneur. So entsprach die japanische Präfektur eher dem französischen „département" als dem amerikanischen „state" oder der deutschen Provinz.

Herrschaft der Zentralregierung

Da es das Ziel der Reformen war, die alten Feudalstrukturen zu beseitigen und einen modernen Einheitsstaat zu schaffen, hatten die Reformer selbstverständlich kein Interesse an einer Autonomie der Präfekturen. Es gab auch keine Voraussetzungen dafür: weder un-

Der Aufbau der örtlichen Selbstverwaltung 1971
(Abbildung 23)

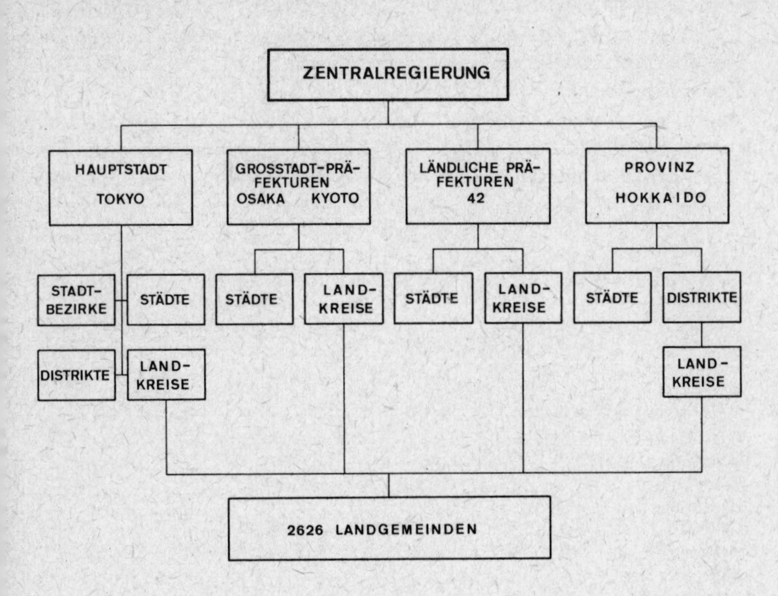

terschieden sie sich durch Mundarten oder Bekenntnis (wie etwa in Frankreich, der Schweiz, Deutschland) noch durch regional bedingte wirtschaftliche Besonderheiten (wie die Provinzen in Deutschland, Frankreich oder Belgien). So herrschte der Gouverneur an Kaisers Statt, war ein Beamter der Zentralregierung und stand im Rang gerade unter einem stellvertretenden Minister. Er stellte das Budget sowohl der Präfektur als auch das der Städte und Dörfer auf und richtete sich dabei nach den Wünschen der Zentralregierung.

Zentralisierung und Beamtenherrschaft waren so weit eher die vorherrschenden Grundsätze der Lokalregierung als örtliche Selbstverwaltung und Demokratie.

Die reformierte Selbstverwaltung

Eine der bedeutendsten Neuerungen der Nachkriegsreformen bestand darin, daß die Gouverneure der Präfekturen ebenso wie die Präfekturversammlung nun direkt vom Volke gewählt wurden. Gleicherweise wählt nun jede Stadt oder jedes Dorf seinen Bürgermeister und seine Stadt- oder Gemeindeversammlung. Die Regierungsgouverneure oder Bürgermeister haben das Auflösungsrecht gegenüber ihrer Volksvertretung, diese hat das Recht des Mißtrauensvotums. Die Gouverneure und Bürgermeister werden auf vier Jahre gewählt, ebenso wie die örtlichen Selbstvertretungen.

Kompetenzverteilung

Der örtlichen Selbstverwaltung sind Polizei, Gesundheitsfürsorge, Schulwesen, Energieversorgung, Kanalisation, Steuereinziehung und anderes mehr überlassen. Nur das Gerichtswesen (Kapitalverbrechen), Eisenbahn und grenzüberschreitender Verkehr, Post und Fernmeldewesen, Universitäten und Forschungseinrichtungen.sind Aufgabe der Zentralregierung.

Allerdings müssen die lokalen Behörden auch Gesetze der Zentralregierung durchführen helfen, die für das gesamte Nationalgebiet gelten. In den letzten Jahren waren das vier Fünftel aller Verordnungen, die sie erließen.

Tabelle 25: **Die Machtverteilung in der örtlichen Selbstverwaltung** (Dezember 1971)

	LDP	SPJ	Komeito	DSP	KPJ	Splitterparteien	Parteilose	Insgesamt	Unbesetzt
Gouverneure (Dezember 1972)	21	1	–	–	–	–	25	47	–
Stadtbürgermeister	83	21	–	–	1	–	534	639	–
Gemeindevorsteher	123	7	–	–	1	–	2496	2627	3
Mitglieder der Präfektur-Parlamente	1656	504	120	95	123	50	183	2731	13
Stadtverordnete	3074	1922	1334	560	1102	118	11239	19403	123
Gemeindevertreter	1610	1011	745	107	1108	23	45047	49651	476

LDP offiziell schwach, tatsächlich stark

Trotz relativ weniger offizieller Vertreter kann die Regierungspartei LDP in den Regional- und Lokalparlamenten fast überall mit sicheren Mehrheiten rechnen, da über drei Viertel der „Parteilosen" mit ihr sympathisieren (siehe auch Abbildung 25 in Kapitel 9.2.2):

- 18 der 25 parteilosen Gouverneure unterstützen die LDP, nur die von Tokyo, Osaka und Okinawa die SPJ.
- Von den „unabhängigen" Stadt- und Gemeindebürgermeistern zählen 75 bis 90 Prozent als LDP-Anhänger, so daß alles in allem über vier Fünftel der Behördenchefs auf dem Lande und in den Städten im Sinne der LDP-Politik wirken.
- In den Präfektur-Parlamenten stellt die LDP direkt mehr als 60 Prozent der Abgeordneten, mit der ihr zuneigenden Masse der „Unabhängigen" weitere 5 Prozent.
- In den Stadtverordnetenversammlungen überwiegen die Parteilosen mit über der Hälfte der Mitglieder, in den Gemeinderäten sogar mit neun Zehnteln. Da sie jedoch fast alle mit der LDP stimmen, kann die hier offiziell schwache Regierungspartei tatsächlich insgesamt über rund 60 Prozent der Mandate in den Städten und über 85 Prozent in den Gemeinden verfügen.

Somit hat die Zentralregierung dank ihrer starken Anhängerschaft keine Schwierigkeiten, in den lokalen Behörden und Volksvertretungen ihre Politik durchzusetzen. Die Möglichkeit einer eigenen unabhängigen Politik in den Selbstverwaltungskörperschaften wird vollends dadurch fraglich, daß sie alle vom Finanzausgleich der Zentralregierung abhängig sind. Erhielten sie 1935 nur 12 Prozent ihrer Mittel von der Zentralregierung, so waren es 1961 bereits 43 Prozent.

Finanzielle Abhängigkeit

Mit der finanziellen Abhängigkeit ist auch eine politische verbunden, denn der entsprechende Ressortminister muß die Verwendung der finanziellen Zuschüsse durch die jeweilige Präfektur überwachen und kann damit die Maßnahmen der örtlichen Behörden beeinflussen.

Politischer Einfluß der Zentralregierung

Eine weitere Ursache des Einflusses der Zentralregierung auf die Regionalbehörden ergibt sich aus der Struktur der Präfekturen, deren Grenzen vor 90 und mehr Jahren festgelegt wurden. Die einzigen Oppositionsstimmen, die die Regierungspartei in den Selbstverwaltungen zu befürchten hat, kommen aus den Städten. Diese wachsen sehr schnell an, das Land jedoch verliert seine Bevölkerung. Da die Grenzen der Wahlkreise nur in großen Zeitabständen verändert werden, können oft auf dem Lande sehr viel weniger Stimmen einen Sitz in der Gemeindeversammlung einbringen als in der Stadt. Dadurch werden wesentliche Veränderungen der Wahlergebnisse und damit der Machtverhältnisse in den lokalen Körperschaften sehr erschwert. So ist trotz aller grundlegenden Reformen der Verfassung die **Zentralregierung die beherrschende Macht** geblieben, die den lokalen Behörden nur ausführende Dienste gestattet, aber nicht konstruktive Veränderung.

Ungleiche Größe der Wahlkreise

9.1.7 Justiz

Japan hat eine sehr alte Rechtstradition. Eines der ältesten überlieferten Schriftstücke ist die sogenannte Verfassung der 17 Artikel des Shotoku Taishi aus dem Jahre 604. Alle weiteren politischen und sozialen Veränderungen kamen von oben und wurden fast immer kodifiziert, so daß Japan als ein sehr gesetzesfreudiger Staat bezeichnet werden kann. Dabei diente das Recht durchaus nicht immer den Interessen der herrschenden Klassen, deren Macht durch die Rechtsreformen oft empfindlich eingeschränkt wurde, und auch nicht der Aufrechterhaltung des Status quo, der mehrmals recht kräftig durch Gesetzesmacht verändert wurde (wie z. B. in den Meiji-Reformen von 1866).

Japans Rechtstradition

Die hohe Wertschätzung des Rechts änderte sich auch nicht in der Meiji-Zeit, die nicht erst mit der Verkündung einer neuen Verfassung (1890) begann, sondern schon vorher mit der Annahme eines modernen Kriminal- und Handelsrechts, das sich stark nach europäischem Vorbild richtete. Aber diese Modernisierung des Rechtswesens erfolgte unter dem Zwang der äußeren Verhältnisse.

Das Rechtssystem der Meiji-Zeit

Ihr Ziel war die Aufhebung der „ungleichen Verträge" und der Exterritorialität der ausländischen Mächte, die diese eben mit dem Argument gefordert hatten, daß Japan kein dem europäischen ebenbürtiges Rechtssystem besitze, das einem Europäer Rechtssicherheit bieten könne. So schuf man aus außen- wie auch handelspolitischen Gründen ein neues Rechtssystem, das weitgehend dem deutschen Vorbild folgte. Damit war das Rechtswesen modernisiert, und die ungleichen Verträge konnten revidiert werden.

Abhängigkeit der Judikative im Meijistaat

Doch wurde die Judikative keine unabhängige dritte Kraft im Staate, sondern blieb ein Ausführungsorgan der Exekutive. Die Gerichtshöfe unterstanden der Verwaltungsaufsicht des Justizministeriums, und die Regierung ernannte die Richter und setzte sie ab.

Die Reformen von 1947/48

Die Reform durch die Besatzungsmächte entzog die Rechtsprechung der Aufsicht des Justizministeriums:

- Oberste Richtschnur aller Rechtsprechung ist nun die Verfassung.
- Der Präsident des Obersten Gerichtshofes steht dem Premierminister im Rang gleich und wird vom Tenno auf Vorschlag des Kabinetts eingesetzt.
- Die anderen Richter des obersten Gerichtshofes ernennt das Kabinett, aber sie bedürfen einer plebiszitären Bestätigung bei Unterhauswahlen (den nächstfolgenden und dann alle zehn Jahre wieder), wobei sie bisher immer eine überwältigende Mehrheit fanden.
- Die Richter an den anderen Gerichtshöfen werden vom obersten Gerichtshof benannt und vom Kabinett ernannt. Sie können nur abgesetzt werden, wenn sie körperlich oder geistig unfähig sind, ihre Aufgaben zu erfüllen. Damit ist die Unabhängigkeit des Gerichts gewährleistet.

Oberster Gerichtshof

Der oberste Gerichtshof hat die Kontrolle über die gesamte Rechtsprechung, er überwacht die Ausbildung der Rechtsanwälte, Richter und Staatsanwälte, er wählt die Richter aus, die er dem Kabinett zur Ernennung vorschlägt und er ist das oberste Appellationsgericht dann, wenn die Verfassungsmäßigkeit eines Gesetzes, einer Verordnung oder einer behördlichen Anordnung in Frage gestellt wird.

Politische Zurückhaltung

Bisher hat er jedoch nur solche Gesetze für verfassungswidrig erkannt, die ohnehin nicht mehr rechtskräftig waren. Er lehnt es – ganz anders als das Bundesverfassungsgericht in der BRD – ab, die Rechtmäßigkeit von Gesetzgebungsakten anzuzweifeln, da er sonst das Prinzip der Gewaltenteilung verletze.

In der Tat ergeben sich hier ernstzunehmende Bedenken: Da die obersten Richter unabsetzbar sind und keiner Kontrolle unterstehen (sieht man von dem alle 10 Jahre stattfindenden, bisher völlig folgenlosen Plebiszit der Wähler ab), gibt es keine Gleichheit der politischen Wirkungsmöglichkeiten zwischen ihnen einerseits und der Regierung und dem Parlament andererseits, die beide jederzeit abgewählt, aufgelöst oder zum Rücktritt gezwungen werden können.

Keine Rechtsprechung über politische Entscheidungen

Diese Probleme hat der oberste Gerichtshof wohl erkannt und ist daher allen Aufforderungen zur Rechtsprechung über politische Entscheidungen aus dem Wege gegangen.

So hat er im Jahre 1951 seine Unzuständigkeit erklärt, als die SPJ vor dem obersten Gerichtshof gegen die Aufstellung der Nationalen Polizeistreitkräfte (siehe 9.1.8) klagte, da dies gegen Artikel 9 der Verfassung verstoße. Die Begründung dafür war, daß er sich nicht mit „abstrakten Problemen der Verfassungsmäßigkeit" zu befassen habe.
1952 wurde der oberste Gerichtshof wiederum von der SPJ, diesmal in der Frage der Verfassungsmäßigkeit von Unterhausauflösungen durch die Regierung, angerufen. Die Antwort lautete, daß die Gerichte nicht befugt seien, die Verfassungsmäßigkeit der Unterhausauflösungen zu überprüfen. Die Beurteilung von Staatsakten sei vielmehr der Entscheidung des souveränen Volkes überlassen.

Sicherheitsvertrag verfassungsmäßig?

Im Jahre 1952 wurde der oberste Gerichtshof in der Frage der Verfassungsmäßigkeit amerikanischer Stützpunkte in Japan angerufen. Hier ging es anläßlich eines Zwischenfalls vor einem Luftstützpunkt in der Nähe Tokyos um die Frage, ob die Aufrechterhaltung der amerikanischen Streitkräfte in Japan überhaupt verfassungsmäßig zulässig sei.
Und hier zeigte es sich auch, daß die Oberlandesgerichte oft anders urteilen als der oberste Gerichtshof:

- Das Oberlandesgericht Tokyo erklärte, die Stationierung von amerikanischen Soldaten verstoße eindeutig gegen Artikel 9 der Verfassung und deshalb seien auch der Sicherheitspakt und damit die Stationierung amerikanischer Soldaten in Japan gesetzlich nicht zulässig.
- Dagegen beurteilte der oberste Gerichtshof den Sicherheitsvertrag mit Japan als verfassungskonform, da Japan sein Recht auf Selbstverteidigung nicht wahrnehme, sondern seinen Schutz „der Gerechtigkeit und dem Glauben der friedliebenden Völker anvertraut habe" – womit er die amerikanischen Streitkräfte als eine Art Sicherheitstruppe der UN deutete. Da Japan diese Truppen nicht aufgestellt habe und auch nicht kommandiere, verletze die Anwesenheit dieser Truppen in Japan auch nicht die Verfassung. Der Sicherheitsvertrag selbst sei eine politische Entscheidung, die der Beurteilung des Parlaments unterliege.

Politische Neutralität auch gegenüber einer sozialistischen Regierung

Von dem Grundsatz, daß politische Entscheidungen dem Urteil der Wähler, aber nicht der Rechtsprechung unterliegen, hat sich der oberste Gerichtshof bisher immer leiten lassen. Doch ist zu fragen, ob er diese Haltung auch beibehalten würde, wenn er nicht mehr über Gesetze einer konservativen, sondern einer sozialistischen Regierung zu befinden hätte, denn die bisherigen Urteile haben stets den politischen Wünschen der Konservativen entsprochen.

Traditionelles Mißtrauen gegenüber den Gerichten

Die mittlere und untere Gerichtsbarkeit funktionieren zwar recht gut, spielen aber bei weitem nicht die Rolle im Leben der japanischen Gesellschaft, wie man es erwarten möchte. Das liegt daran, daß die Japaner zwar eine hohe Wertschätzung des Rechts haben, zugleich sich aber ein traditionelles Mißtrauen gegenüber den Gerichten bewahrt haben und auch aus dem Respekt vor dem Harmonieprinzip (siehe 7.7) immer noch dazu neigen, die meisten Streitfälle privat, ohne Inanspruchnahme der Gerichte zu regeln.
So sind zwar alle Voraussetzungen gegeben, das Recht des einzelnen mit Hilfe der Rechtsfindung zu verteidigen gegen Übergriffe des Staates oder mächtiger Gruppen in der Gesellschaft. Aber die Japaner müssen erst lernen, Vertrauen zur Justiz zu fassen, die in den letzten hundert Jahren weitgehend Instrument des Staates zur Disziplinierung der Bürger war.

9.1.8 Verteidigungsstreitkräfte

Die Bedeutung des Militärs in der Vergangenheit

Die Macht des Militärs hat in Japans Vergangenheit immer eine große Rolle gespielt. Nicht nur, daß der militärische Sieg im Bürgerkrieg die politische Herrschaft sicherte, die Militärkräfte wurden auch benötigt zur Durchsetzung der eigenen Herrschaft gegen Andersdenkende.

In der Kamakura-Zeit (1192–1333) bestimmte das Militär nicht nur das äußere Leben, sondern auch die Denkformen. Die Ethik des Kriegers wurde späterhin vorbildlich, er wurde zum Leitbild des Menschen schlechthin.
War das noch verständlich in den Wirren der Bürgerkriege des Mittelalters, in denen das Schicksal tatsächlich in den Händen der Krieger lag, so wurde die hohe Wertschätzung des Kriegers ein Anachronismus in der langen Friedensperiode der Tokugawa-Herrschaft, in der das Wohl des ganzen Volkes von der Produktivkraft und Initiative des Bauern- und Bürgerstandes abhing. Die Kriegerkaste lebte völlig unproduktiv auf Kosten der gesamten arbeitenden Bevölkerung (siehe 1.5.1).

Politische Macht des Militärs in der Vorkriegszeit

Anders als in Europa entwickelte sich in Japan kein selbstbewußtes Bürgertum, das die überlebte Herrschaft des Kriegeradels beseitigt und sich an dessen Stelle gesetzt hätte. Die Revolution kam, ähnlich wie in Deutschland, von oben. Die Modernisierung des Staates wurde in der Meiji-Zeit von einigen Mitgliedern des mittleren und niederen Adels durchgeführt und auch nicht zum Zwecke der Umstrukturierung der Gesellschaft, sondern zur Erzielung einer größeren wirtschaftlichen Stärke und militärischen Schlagkraft (siehe 2.1).
Die stärkere Beteiligung des Bürgertums an der Politik war zwar nicht mehr aufzuhalten, aber die eigentliche Macht lag doch in den Händen des Adels und des Militärs, und nach dem kurzen Zwischenspiel der „konstitutionellen Periode" in den 20er Jahren (siehe 3.2) übernahmen wieder die Militärs die Herrschaft und führten Japan folgerichtig aus dem „kleinen Krieg" der 30er Jahre in den großen der 40er (siehe 3.3.1).

Bei einer so starken Vorherrschaft des militärischen Elements in der Geschichte ist es verständlich, daß man überall in der Welt besorgt nach Anzeichen für das Wiederauftauchen des japanischen Militarismus, die Wiedergeburt militärischen Denkens und für die Einflußnahme, wenn nicht sogar Machtübernahme durch das Militär sucht.

Verzicht auf Bewaffnung „für immer"

Der Artikel 9 der Verfassung besagt jedoch ganz eindeutig, daß Japan auf „die Androhung und Anwendung von Gewalt als Mittel zur Regelung internationaler Streitigkeiten" verzichtet. Darüber hinaus heißt es, daß „nie mehr Land-, See- und Luftstreitkräfte sowie anderes Kriegspotential unterhalten werden" dürfe. Dieser Artikel ist einer der wenigen in dieser Verfassung, den die Japaner selbst ausgearbeitet haben und den das japanische Volk einhellig begrüßte (siehe 9.1.1).

Remilitarisierung durch die USA

Aber gerade die Macht, die ausgezogen war, den japanischen Militarismus ein für allemal auszurotten, setzte die Wiederbewaffnung durch: Mit Beginn des Koreakrieges 1950 drängten die USA die Regierung in Tokyo, wieder eigene Truppen aufzustellen. Bald nach dem Friedensvertrag von San Francisco und dem Sicherheitspakt mit den USA 1951 (siehe 4.3) rückten in Japans Kasernen wieder Soldaten ein – „Selbstverteidigungs-Streitkräfte", wie die neue Armee mit Rücksicht auf die Verfassung nun hieß.

Ablehnung durch die Bevölkerung

Doch das japanische Volk nahm die wiedergewonnene militärische

Souveränität nicht mit der erwarteten Freude auf. In unvernarbter Erinnerung an Hiroshima und die Kapitulation zeigte es sich weitgehend skeptisch, ja sogar ablehnend. Mit Verfahren vor dem obersten Gerichtshof (siehe 9.1.7), Versammlungen und Demonstrationen kämpften vor allem Gewerkschaften, Sozialisten und Studenten heftig gegen die Remilitarisierungspolitik. Der Widerstand konnte die Verabschiedung der Wehrgesetze zwar bis 1954 verzögern, indes nicht verhindern.

Zustimmung heute

Inzwischen hat sich die Haltung der Bevölkerung geändert, nicht zuletzt unter dem Eindruck der sowjetischen und chinesischen Atomwaffen- und Raketenrüstung.

1967 sprachen sich bei einer Umfrage 77 Prozent der Befragten für die Selbstverteidigungs-Streitkräfte (SDF) aus. Davon gaben allerdings 76 Prozent als Hauptzweck der SDF den Einsatz in Katastrophenfällen an, und nur 22 Prozent erklärten, einem Eintritt ihres Sohnes in die SDF zustimmen zu wollen.

Regierungseigene Interpretation des Artikels 9

Allerdings steht immer noch der Artikel 9 einem vollen Ausbau der Armee und vor allem der Nuklearbewaffnung im Wege. Die Regierungspartei unternahm bereits mehrere Vorstöße, um Artikel 9 zu ändern, aber sie scheiterte immer wieder an der Unmöglichkeit, die für eine Verfassungsänderung nötige Zweidrittel-Mehrheit im Parlament zu erreichen. Deshalb behilft sie sich mit einer Auslegung, die nicht nur ein Recht, sondern geradezu die Pflicht zur Verteidigung des Landes behauptet.

Verfassungsinterpretation der Regierung

„Die Verfassung verbietet jedoch nicht die Anwendung von Gewalt als ein Mittel, unser Land im Falle eines bewaffneten Angriffs zu verteidigen. Daraus ergibt sich zwangsläufig, daß Japan über Verteidigungsstreitkräfte verfügen kann zur Ausübung seines ererbten Rechtes zur Selbstverteidigung. Die Verteidigung Japans heißt, die Sicherheit und den Frieden unseres Landes, die Kultur, die Freiheit und Demokratie unserer Nation und die Stabilität und Wohlfahrt unseres Volkes zu schützen. Das japanische Volk muß sein Leben und sein Land gegen jeden ungerechtfertigten Angriff verteidigen. Das ist die Aufgabe jedes einzelnen Japaners, und das ist unsere Pflicht unseren Vorfahren und Nachkommen gegenüber."
Weißbuch des Verteidigungsamtes, in: Information Bulletin 1970, S. 232.

Keine Angriffswaffen

So hat sich zwar die japanische Öffentlichkeit mit der Tatsache eigener Verteidigungsstreitkräfte abgefunden. Allerdings hat die allgemeine Skepsis die Regierung davon zurückgehalten, die Armee mit Angriffswaffen auszurüsten. So hat die Marine weder Schlachtschiffe noch Flugzeugträger oder Kreuzer, sondern Zerstörer, U-Boote und Minensuchboote. Die Luftwaffe verfügt über keine Fernstreckenbomber, sondern nur über Jagdbomber, und das Heer schließlich besitzt keine Interkontinentalraketen, sondern nur Boden-Luft-Abwehrraketen. Auch erklärt die Regierung immer wieder den Verzicht auf Atomwaffen.

Politische Leitung und Kontrolle

Anstelle eines Verteidigungsministeriums besteht nur ein Verteidigungsamt als Unterabteilung des Amtes des Premierministers. Sein Leiter, ein Generaldirektor, muß immer ein Zivilist sein. Entscheidungen kann nur der Verteidigungsrat fällen, dem neben dem Leiter des Verteidigungsamtes der Premierminister, sein Stellvertreter, der Außenminister, der Finanzminister und der Leiter des Wirtschaftsplanungsamtes angehören. Der Premierminister, nicht der Chef des Verteidigungsamtes, ist der Oberkommandierende. Alle Beschlüsse, die Geldausgaben erforderlich machen, muß das Parlament billigen, so daß auch dieses noch eine Kontrollfunktion über die Streitkräfte ausübt.

Vergleichsweise niedrige Militärausgaben

Der Aufwand für die Armee, gemessen an den Prokopfausgaben und am Bruttosozialprodukt, ist der geringste, den ein bewaffnetes Land zur Zeit aufbringt.

Tabelle 26: **Militärausgaben 1970 im internationalen Vergleich**

	UdSSR	USA	Großbritannien	Frankreich	BRD	Japan
Millionen Dollar	53900	76507	5950	5982	6188	1582
Dollar je Kopf	222	373	107	118	104	14
Prozent des Sozialprodukts	11,0	7,8	4,9	4,0	3,3	0,8

Schätzungen des Institute for Strategic Studies London, in: „The Military Balance 1971 – 72".

Dies ist um so erstaunlicher, als Japan inzwischen eines der wohlhabendsten Länder geworden ist und sich zum wirtschaftlichen Wettkampf mit den zwei größten Wirtschaftsmächten rüstet. Mit Leichtigkeit hätte Japan 2 oder 3 Prozent seines Bruttosozialproduktes für die Rüstung ausgeben können – aber so stark war der Druck der öffentlichen Meinung, daß es bei etwa einem Prozent blieb.

Stärke der Streitkräfte

So stiegen auch seit 1958 die Stärke
- des Heeres nur von 170 000 auf 180 000 Mann (dazu 36 000 Reservisten),
- der Marine von 35 441 auf 38 323
- und der Luftwaffe von 26 625 auf 41 657 Mann.

Insgesamt stehen also noch nicht einmal 300 000 Mann unter Waffen, eine gewiß nicht bedrohliche Streitmacht für ein Volk von 100 Millionen.

Dennoch klettert auch in Japan der Wehr-Haushalt: Sah das 3. Verteidigungsprogramm für 1967 bis 1971 insgesamt 2 340 Milliarden Yen vor, so veranschlagt der Fünfjahrplan für 1972 bis 1976 mit 4 630 Milliarden fast genau das Doppelte (was etwa dem Lohn- und Preisanstieg entspricht).

Keine Wehrpflicht

Es gibt keine Wehrpflicht, sondern nur ein Freiwilligenheer. Der Eintretende verpflichtet sich für zwei oder drei Jahre, so daß das Verteidigungsamt jährlich etwa 30 000 Rekruten anwerben muß, um den Bestand zu halten. Der Arbeitskräftemangel in der Industrie macht es jedoch recht schwierig, dieses Ziel zu erreichen.

Atomschirm der USA

Möglich wird all das – der Verzicht auf Wehrpflicht, auf Offensiv- wie auf Nuklearwaffen, auf Vergrößerung der Streitkräfte – jedoch nur dadurch, daß die USA Japan unter ihren Atomschirm gestellt haben und dadurch jeden potentiellen Angreifer abschrecken. Was einmal geschehen wird, wenn die japanische Regierung diesen Atomschirm nicht mehr für erforderlich hält oder die USA nicht mehr bereit sind, Japan zu schützen, d. h. am Tage nach dem Abzug der letzten amerikanischen Truppen aus Japan, ist jedoch eine andere Frage. Viele Anzeichen deuten darauf hin, daß die japanische Regierung bereit ist, die eigene Verteidigung selbst zu übernehmen, die Bevölkerung jedoch in keinem Fall mit einer nuklearen Aufrüstung einverstanden wäre.

Heute spielen die militärischen Streitkräfte keine Rolle in der Politik und bilden auch keine politische Institution eigener Art. Hier ist ein wirklicher Bruch mit der Vergangenheit eingetreten.

9.2 Politische Parteien

9.2.1 Besonderheiten der Parteienstruktur

Historische Ursprünge

Die japanischen Parteien sind während der Meiji-Restauration als Kampforganisation der Samurai-Klasse gegen den neuen Staat entstanden (siehe 2.6 und 3.2). Obwohl sich die erste Partei „Bürgerrechtsbewegung" nannte, hatte sie doch kaum im Sinn, für die allgemeinen Menschenrechte zu kämpfen. Da die militärische Übermacht der Staatsorgane erdrückend war, benutzte man das westliche Modell der Parteien und die Ideologie des Liberalismus zum Kampf um die Aufrechterhaltung bzw. Wiedergewinnung der Standesprivilegien. Die Parteien waren „geschlossene Gesellschaften", Organisationen von Politikern „zur gegenseitigen Hilfe" oder auch einfach „Debattierklubs der Aristokratie".

Die Partei als Adelsklub

So entwickelte sich in Japan unter wohlklingendem Namen eine Protestbewegung gegen den neuen Staat, die sowohl elitären (Adelsklasse) als auch regionalen Charakter hatte, da man gegen die Vorherrschaft bestimmter Clans kämpfte. Während die führenden Samurai des Choshu- und Satsuma-Clans die Regierung leiteten, versammelten sich die Angehörigen vor allem des Tosa- und Hizen-Clans zu einer Bewegung, die gegen die Zentralisierung, die Zerstörung der Tradition, die Konfiskation von Privateigentum (Latifundienbesitz) im Namen des Liberalismus aufbegehrte. Das Ziel der Parteien war hier in Japan also nicht die revolutionäre Veränderung der Gesellschaft, sondern die Wiederherstellung vorrevolutionärer Zustände, während die Revolution von den Staatsorganen vorangetrieben wurde.

Kriegszustand zwischen Regierung und Parteien

Das Verhältnis zwischen Regierung und Parteien war das gleiche wie vormals das zwischen zwei feindlichen Clans: Beide Seiten arbeiteten mit Gewaltanwendung und Unterdrückung, Erpressung und Bestechung (auch unter den Aristokraten des Mittelalters beliebte Methoden, politische Macht zu erringen). Noch heute sind politischer Mord, tätliche Auseinandersetzung im Parlament oder Straßenschlachten als Mittel politischen Kampfes nichts so Erschreckendes wie bei uns.

Interessenvertretung der Landwirte und Industrie

Die Wählerschaft zählte in den ersten Jahrzehnten noch nicht einmal eine halbe Million und bestand zum größten Teil aus Grundbesitzern. So war es ganz klar, daß alle Parteien sich um sie bemühten. Vor allem die liberale Partei stützte sich auf den konservativen Großgrundbesitz – auch noch in den 20er Jahren, als die Industrialisierung und Verstädterung doch bereits weit fortgeschritten waren. Neben den Liberalen entwickelte sich eine Fortschrittspartei, die von der neuen Universitätselite getragen wurde und sich vor allem für die Industriellen einsetzte, die heimlich, denn sie waren ja von der Regierung abhängig, Spenden gaben. Sehr bald aber erkannte auch diese Partei, daß der Hauptstimmenanteil bei den Großgrundbesitzern lag – und so glichen sich beide Parteien in ihren Zielen bald an und wurden Interessenvertreter sowohl der Landwirte als auch der Industrie.

Verbeamtung und Bürokratisierung der Parteien

Um 1900 änderte sich dann das Bild, als der Kampf zwischen Parteien und Regierung abflaute und sich damit die Herrschaftsstruktur änderte: Ehemalige hohe Regierungsbeamte aus der Zentralregierung oder den Präfekturregierungen traten in die Parteien ein und setzten sich auf Grund ihrer Kenntnisse und Verbindungen sehr bald an deren Spitze. Damit kam es zu einem engen Zusammenwirken von Administration und Parteien, gleichzeitig wurden die Parteien interessant als Aufstiegsmöglichkeit für ehemalige Beamte.
Beide Parteien wurden zeitweilig zu reinen Ausführungsorganen der Verwaltung, erhielten aber auch oft deren Unterstützung (bei Wahlkämpfen) und organisierten sich nach deren Vorbild, d. h. sie verbürokratisierten.

Oppositionsparteien

Erst 50 Jahre nach der Gründung der ersten Partei entstanden Oppositionsparteien, die, geführt von Intellektuellen und Männern der neuen Mittelklasse, als „Sozialistische Parteien" die Vertretung der Arbeiterklasse zu übernehmen versuchten. Da ihre Mitglieder sich jedoch in ständigen ideologischen Kämpfen zerrieben, gelang es ihnen nie, für die breite Masse der Bevölkerung attraktiv zu werden. Ihr größter Sieg, im Jahre 1937, brachte ihnen nur einen Stimmenanteil von 15 Prozent.
So entwickelte sich in Japan nach dem Ersten Weltkrieg ein System von zwei konservativen, sich kaum voneinander unterscheidenden Parteien, das erst durch die Militärdiktatur der dreißiger und vierziger Jahre beendet wurde.

Faktionalismus

Aber dieses Bild des Zwei-Parteiensystems gibt nicht die ganze Wirklichkeit wieder, denn jede Partei war in sich in mehrere rivalisierende Gruppen zerfallen, die sich jeweils um ihre Führer scharten: die Faktionen (siehe 9.1.4.3). Dieser Faktionalismus, der die Parteien in den Augen der Bevölkerung mehr zu exklusiven Klubs als zu Massenorganisationen macht, hat sich bis heute erhalten. Darin vor allem unterscheiden sie sich von den deutschen Parteien, wo er eine untergeordnete und auch eher verborgene Rolle spielt.

Nach 1945 erstanden, ermuntert durch die Besatzungsmacht, die alten Parteien neu.

Anderthalb-, Zwei- oder Mehr-Parteien-System?

Im Unterschied zu den Sozialisten verfügten die „Liberalen" und „Demokraten" noch aus der Vorkriegszeit über enge Verbindungen zu den staatlichen Organen. So erreichten sie bald eine beherrschende Stellung, die sich 1955 durch die Verschmelzung beider zur „Liberal-Demokratischen Partei" (LDP) noch verstärkte. Dies ist auch ein Grund dafür, daß die Sozialistische Partei (SPJ) in 28 Jahren nur ein einziges Mal die Regierung übernehmen konnte und voraussichtlich in absehbarer Zeit keine erneute Gelegenheit dazu haben wird. Deshalb spricht man heute in Japan kaum von einem alternativen Zwei-Parteien-, sondern vielmehr von einem Anderthalb-Parteien-System.

In dem Maße, wie jedoch die (konservative) Landbevölkerung weiter abnimmt und somit die städtische Wählerschaft, die ja weitaus unabhängiger von den Gruppennormen ist, anwächst, kann auch die reale Chance eines Machtwechsels steigen. Allerdings ist kaum mit der Entstehung eines Zwei-Parteien-Systems zu rechnen; viel mehr Aussichten hat ein Mehrparteiensystem, aus dem sich eines Tages eine Koalition von Minderheitsparteien bilden könnte, die dann das Regierungsmonopol der bisherigen Mehrheitspartei bräche.

9.2.2 Die Parteien

Fünf Parteien im Parlament

Neben der Liberaldemokratischen und der Sozialistischen Partei sind im Parlament noch die Demokratisch-Sozialistische und die Kommunistische Partei vertreten sowie die Komeito, die „Partei für eine saubere Regierung". Eine so geringe Parteienzahl ist erstaunlich, wenn man bedenkt, daß es 1946 noch 363 verschiedene Parteien gab, die indes meist lokal begrenzt waren. Sehr schnell aber fingen die alten Vorkriegsparteien die Mehrzahl dieser politischen Gruppen auf, so daß schließlich ein Mehrparteiensystem entstand mit mehreren konservativen Parteien, einer sozialistischen und einer kommunistischen Partei. Dieser Einheit der sozialistischen und Zersplitterung der konservativen Parteien verdankten die Sozialisten ihre bisher einzige Möglichkeit zur Regierungsbildung in einer sozial-liberalen Koalition. Seit der Spaltung der Sozialistischen Partei und der Verschmelzung der konservativen Parteien zu einer einzigen Partei hat eine Koalition von Minderheitsparteien jedoch bis heute keine Chance mehr gehabt.

Übergewicht der LDP auch auf den unteren Ebenen

Auch in den Präfekturparlamenten besteht seit langem keine Aussicht mehr, die absolute Mehrheit der LDP zu brechen. In vielen anderen Selbstverwaltungsorganen ist die LDP die beherrschende Partei, obwohl mehr Stadtverordnete den Oppositionsparteien als der Regierungspartei angehören und auch die Zahl der oppositionellen Gemeindevertreter nahezu die der LDP erreicht (siehe 9.1.6). Aber dies

Sitzverteilung im Parlament 1973
(Abbildung 24)

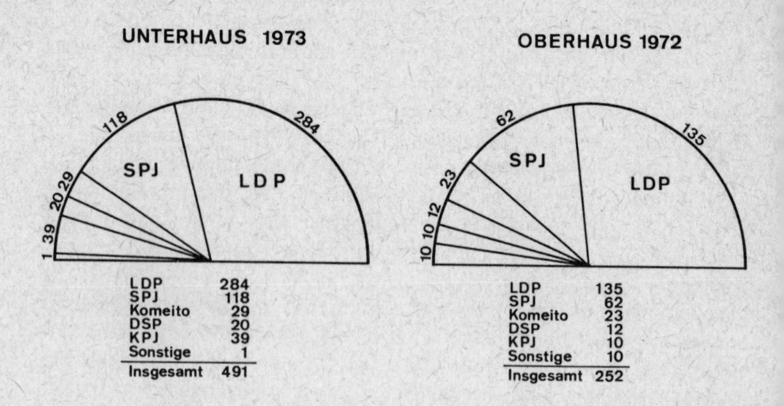

will nicht viel sagen, da die lokalen Selbstverwaltungen und Bürgermeisterämter so stark mit Parteilosen besetzt sind, daß die Parteien hier gar keine Rolle zu spielen scheinen.
Daß jedoch Parteilosigkeit nicht auch parteipolitische Neutralität erfordert, zeigt das Verhalten der „Unabhängigen" nach Wahlen, in denen auf regionaler und lokaler Ebene vor allem konservative Kandidaten glauben, durch das Etikett „unabhängig" ihre Chance verbessern zu können: Die meisten der als Parteilose in die Volksvertretungen gelangten Abgeordneten unterstützen die LDP, die infolgedessen ihre Politik auch dort leicht durchsetzen kann, wo sie – wie in Städten und erst recht in Gemeinden – unmittelbar nur wenige Mandate hat. Bloß ein kleiner Teil der „Unabhängigen" gilt als oppositionsfreundlich. Die Grafik zeigt deutlich, daß die LDP auf allen Ebenen über eine genügend große Anhängerschaft verfügt. Dort, wo man nicht Vertreter bestimmter Parteien, sondern Personen wählt, in den Kommunen und Städten, ist der Stimmenanteil der LDP nur gering. Dafür wird sie aber auch von den „Unabhängigen" so stark unterstützt (bis zu 90 Prozent), daß sie ihre Politik ohne Schwierigkeiten durchsetzen kann (siehe auch Tabelle 25 in Kapitel 9.1.6).

Schwierigkeiten der SPJ in Gemeinden und Kleinstädten

Die SPJ hingegen findet gerade an der Basis, d. h. in den Gemeinden und Kleinstädten, nur geringe Unterstützung, was wohl nicht nur auf die konservative Haltung der Landbevölkerung, sondern auch auf die ungenügende Aufklärungs- und Werbearbeit der SPJ außerhalb der Großstädte zurückzuführen ist. Der Hauptnachteil der Sozialisten liegt natürlich darin, daß ihr die Unterstützung der (konservativen) Verwaltung und der vielfältigen Interessenverbände fehlt, die die Stärke der Liberaldemokratischen Partei ausmachen.

Hauptparteien und Unabhängige in den Parlamenten 1972
(Abbildung 25)

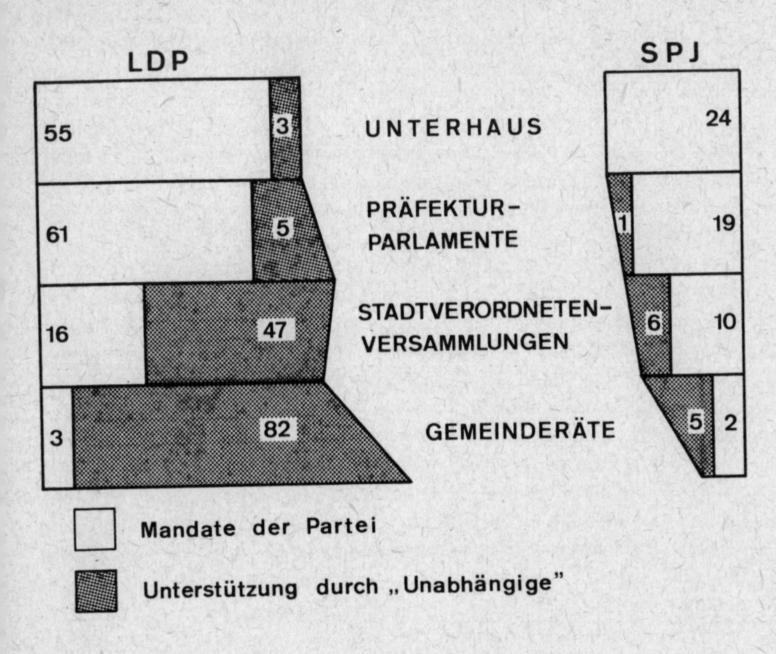

9.2.2.1 Liberal-Demokratische Partei (Jiyu-Minshuto oder Jiminto)

Die LDP Japans ist eine verhältnismäßig junge Partei, die erst im November 1955 aus dem Zusammenschluß traditionsreicher konservativer Parteien entstand: der Liberalen Partei (Jiyu) und der Demokratischen (oder: Progressiven) Partei (Minshu).

Progressive Partei

Der Führer der Progressiven Partei, Shidehara Kijuro, war schon in mehreren Kabinetten der 20er und 30er Jahre Minister gewesen und bekannt für seine „versöhnliche" Haltung in der Chinapolitik. So erhielt er auch im November 1945 nach den ersten Nationalwahlen nach dem Kriege von der amerikanischen Militärbehörde die Genehmigung, eine Regierung zu bilden. Aber so „demokratisch" seine persönliche Haltung auch gewesen sein mochte, die Gruppe der Fortschrittler, wie sie sich damals nannte, bestand zum größten Teil aus ehemaligen Mitgliedern der totalitären „politischen Gesellschaft Groß-Japans".
Als daher die „politischen Säuberungen" 1946 einsetzten, blieben von den 288 gewählten Abgeordneten nur 32 als unverdächtig übrig. Damit war die Partei so geschwächt, daß sie die Führung der Liberalen abgeben mußte. 1947 setzten sich dann die progressiven Kräfte

durch und erzwangen eine Koalitionsregierung mit den Sozialisten, die jedoch bald endete. (Immerhin war dies das erste und einzige Mal in der Nachkriegszeit, daß ein Regierungswechsel erfolgte, der eine sozial-liberale Regierung an die Macht brachte.) Die „Rehabilitierung" der Kriegsverbrecher und Mitläufer 1953 führte zu einem Rückstrom der ehemaligen „gesäuberten" Mitglieder in die Partei und damit zu einem Sieg der konservativen Kräfte, die sich schließlich nach der Aufnahme des „rehabilitierten" Liberalen Hatoyama Ichiro um diesen scharten. Dieser führte die Partei denn auch zum Sieg, nachdem sie das Wort „progressiv" gegen „demokratisch" ausgetauscht hatte.

Rechtsschwenkung

Erst die Wiedervereinigung der sozialistischen Parteien bewog die Demokratische Partei zum Zusammenschluß mit den Liberalen, obwohl die Wahlen von 1955 sie gerade zur größten Partei im Parlament gemacht hatten.

Liberale Partei

Die Liberale Partei wurde im November 1945 neu von ihrem Vorkriegsführer Hatoyama Ichiro gegründet. Er hatte versucht, alle ehemaligen Parlamentsmitglieder, die ihm als antimilitaristisch erschienen, in der neuen Partei zu vereinen. Schon zum Ministerpräsidenten gewählt, wurde er auf direkten Befehl von MacArthur von der Säuberung betroffen. So übergab er die Führung der Partei und der Regierung dem großen alten Mann der Liberalen, Yoshida Shigeru, der die Partei bis 1954 führte und fünfmal als Ministerpräsident die Regierungsgeschäfte leitete.

Seine diplomatische Erfahrung (er war vor dem Kriege Botschafter in Rom und London) sowie seine konservative und selbstsichere Haltung ermöglichten ihm eine gute Zusammenarbeit mit den Besatzungsbehörden. Ihm gelang es auch, Japan aus der Rolle des Geächteten herauszuführen, es zu einem Partner der Nationen zu machen und im Friedensvertrag von San Francisco die Unabhängigkeit Japans zu erlangen. Wegen seiner konservativen und erfolgreichen restaurativen Politik wurde er „der Adenauer Japans" genannt. Er stammte wie die Staatsführer der Meiji-Zeit aus einem alten Samurai-Geschlecht des Südens.

Die Liberal-Demokratische Partei

Die Verbindung der Liberalen mit der Demokratischen Partei zur LDP (1955) führte zu einer bisher ununterbrochenen Reihe von liberaldemokratischen Regierungen, von denen die Premierminister Satos (1964–1972) wohl als die erfolgreichste bezeichnet werden kann. Unter seiner Ministerpräsidentschaft stieg Japan zur drittgrößten Wirtschaftsmacht der Welt auf, wurde der Yen die härteste Währung nach der DM, wurde Japan zum vielbewunderten und oft auch furchterregenden Musterland Asiens, an dem die Industriemächte des Westens „die unüberwindliche Stärke des kapitalistischen Wirtschaftssystems" demonstrierten.

Sato selbst und seiner geschickten Verhandlungstechnik ist wohl die wesentliche Verbesserung des japanisch-amerikanischen Sicherheitsvertrages sowie die Rückkehr der Bonin- und der Ryukyu-Inselgruppe im Pazifik zu verdanken.

Die Struktur dieser Partei ist durch die zahlreichen Faktionen bestimmt, die untereinander um die Herrschaft kämpfen. Wenn mehrere Faktionen ein Bündnis zur Erringung der Macht abschließen, bilden sie wieder eine übergreifende Organisation. Die Faktionen, die den Vorsitzenden und damit den Premierminister unterstützen, werden „Hauptstrom" genannt, die opponierenden „Gegenhauptstrom". Die Stärke beider Gruppen zeigt sich auf dem jährlichen Parteikongreß, auf dem der Vorsitzende gewählt wird. Der Zusammenschluß zu einer Faktion ist dabei nicht so sehr von gemeinsamen politisch-ideologischen Überzeugungen abhängig, als vielmehr von einer gemeinsamen Vergangenheit.

Innerparteilicher Faktionalismus

So schließen sich ehemalige Beamte gegen ehemalige Landespolitiker zusammen, ehemalige Liberale gegen ehemalige Demokraten, „Rehabilitierte" gegen solche ohne belastende Vergangenheit, ebenso bindet natürlich Verwandtschaft oder der Besuch der gleichen Universität (gakubatsu).

In den Faktionen gilt das traditionelle Gefolgschaftssystem (oyabun-kobun), doch wechseln mitunter Abgeordnete auch ihre Faktionen.

Faktionsführer und ihre Gefolgschaft

Der Faktionsführer ist in der Regel ein Mann mit langer politischer Praxis, der über genügend Beziehungen verfügt, um finanzielle Mittel für seine Faktion bereitzustellen. Dafür erhält er die Unterstützung seiner Gruppe bei der Kandidatur um das Amt des Parteivorsitzenden oder Generalsekretärs.

Die Bildung eines Kabinetts oder die Neuwahl der Parteiführung ist nur aufgrund eines Kompromisses zwischen den Faktionen möglich (so z. B. die Wahl Tanakas zum neuen Parteiführer und damit zum Ministerpräsidenten im Juli 1972). Auch parlamentarische Abstimmungen sind nur Bestätigung von Kompromissen, die schon vorher mit den Faktionen geschlossen worden waren.

Funktion der Faktionen

Das Gruppenbündnis auf Zeit

„Oberflächlich gesehen, wird die Partei von ihrem Präsidenten geführt, der, seit sie die Mehrheitspartei ist, auch Ministerpräsident von Japan ist. Aber wenn wir genauer hinsehen, stellen wir fest, daß die Liberal-Demokratische Partei keinen eigentlichen Führer hat. Es ist in der Tat in anderer Beziehung genauer, sie als eine lose Koalition von Faktionen anzusehen, verbunden zum Kampf und zur legislativen Strategie, denn als eine geeinte nationale Partei."

Robert E. Ward, Japan's Political System, Englewood Cliffs, New Jersey 1967, S. 65.

Die finanzielle Basis der Partei sind die Mitgliedsbeiträge und die Spenden der Wirtschaft. Im Unterschied zu den konservativen Parteien der BRD hat die LDP einen hohen Mitgliederstand (über 925 000 im Mai 1972), aber der größte Teil der Gelder fließt aus den Spenden von Industrie, Handel und Banken sowie von Ärztevereinigungen in die Kassen der Partei und der einzelnen Faktionsführer.

Finanzierung

Eine Fülle von Gesellschaften mit anspruchsvollen Namen besorgen, verwalten und verteilen diese Gelder: Komitee für die wirtschaftliche Entwicklung Japans, Neue Finanzielle Forschungsgesellschaft, Internationale Politische und Wirtschaftliche Forschungsgemeinschaft, Modernisierungsgemeinschaft und andere mehr. Zu den über 78 Millionen DM regulärer Einnahmen der LDP im Jahre 1971 kamen noch einmal 75 Millionen DM aus solchen Spenden, die vor allem dazu dienen, die häufigen Wahlkämpfe zu finanzieren.

Versuche, den Faktionalismus zu bekämpfen

Seit den 50er Jahren gab es viele Versuche, der Zersplitterung der Partei durch die Faktionen entgegenzuarbeiten. Aber bisher haben sich die Faktionen einer Auflösungsaufforderung immer noch erfolgreich widersetzt. Eine wirkliche Erneuerung und Reform der Partei erfordert aber neben einer Reform des Wahlsystems (siehe 9.3.1) eine völlige Veränderung in der Finanzierungsweise der Partei und das Zurücktreten des Gefolgschaftsdenkens. Ehe das nicht geschieht, wird auch der Faktionalismus nicht beseitigt werden können.

Organisation der Partei

Indessen hat die Parteiführung seit 1956 eine Organisation geschaffen, der es gelungen ist, wenigstens nach außen ein Bild der Einheit herzustellen und die Partei vor dem Zerfall zu bewahren.

An der Spitze der Partei steht der Parteivorsitzende, der seit 1955 gleichzeitig auch der Premierminister ist. Er wird offiziell gewählt vom Parteitag, inoffiziell aber durch Absprachen der Faktionsführer bestimmt und dann vom Parteitag eigentlich nur noch per Akklamation bestätigt.

Ihm zur Seite stehen der stellvertretende Parteivorsitzende und der Generalsekretär, in dessen Händen auch die eigentliche organisatorische Arbeit liegt. Zusammen mit den Vorsitzenden der vier wichtigsten Ausschüsse leitet er die Partei.

Programm

Im Gegensatz zu den Programmen der anderen Parteien ist das der LDP nicht von einer geschlossenen Ideologie bestimmt, sondern ein praktischer Kompromiß zwischen den verschiedenen Faktionen und den einflußreichen Interessenverbänden. Außenpolitisch vertritt die Partei eine Politik der wirtschaftlichen und militärischen Zusammenarbeit mit den USA, wodurch jedoch eine bessere Zusammenarbeit mit der UdSSR und China nicht verhindert werden soll. Die Beibehaltung des Sicherheitsvertrages mit den USA erscheint notwendig als Mittel eines Systems kollektiver Sicherheit.

In der Innenpolitik fordert die LDP die Entwicklung eines Wohlfahrtsstaates durch Förderung des wirtschaftlichen Wachstums, das zur Erhöhung des Volkseinkommens führen werde. Gleichzeitig befürwortet sie Steuersenkungen, Ausbau der Infrastruktur und Ausdehnung des Sozialversicherungssystems. Durch ihre erfolgreiche Außen- und Wirtschaftspolitik scheint die LDP auf dem besten Wege zu einer Volkspartei zu sein, wie nicht nur ihre ständigen Wahlerfolge, sondern auch ihre steigenden Mitgliedszahlen zeigen.

9.2.2.2 Sozialistische Partei (Shakaito)

Geschichte

Eine sozialistische Partei war schon 1901 gegründet worden, aber ihre Tätigkeit war während der gesamten Vorkriegszeit einer strengen Kontrolle und oft auch der Unterdrückung durch die Staatsorgane ausgesetzt gewesen, vor allem seit der Einführung der japanischen

„Sozialistengesetze" von 1925. Dennoch erlebten die Sozialisten ihren größten Triumph 1937, als sie in den Wahlen 37 Sitze (von 466) gewinnen konnten. Die Verbindung der Sozialisten mit den Leitern der Militärdiktatur und ihre stark nationalistische Haltung führten dazu, daß die meisten ihrer nach dem Kriege wiedergewählten Parlamentsmitglieder „gesäubert" werden mußten. Auch diese Partei war also keineswegs ein Vertreter des bedingungslosen Kampfes gegen Militarismus und nationalen Größenwahn.

Kompromißbereit gegenüber Militarismus und Nationalismus

Bestimmend für diese Partei ist vielleicht auch, daß sie nach dem Kriege von einem Christen wieder aufgebaut und von einem christlichen Gewerkschaftsführer, Katayama Tetsu, während der einzigen und kurzen Regierungsperiode, in der die sozialistische Partei die Regierung innehatte, geleitet wurde.

Christlicher Einfluß

Ständig steht sie unter starken Spannungen und wird von inneren Auseinandersetzungen ideologischer Art erschüttert, so daß Kritiker ihre Geschichte nach 1948, d. h. nach dem Ende ihrer kurzen Regierungszeit, ironisch eine „Geschichte der Spaltungen und Wiedervereinigungen" nennen. In der Tat hat wohl keine andere Partei so heftige innere Kämpfe geführt wie diese – auch das ein für Japaner eigentlich atypisches Verhalten.

Auflösungstendenzen

Erst seit 1960 haben sich mit der Gründung der Demokratisch-Sozialistischen Partei die Fronten geklärt, und es ist zu keiner weiteren Spaltung mehr gekommen. Doch ähnlich wie die LDP besteht die SPJ nach wir vor aus Faktionen, die allerdings nicht so sehr persönlicher als vielmehr ideologischer Art sind.

Faktionalismus stärker ideologisch bestimmt

Bis 1968 konnte der dogmatisch marxistisch-leninistisch ausgerichtete linke Flügel den Parteiapparat beherrschen. Aber 1968 büßte die Partei bei den Oberhauswahlen ein Zehntel ihrer Sitze ein, was zu einem Wechsel im Parteivorsitz führte, den seither der Führer des gemäßigten Flügels, Tomomi Narita, einnimmt. Doch auch er konnte nicht den weiteren Stimmenrückgang aufhalten, der in seinem ganzen Umfang erst bei den Unterhauswahlen von 1969 sichtbar wurde, als die Partei von bisher 140 auf 91 Sitze absank und damit die Sperrminderheit gegen Gesetze verlor, die zwei Drittel der Stimmen benötigen. Allem Anschein nach hat die Parteiführung aus dieser Niederlage gelernt und sich mehr als bisher um praktische Fragen der Sozialpolitik gekümmert. Doch der beachtliche Wahlerfolg von Dezember 1972 hat der Partei noch längst nicht die Stärke der sechziger Jahre wiedergegeben und ermöglicht ihr auch noch nicht die Bildung einer Sperrminorität, selbst wenn sie ein Bündnis mit der Kommunistischen Partei zusammenbrächte.

Rechter und linker Flügel

Ob dieser Verlust der „Sperrminorität" wirklich nur einer falschen Politik der Partei zuzuschreiben ist, oder nicht auch Folge eines unzureichenden Wahlsystems sein könnte, wird noch zu erörtern sein (siehe 9.3.1).

Die Zusammensetzung der Führungsspitze, d. h. der Parlamentsfraktion, zeigt einen deutlichen Gegensatz zur LDP. Gehört dort die

Soziale Zusammensetzung

Mehrheit in irgendeiner Form zur Gruppe der Industriellen oder Manager, so kommen hier 50 Prozent der führenden Mitglieder aus den Gewerkschaften. Gegenüber der beachtlichen Anzahl von Ministerialräten bei der LDP finden sich hier 21 Prozent Lokalpolitiker (entweder Abgeordnete der Landtage oder gewählte Amtsträger).

Die Leitung der Partei liegt statutengemäß beim Parteitag, in Wirklichkeit jedoch bei den Mitgliedern des Parlaments und den Gewerkschaften. Da mehr als jeder zweite Abgeordnete aus den Reihen der Gewerkschaften (fast nur aus der linksradikalen Sohyo) stammt und die Vertreter der Gewerkschaften auf dem Parteitag in den letzten Jahren nahezu die Hälfte aller Delegierten stellten, bestimmen die Gewerkschaftsleute den Parteitag und damit auch die Wahl der Parteiführung, was – vor allem bis 1960 – im wesentlichen dem linken Flügel zugute kam.

Rolle der Gewerkschaftler

Die Gewerkschaftler und Parlamentarier spielen eine so beherrschende Rolle in der Partei und bei der Beschlußfassung, daß die Bezirksgruppen überhaupt keine Aussicht haben, ihre Meinung und damit die Ansicht der Basis zur Geltung zu bringen. Die Parteiführung ist auch nicht so sehr an einer allgemeinen Mitgliederzunahme, sondern mehr an der Aufnahme von einflußreichen Verbandsleitern (sogenannten Multiplikatoren) interessiert. So erklärt sich auch die äußerst geringe Mitgliederzahl, die mit 36 000 (Mai 1972) nur ein Zehntel des Mitgliederstandes der KPJ und ein Dreißigstel des der LDP beträgt.

Durch die Verbandsleiter erhofft sich die Partei bei den Wahlen große Erfolge, die bis zur Spaltung der Partei auch nicht ausgeblieben sind. Folglich ist die SPJ auch keine „Mitglieder-", sondern eine „Wählerpartei". Über die Hälfte aller Mitglieder sind Arbeiter bzw. Gewerkschaftsfunktionäre, 23 Prozent Bauern, Handwerker und kleine Gewerbetreibende und 10 Prozent Fischer.

Programm

Die Zielsetzung der SPJ war bis 1961 eindeutig: Kampf für die Übernahme aller Produktionsmittel durch die Arbeiterklasse, Verwirklichung einer sozialistischen Gesellschaft. Dafür empfahl sie alle parlamentarischen und außerparlamentarischen Mittel mit Ausnahme der Revolution.

Ideologischer Streit

Seit 1961 und 1962 ist die Partei jedoch in zwei Flügel gespalten:

- Der linke Flügel ist streng marxistisch-leninistisch und sieht den Klassenkampf als seine eigentliche Aufgabe an.
- Der rechte Flügel tritt für eine „Strukturreform" der Gesellschaft ein. Diese werde man der herrschenden Klasse, deren Tätigkeit zur Zeit noch sinnvoll sei, Teil für Teil abzwingen müssen, z. B. durch Lohnerhöhungen, Arbeitszeitverkürzungen, bessere Sozialversorgung etc.

Diese Haltung entspricht etwa der der Bernstein-Kautsky-Gruppe der deutschen Sozialdemokratie zu Ausgang des letzten Jahrhunderts und wird von Leninisten als Revisionismus gegeißelt.

In der Außenpolitik lehnt die SPJ jede proamerikanische Politik ab und fordert „positive Neutralität", allgemeine Abrüstung und Vernichtung aller Atomwaffen, Herstellung normaler Beziehungen zur Sowjetunion und zu China.

Außenpolitik

In der Innenpolitik haben sich bisher die Linken durchgesetzt, die eine Verstaatlichung der Schlüsselindustrien und eine Bodenreform fordern.

Die Hauptschwierigkeit der SPJ liegt in dem mangelnden Selbstverständnis der Parteimitglieder selbst. Sie bezeichnen die Partei einmal als reine „Klassenpartei", andererseits wenden sie sich nicht nur an Arbeiter, Bauern und Fischer, sondern auch an Industrielle und Intellektuelle.

„Volks"- oder „Klassen"-Partei?

Über die zukünftigen Chancen der Partei gehen die Meinungen auseinander. Eine ganze Reihe politischer Beobachter meint, die Partei habe nur eine Chance, die Regierung zu erringen, wenn sie sich – z. B. nach dem Vorbild der SPD – entschließe, Massenkampfparolen, die in einer weitgehend saturierten Gesellschaft sowieso keinen Anklang mehr fänden, fallen zu lassen und dafür eine gemäßigte „Volkspartei" zu werden. Andere meinen, die langfristigen gesellschaftlichen Entwicklungstendenzen (z. B. Verstädterung und Wandel im System der industriellen Arbeit) und die große Fülle, durch bloße Reformen nicht zu lösender Probleme der japanischen Gesellschaft sprächen für die Aufrechterhaltung einer konsequent sozialistischen Position. Die Partei selbst scheint zur Zeit eher dem Vorbild der SPD folgen zu wollen und hat damit bereits erste Wahlerfolge (Dezember 1972) erzielt.

9.2.2.3 Demokratisch-Sozialistische Partei (Nihon-Minshu-Shakai-to)

Entstehung

1960 gründeten Mitglieder der SPJ aus Protest gegen die doktrinär-marxistische Haltung ihrer Führung eine zweite sozialistische Partei. Sie sieht ihr Vorbild in den sozialdemokratischen Parteien Westeuropas und versteht sich wie diese als Reformpartei, die auf eine revolutionäre Umgestaltung der Gesellschaft verzichtet, um in kleinen Schritten Besserungen zu erreichen. Sie wendet sich auch nicht an die Arbeiter, sondern vor allem an die verschuldeten Bauern, Fischer und kleinen Geschäftsleute, begreift sich also als eine Mittelstandspartei, wenngleich sie noch den Sozialismus als Fernziel angibt. So bezeichnet sie sich auch als eine Partei der Mitte, die die Politik der Sozialisten als illusionär und die der LDP als reaktionär ablehnt.

Mittelstandspartei

Ihre politische Haltung erscheint vielen Wählern nicht klar genug, als daß sie sich für sie entscheiden könnten. Die DSPJ wird nämlich einerseits von dem gemäßigten Gewerkschaftsverband Domei unterstützt, andererseits von Handels- und Industrieunternehmen. Daher greifen Sozialisten und Kommunisten sie häufig als die „5. Kolonne der LDP" oder als „zweite konservative Partei Japans" an. So ist es nicht erstaunlich, daß die DSPJ erfolglos geblieben ist und kaum

Politische Haltung nicht eindeutig

ernsthafte Aussicht auf Macht besitzt: sie hat zur Zeit nur 4 Prozent der Unter- und 5 Prozent der Oberhaussitze inne. Ihre Mitgliederzahl betrug im August 1972 rund 46 000.

Programm

In ihrem außenpolitischen Programm fordert sie eine bewaffnete Neutralität für Japan bei Ablehnung jeder Allianz. Ihrem innenpolitischen Aktionsprogramm hat das Godesberger Programm der SPD als Vorlage gedient. Darin bekennt sie sich zur Idee des Wohlfahrtsstaates, zur Zentralisierung der Wirtschaftsplanung bei Beibehaltung des Wettbewerbsmechanismus, zur Verhinderung der Vermögenskonzentration und zum Schutz und zur Ausweitung der Mittelschicht.

9.2.2.4 Kommunistische Partei (Nihon Kyosantu)

Entwicklung

Die Kommunistische Partei Japans war bis 1945 eine Untergrundpartei. Die Befreiung der politischen Gefangenen durch die Amerikaner gab den Kommunisten ihre erste reale Machtchance. Sie nutzten sie gut: sie halfen mit beim Wiederaufbau der Gewerkschaften und spielten in ihnen bis 1950 eine führende Rolle, zogen ins Unter- und Oberhaus ein, organisierten Massenstreiks, entwarfen eine Verfassung für eine Volksrepublik Japan und lehnten – als einzige Partei – die von den Amerikanern geschaffene Verfassung ab.

USA und Regierung gegen Kommunisten

In den ersten Jahren des Wiederaufbaus förderte die amerikanische Besatzungsmacht die KPJ tatkräftig. Je mehr die Kommunisten jedoch die Revolution als politisches Ziel ansteuerten und die außenpolitische Strategie der Amerikaner durch den Antikommunismus bestimmt wurde, desto mehr verloren sie die Unterstützung der Amerikaner. Diese stützten sich schließlich ganz auf die LDP und ermunterten sie zu einer Säuberung in Verwaltung, Presse und Rundfunk, von der über 11 000 Mitglieder oder Freunde der KPJ betroffen wurden. Als beim Ausbruch des Korea-Krieges deutlich wurde, daß die KPJ Unruhen und Aufstände plante, um Japan als amerikanische Operationsbasis unbrauchbar zu machen, begann die Regierung, die Parteiführer zu verfolgen, ohne jedoch die Partei zu verbieten. Seit 1955 konnten sich die Parteiführer wieder ungehindert betätigen, doch ihren Einfluß in den Gewerkschaften hatten die Sozialisten gebrochen. Statt 5 Millionen konnte die KPJ jetzt nur noch 1,5 Millionen Arbeitnehmer in ihren Gewerkschaften kontrollieren.

Spaltung

Den schwersten Schlag versetzten ihr jedoch ihre innerparteilichen Kämpfe zwischen dem linken Flügel, der sich an Peking, und dem rechten, der sich an Moskau anlehnte. 1964 wurden die moskautreuen „Revisionisten" ausgeschlossen, und die neue Parteiführung legte ein Bekenntnis zur Volksrepublik China ab. Erst seit 1966 versucht sich die Partei auf eine Koexistenz auch mit der UdSSR einzustellen. Einen nennenswerten Einfluß auf die Politik hat sie bisher jedoch nicht nehmen können. Die wachsende wirtschaftspolitische Zusammenarbeit mit der UdSSR und vor allem die Anerkennung der VR China durch die USA und Japan haben die Dämonisierung des

Kommunismus in Japan teilweise aufgehoben und die Partei für viele Jungwähler attraktiv gemacht, wie der triumphale Wahlerfolg im Dezember 1972 zeigte: Stimmenzuwachs um 170 Prozent, Anwachsen der Fraktion von 14 auf 38 Unterhausmitglieder. Damit hat die Fraktion der KPJ im Parlament das Recht erworben, selbst Gesetze einbringen zu dürfen.

Organisation

Der Parteiapparat ist so organisiert, daß der hierarchische Aufbau gewährleistet bleibt. Die absolute und unkontrollierte Macht hat das Zentralkomitee (ZK). An seiner Spitze steht der Parteivorsitzende als Generalsekretär. Das ZK bestimmt die Mitglieder der einzelnen Gremien, die Wahlkampftechnik, das Abstimmungsverfahren auf den Parteitagen und die Delegierten des Parteitages.

Absolute Herrschaft der Parteiführung

So kann die Parteiführung immer ihre Wiederwahl sichern und die politische Entscheidung des Parteitages vorausbestimmen, indem sie jede Opposition von vornherein ausschaltet. Seit 1964 fanden keine Richtungskämpfe mehr statt. Darüberhinaus muß das ZK jede Entscheidung des Parteitages auch formell genehmigen, so daß dem Parteitag kaum noch eine Befugnis zusteht.

Die Mitglieder

Die 300 000 Mitglieder (nahezu zehnmal so viel wie die der SPJ) sind ebenfalls straff organisiert in Bezirkskomitees und diese wieder in Zellen.

In der Mitgliedschaft überwiegen die jüngeren Jahrgänge: 71 Prozent sind unter 40 Jahre alt. Die KPJ ist keine reine Arbeiterpartei mehr: 1967 hatten von ihren Mitgliedern 15 Prozent eine Universitäts- und 25 Prozent eine Oberschulausbildung.

Finanzierung

Die Jahreseinnahmen der KPJ (1971 umgerechnet 41 Millionen DM) betragen mehr als die Hälfte der regulären, allerdings nur ein gutes Viertel der gesamten Einkünfte der LDP (einschließlich Spenden). Ein großer Teil ihrer Mittel fließt der KPJ durch Gastspielverträge aus der Volksrepublik China, Hongkong und Nordkorea zu.

Programm

In ihrer außenpolitischen Argumentation appellieren die Kommunisten nicht an Internationalismus, sondern an geläufige und für viele Japaner positiv klingende Begriffe wie „Patriotismus", „Volk" und „Nation", um zum Kampf gegen den „USA-Imperialismus" aufzurufen, eine Methode, die nicht ohne Erfolg geblieben ist. Innenpolitisch fordern sie die Abschaffung der Monarchie und die „Diktatur des Proletariats" – zwei Forderungen, die ihnen sehr wenig Freunde gewonnen haben.

9.2.2.5 Komeito (Partei für eine saubere Regierung)

Entstehung

Die Komeito ist die jüngste und interessanteste japanische Partei. Sie ist der „politische Arm" der buddhistischen Sekte „Soka Gakkai" (Gesellschaft zur Schaffung von Werten, siehe 7.6). Die Sekte umfaßte bereits 1964 über vier Millionen Haushalte, d. h. etwa zehn Millionen erwachsene Mitglieder. Auf dieser Basis wurde im gleichen Jahr die „Komeito" gegründet, die in einem einzigartigen Siegeslauf zunächst ins Oberhaus, in die Präfekturparlamente und schließlich ins

Unterhaus einzog. Heute ist sie in fast allen Vertretungen die drittstärkste Partei.

Paramilitärische Organisation

Wesentlich beigetragen zu diesem Erfolg haben wohl die strenge Parteidisziplin und der paramilitärische Aufbau der Organisation, die über eine allgemeine Mitgliedervereinigung, eine Frauenvereinigung und einen Jugendbund verfügt. Letzterem kommt besonders Gewicht zu als „Stoßbrigade des Sieges", die in Paraden und in Sportfesten die Macht und die Stärke der Partei zeigt. Die Mitglieder der Parteiführung werden nicht vom Parteitag gewählt, sondern von der Parteispitze bestimmt.

Verbindung mit der Soka-Gakkai

Finanziell kennt die Komeito keine Schwierigkeiten, da sie über die Mitgliederbeiträge, die Spenden und den Zeitungserlös der Soka-Gakkai verfügen kann (1971: 28 Millionen DM). Nicht verfügen kann sie allerdings über die Stimmen der Gläubigen, von denen nur immer ein Teil die von der „Gesellschaft" vorgeschlagenen Kandidaten wählte. So erklärt es sich auch, daß die Komeito bei einer außergewöhnlich starken Basis immer noch nicht den zweiten Platz in den Parlamenten errungen hat. Immerhin hatte sie 1972 121 000 eingeschriebene Mitglieder.

Programm

Das Programm der Komeito verbindet politische mit religiösen Zielen: Nur der Glaube an die Lotussutra ermögliche Wohlstand und Frieden und verhindere Krankheit, Armut und Krieg.

Diese Verbindung des Politischen mit dem Religiösen kommt auch in ihren außenpolitischen Forderungen zum Ausdruck, bei denen an erster Stelle „allgemeine Abrüstung", dann „Weltfriede" und schließlich „internationale Zusammenarbeit" stehen. Zu diesem Zwecke verlangt sie die Auflösung der Allianz mit den USA und der japanischen Selbstverteidigungsstreitkräfte – völlig atypisch für eine rechtsradikale Partei und wohl nur durch die starke Verwurzelung der Partei im Buddhismus zu erklären. Innenpolitisch tritt sie für eine klassenlose Gesellschaft, „echte" Sozialpolitik und Bekämpfung der Korruption ein. In der Frage der Verfassungsreform ist ihre Haltung unklar. In ihrer Wahlpropaganda zeigt sie einen Fanatismus, der sie ebenso wie ihre ständige Distanzierung von allen anderen Parteien deutlich als eine rechtsradikale Partei kennzeichnet. Allem Anschein nach hat sie jedoch bereits ihren Höhepunkt überschritten und kann in der immer stärker aufgeklärten und wirtschaftlich wachsenden Gesellschaft keine neuen Anhänger gewinnen (vergleiche auch das Wahlergebnis vom Dezember 1972 – Tabelle 23 im Kapitel 9.1.4.1).

9.2.3 Radikale Vereinigungen

Rechtsradikalismus

Es gibt in Japan derzeit etwa 400 radikale Organisationen mit über 350 000 Mitgliedern. Von wenigen Ausnahmen abgesehen, waren das bis vor kurzem fast alles rechtsradikale Gruppen, die über enge Verbindungen zu den Verteidigungsstreitkräften, zur höheren Beamten-

schaft und zur LDP verfügten. Die bedeutendste Gruppe ist die des Akao Bin, die mit ihren 15 000 Mitgliedern in ganz Japan wirksam ist und das Hakenkreuz als Symbol gewählt hat.
Auch viele der „Unabhängigen“ im Parlament sind den Rechtsradikalen zuzurechnen. Aber die offen im Parlament vertretenen Bünde stellen kaum eine Gefahr dar. Bedrohlich sind eher die zahlreichen außerparlamentarischen Vereinigungen, die zwar oft LDP-Angehörige oder „Unabhängige“ zu ihren Mitgliedern zählen, deren Wirken sich jedoch nicht öffentlich, sondern im Geheimen vollzieht.

Nationalismus

Namen wie „Großjapanische Patriotische Partei“ oder „Allasiatische Antikommunistische Liga“ zeigen die Zielrichtung dieser Gruppen. Sie streben einen autoritären Staat mit einer schlagkräftigen Armee an, der nicht mehr von den Prinzipien der westlichen parlamentarischen Demokratie geleitet wird, sondern von der unbedingten Treue zum Kaiser und zur Nation als höchsten Werten.

Terroraktionen

Wenn diese Gruppen auch verhältnismäßig klein sind, haben sie doch durch ihre Terroraktionen von sich reden gemacht.

Aus ihren Reihen kamen die Attentatsversuche auf die Premierminister Hatoyama, Yoshida und Ikeda, ebenso auch junge Leute, die versuchten, kommunistische und sozialistische Parteimitglieder und Führer zu ermorden, was ihnen jedoch nur einmal gelang. Zu ihnen gehörte auch der junge Mann, der in der Mitte der 60er Jahre versuchte, den amerikanischen Botschafter in Japan, Reischauer, zu ermorden, und auch der Schriftsteller Yukio Mishima, der 1970 versuchte, die Verteidigungsstreitkräfte in einer Tokyoer Kaserne zum Aufstand für ein erneuertes Tennojapan zu führen und der, als er von den Soldaten ausgelacht wurde, zeremoniellen „Seppuku“ (Selbstmord) beging.

Bewunderung für Attentäter

Alle diese Taten wären nicht weiter bedrohlich, wenn nicht Teile der Bevölkerung mit Respekt und oft sogar mit Begeisterung dieser Attentäter gedächten. So ist auch nach einer schnellen Verurteilung der Tat Mishimas durch die Regierung eine ernsthafte Diskussion darüber ausgebrochen, ob seine politischen Ansichten nicht doch vertretbar und anerkennenswert seien.
Bei breiteren Bevölkerungskreisen dürften die Rechtsradikalen in einer Zeit der Prosperität jedoch kaum großen Anklang finden. Auch ist der LDP nicht daran gelegen, daß ihre Konkurrenten auf der äußersten Rechten zu stark werden oder gar in die Regierung kommen, da sonst mit heftigen Massenaktionen der Linken zu rechnen ist.

Linksradikalismus

Auf der Linken haben sich inzwischen auch aktive Terrororganisationen gebildet, die zumeist aus Studenten bestehen und nach dem Vorbild lateinamerikanischer und arabischer Untergrundorganisationen Überfälle auf Banken, Polizisten und Flugzeuge verüben und den allgemeinen Volkskrieg nach maoistischem Vorbild vorbereiten wollen. Die berüchtigste Gruppe ist die des „Rengo Sekigun“ (Vereinigte Rote Armee), die bereits ein Flugzeug nach Nordkorea entführt hat und in grausamer Weise 14 Mitglieder, die sich von ihr trennen wollten, ermordete. Auf ihr Konto kommt auch der Terrorüberfall auf Passagiere im Flughafengebäude von Tel Aviv, den sie wie einen Massenmord planten und ausführten.

Marxistische Rationalität und Triebstrukturen

Interessant ist es zu sehen, wie hinter der Fassade einer marxistischen Bewegung Triebstrukturen sichtbar werden, die mit der Rationalität des Marxismus-Leninismus überhaupt nichts zu tun haben. So wurde beispielsweise von der Rote-Armee-Gruppe ein Mädchen hingerichtet, als ihre Schwangerschaft sichtbar wurde. Sie hatte sich nicht rein erhalten und kam damit als Selbstopfer bei einer Terroraktion nicht mehr in Frage. Das ist nicht marxistisches, sondern magisch-mythisches Denken und findet entsprechende Anklänge in der Zeremonie des Seppuku oder der Vorbereitung zum Selbstopfer bei den Kamikazefliegern des Zweiten Weltkrieges.
Ein anderes Beispiel gibt die Aussage des überlebenden Massenmörders von Tel Aviv, der nur bedauerte, nicht selbst getötet worden zu sein, und seine Verbindung zur arabischen Guerillaorganisation preisgab für das Versprechen des Todes, denn er erwartete als Belohnung für seinen Freitod, als Stern in das Sternbild des Orion versetzt zu werden.

Zengakuren keine Terrororganisation

Neben diesen linksradikalen Terrororganisationen wirkte bis 1969 die zwar auf Konfrontation mit den Vertretern des Staates, aber nicht auf Terror gerichtete linksradikale Studentenorganisation Zengakuren, die durch aufwendige Demonstrationen gegen bestimmte politische Vorhaben oder Versäumnisse der Regierung der Bevölkerung zu einem politischen Bewußtsein verhelfen wollte. Zwar führten die meisten Demonstrationen zu Straßenschlachten, aber es ist keine einzige Terroraktion des Zengakuren bekannt (siehe 7.4.3). Seit 1969 ist auch diese radikale Vereinigung wieder in ihre ursprünglichen Gruppen zerfallen, und der „Zengakuren" ist heute eigentlich nur noch der Name für den Studentenverband der KPJ.

9.3 Die Bedeutung der Wahlen für den politischen Prozeß

9.3.1 Wahlsystem

Bedeutung der Wahlen vor 1945

Vor 1945 hatten Wahlen zum Unterhaus und zu den Präfekturversammlungen kaum jemals entscheidende Bedeutung, denn die Legislative spielte – mit der kurzen Ausnahme der 20er und 30er Jahre – nur eine untergeordnete Rolle. Entscheidend waren die von der Herrschaftsgruppe eingesetzten Kabinette, Gouverneure und Bürgermeister. Das änderte sich grundlegend nach der Niederlage von 1945.

Die Wahlen nach 1945

Die reformfreudigen Besatzungsbehörden versuchten, das Volk ganz wesentlich am politischen Prozeß zu beteiligen. Dazu war eine stärkere Abhängigkeit der Regierenden von den Regierten notwendig, die nur auf dem Wege über die Wählbarkeit und damit auch Abwählbarkeit aller politischen Machtträger zu erreichen war.
So wurden Wahlen für die Reformer zu einem wesentlichen Mittel der Demokratisierung der Gesellschaft. Nach der neuen Verfassung werden nun nicht nur die Mitglieder des Unterhauses und der Präfekturversammlungen gewählt, sondern auch Mitglieder des Ober-

hauses, der Stadt- und Gemeinderäte sowie der Premierminister (vom Unterhaus), die Gouverneure und Bürgermeister.

Wahlrechtsreform von 1945

Umso wichtiger mußte das Wahlsystem werden, das nun angewendet werden sollte. Die Amerikaner erreichten zunächst, daß
- alle Frauen das Wahlrecht erhielten,
- das aktive Wahlrecht mit dem 20. und das passive mit dem 25. Jahr begann,
- die Wahlkreise stark vergrößert wurden
- und die Anzahl der Mandate pro Wahlkreis teils bis auf 14 vermehrt wurde, wobei jeder Wähler, je nach Wahlkreisgröße, ein bis drei Stimmen besaß.

Damit sollten auch die noch schwachen Oppositionsparteien Stimmen und Sitze gewinnen können. Wie bei den Vorkriegswahlen war es auch jetzt kein reines Verhältnis-, aber auch kein eigentliches Mehrheitswahlrecht, in jedem Falle aber Personenwahlrecht. Dieses Wahlsystem führte jedoch zu einer Zersplitterung der Wählerstimmen, so daß die Yoshida-Regierung 1950
- die Mandatszahl je Wahlkreis auf drei bis höchstens fünf begrenzte,
- jedem Wähler nur noch eine einzige Stimme gab,
- und völlig aussichtslose Bewerber dadurch fernzuhalten suchte, daß jeder Kandidat für das Unterhaus 300 000 Yen hinterlegen mußte, die verfallen sind, wenn er nicht eine festgelegte Mindestzahl von Stimmen erhält.

Funktionieren des Wahlsystems

Wieviel Prozent der Stimmen ein Kandidat in einem Wahlkreis auf sich vereinigen muß, um gewählt zu werden, hängt von der Stimmenzahl der anderen Bewerber ab. In einem Dreierwahlkreis gewinnen die drei ersten, in einem Viererwahlkreis die vier ersten Anwärter.

Es läßt sich also denken, daß in einem Viererwahlkreis ein Kandidat 50 Prozent der Stimmen erhält, der zweite 20 Prozent, der dritte 10 Prozent und der vierte 5 Prozent. Nur diese sind dann gewählt, während die Stimmen, die für die anderen abgegeben wurden, unberücksichtigt bleiben.

Aus diesem Verfahren ergibt sich die seltsame Regel: je größer die Zahl der Mandate und je höher der Stimmenanteil des oder der führenden Kandidaten, desto weniger Stimmen brauchen ihre Rivalen für ein Mandat.

Schwierigkeiten für die großen Parteien

Die Schwierigkeiten, die sich aus diesem Wahlsystem ergeben, bestehen darin, daß die großen Parteien mehrere Sitze in einem Wahlkreis gewinnen müssen, um ihren Einfluß oder ihre beherrschende Stellung im Parlament aufrecht zu erhalten. Setzen sie zu viele Kandidaten in einem Wahlkreis ein, zersplittert sich das Wählerpotential, und sie bleiben erfolglos, – setzen sie zu wenige Bewerber ein, erhalten sie zu viele Stimmen für die einzelnen Kandidaten und erleichtern damit den gegnerischen Parteien den Gewinn mit geringer Stimmenzahl. Die Ermittlung der bestmöglichen Kandidatenzahl durch die Parteien wird damit zu einer den Wahlausgang möglicherweise entscheidenden Aufgabe.

Das Wahlsystem fördert den Faktionalismus

Bis 1963 untersagte das Wahlgesetz den Parteien, sich offen für ihre Kandidaten einzusetzen. Jeder Bewerber mußte seinen Wahlkampf alleine führen und seine Unterstützung außerhalb der Partei suchen. Infolgedessen hatten die Parteiführungen kaum eine wirksame Kontrolle über ihre Kandidaten im Wahlkampf. Gewählte Abgeordnete schlossen sich oft sogar erst nach der Wahl einer Partei an. So ergab sich schon von daher eine gewisse Selbständigkeit und auch lokale Abhängigkeit der Kandidaten. Zum Faktionalismus (siehe 9.1.4.3) werden sie geradezu getrieben durch den Wahlkampf, den auch Bewerber der gleichen Partei gegeneinander führen müssen. In einem Fünferwahlkreis können beispielsweise zehn Kandidaten der LDP konkurrieren. Da sie sich an die gleichen Wählerschichten wenden, entsteht ein so scharfer Wettbewerb, daß nicht mehr nur die persönliche Wirkung, sondern auch die verschiedenartige Haltung in bestimmten Sachfragen entscheidend ist. So müssen Angehörige der gleichen Partei in ganz wesentlichen politischen Fragen stark voneinander abweichende Haltungen zeigen, was natürlich zur Desintegration der Partei – vor allem bei der LDP – beiträgt.

Reformversuche

Mehrmals versuchte die Regierung, das Wahlsystem zu reformieren:

Eindämmung des Faktionalismus

a) Um dem Faktionalismus eine seiner stärksten Stützen zu entziehen und die Konkurrenz von Kandidaten der gleichen Partei auszuschalten, wollte sie alle Mehrerwahlkreise durch eine größere Zahl kleinerer Einerwahlkreise ersetzen.

Ähnlich dem Vorbild der BRD sollten 70 Prozent aller Abgeordneten in Einerwahlkreisen nach einem Personenwahlrecht gewählt, die restlichen 30 Prozent nach dem Höchstzahlverfahren d'Hondt den Parteilisten entnommen werden. Voraussetzung für den Einzug ins Parlament sollte ein Stimmengewinn von mindestens 5 Prozent sein.

Aber alle Anläufe scheiterten an dem Widerstand aus der eigenen Partei und besonders der Opposition, die befürchtet, daß die LDP aufgrund ihrer traditionellen lokalen Wahlkampfzentren und wegen ihrer besseren Finanzbasis weit überlegen sein würde.

b) Auch eine Reform der Wahlkreisgrößen war seit langem fällig.

Wahlkreisungleichheiten

Die Grenzen der Wahlkreise wurden 1945 festgelegt, als die Städte zerstört und damit entvölkert waren und nur 27,8 Prozent der Bevölkerung in Städten lebte, während es heute über 75 Prozent sind. So kam es, daß die Bevölkerungszahl der einzelnen Wahlkreise in ganz verschiedener Weise schrumpfte oder zunahm. Das ging so weit, daß beispielsweise ein Kandidat in der Präfektur Kanagawa zur Unterhauswahl 1963 für den Wahlerfolg 101 000 Stimmen auf sich vereinigen mußte, während sein Kollege in der Präfektur Ishikawa nur 34000 Stimmen benötigte. Die Unterschiede betrugen also bis zu 200 Prozent. Von einer Chancengleichheit konnte nicht mehr die Rede sein, da auf dem Lande, den weniger dicht besiedelten Wahlkreisen also, vor allem LDP-Anhänger wohnten, in den großen Wahlkreisen der Städte hingegen mehr potentielle SPJ- oder DSPJ-Wähler. Ganz offensichtlich waren hierdurch die sozialistischen Parteien benachteiligt.

Wahlkreisreform

Erst 1964 gelang eine Reform der Wahlkreise, die die gröbsten Ungleichheiten beseitigte, 5 neue Wahlkreise mit 19 neuen Unterhaussitzen schuf und Schwankungen der Wahlkreisgrößen nach oben und

unten auf nicht mehr als 100 Prozent oder 70 000 Einwohner begrenzte. Aber auch bei den Wahlen von 1969 wichen die notwendigen Stimmenzahlen pro Mandat wieder bis zu 200 Prozent voneinander ab.
Eine andere Wahlrechtsungleichheit: Die Wahlkreise werden nämlich nach Einwohner- und nicht nach Wählerzahlen festgelegt. Da auf dem Lande die Familien kinderreicher sind als in der Stadt, verfügen alle Landwahlkreise auch nach der neuen Festsetzung über wesentlich weniger Wählerstimmen als die Stadtwahlkreise.

9.3.2 Wahlkampf

Kanditatenauswahl

Die erste Phase des Wahlkampfes beginnt schon mit der Auslese der Kandidaten. Dabei spielen die örtlichen Parteigruppen nur eine untergeordnete Rolle. Den endgültigen Ausschlag gibt ein Faktionsführer, der über den Großteil der Wahlkampfgelder und damit auch über das Entscheidungsrecht verfügt.

Beherrschende Rolle des Faktionsführers

So kommen die Bewerber schon von Anfang an in Abhängigkeit vom Faktionsführer, ohne den sie nie die Zustimmung zu ihrer Kandidatur durch die Parteizentrale erhalten könnten und dessen finanzielle Unterstützung im Wahlkampf sie dringend benötigen. Der Faktionsführer hingegen gewinnt dabei an Gefolgschaftsstärke, was für sein Gewicht gegenüber der Regierung außerordentlich wichtig ist. So wird die Faktion ein politisches Unternehmen zum gegenseitigen Nutzen. Dies gilt jedenfalls für die LDP, die in jedem Wahlkreis mindestens drei und höchstens zehn Kandidaten aufstellt. Der Wahlkampf führt – anders als in Europa – nicht zur Integration der Partei, sondern fördert gerade die Desintegration durch die scharfe Konkurrenz zwischen den einzelnen Faktionen.
Der siegreiche Kandidat ist sich darüber im klaren, daß er nicht so sehr der Hilfe durch die Partei als vielmehr der Unterstützung des Faktionsführers seinen Sieg verdankt. So ist, wenn er erst einmal in das Parlament einzieht, ein ganz klares Gefolgschaftsverhältnis begründet, das er nur dann auflöst, wenn sich der Faktionsführer auf längere Zeit als sieglos erweist.

Wahlkampfausgaben

Die Wahlausgaben eines Kandidaten sind durch Gesetz auf etwa 30 000 Mark begrenzt. In Wirklichkeit kann er damit oft noch nicht einmal seine zahlreichen Wahlhelfer (bis zu 300 auf einen Kandidaten) entlohnen. Aussicht auf Erfolg hat ein Kandidat heute nur noch, wenn er 100 – 200 000 DM zur Verfügung hat. Hier zeigen sich auch bereits die finanziellen Grenzen und damit die ungleichen Erfolgschancen der einzelnen Parteien.

Während die LDP-Kandidaten beispielsweise in den Parlamentswahlen von 1960 jeweils 100 000 DM verbrauchten, standen durchschnittlich den Bewerbern der DSPJ nur 55 000, denen der SPJ nur 28 000 und denen der Kommunisten nur 11 000 DM zur Verfügung. Bei der bisher teuersten Unterhauswahl von 1972 wandte die LDP allein aus ihrer Parteikasse 100 Millionen DM auf, während alle Oppositionsparteien zusammen nur 15 Millionen ausgaben.

Wahlhilfe

Einen wesentlichen Teil der Wahlkosten finanzieren die Faktionsführer aus ihren eigenen Fonds, die sich aus Spenden bestimmter Firmengruppen oder von Einzelunternehmern und Großgrundbesitzern speisen und Jahreszuschüsse von teilweise über 5 Millionen DM ausweisen.

So erhielt beispielsweise allein Minister Fukuda 1971 für seine Faktion 670 Millionen Yen als Spenden.
Im Wahlkampf von 1972 bekam jeder Kandidat der LDP 10 Millionen Yen von seinem Faktionsführer, aber nur 6 Millionen offiziell vom Parteisekretariat.

Über solch reichen Spendenfluß verfügen die Faktionsführer der SPJ, der DSPJ und der KPJ nicht. Sie werden dafür von den Gewerkschaften unterstützt, die nicht nur über die Hälfte des Wahlkampfes finanzieren, sondern auch durch ehrenamtliche Wahlhilfe zum Erfolg der von ihnen unterstützten Kandidaten beitragen. So erklärt sich auch ihre überaus starke Repräsentation in den sozialistischen Parlamentsfraktionen.

„Kontrollierte Wahlen“

„Die unter Kontrolle eines Bosses stehende Nachbarschaft innerhalb eines Dorfes (Buraku) beschließt auf einem halboffiziellen Treffen aller Mitglieder, die Wahl desjenigen Kandidaten zu unterstützen, der ihr von dem Boß „empfohlen“ worden ist. Diese „Empfehlung“ begrenzt das politische Verhalten der Buraku-Mitglieder in mehrfacher Weise: Einmal sind sie jetzt aufgrund gemeinschaftlichen Beschlusses verpflichtet, ihre Stimme für den Kandidaten des Buraku abzugeben. Zwar ist die Wahl formell „geheim“, tatsächlich ist es aber für einen erfahrenen Boß nicht schwer herauszufinden, wer seine Stimme für andere Bewerber abgegeben hat, da der Name des zu wählenden Kandidaten auf den Wahlzettel geschrieben werden muß, so daß eine Überprüfung der Handschrift solche Stimmabgaben ermitteln kann, die dem Buraku-Beschluß nicht entsprechen.
Abweichungen von der Wahlnorm können also von den Meinungsführern kontrolliert werden, eine wichtige Voraussetzung für die Wirksamkeit äußerer Sanktionen, die die Einhaltung der Gruppennorm sichern. Außerdem sind die Bewohner des Buraku von nun an verpflichtet, Kontakte mit solchen Personen zu meiden, die dem Wahlkampfteam anderer Kandidaten angehören. Diese sollen sogar den Bereich des Buraku nicht einmal betreten dürfen. Die Kontrolle des Bosses und der Mehrzahl der Buraku-Mitglieder sichert die Einhaltung dieser Vorschriften und damit einen erfolgreichen Wahlkampf.“
Paul Kevenhörster, Das politische System Japans, Köln und Opladen 1969, S. 185.

Rolle der Meinungsführer

Eine bedeutende Funktion im Wahlkampf spielen die Meinungsführer, vor allem in ländlichen, aber auch in städtischen Gebieten. Sie üben als Sippenoberhäupter oder Bürgermeister, Großgrundbesitzer oder Kaufleute auf dem Lande weit stärkeren Einfluß aus als Unternehmer, Direktoren oder Verbandsfunktionäre in den Städten.
Als „Bosse“ bestimmen sie weitgehend das Wahlverhalten der ihrem Einfluß und ihrer Macht ausgesetzten Wähler. Hauptaufgabe des

Kandidaten ist es also, einen oder mehrere Bosse für sich zu gewinnen, um mit ihrer Hilfe einen „Unterstützungsverein" zu bilden, der dann den Wahlkampf organisiert, Gruppengespräche führt und dem Kandidaten einen festen Stamm von Anhängern sichert.
Dafür muß der Kandidat weitgehend die politisch-wirtschaftlichen Ziele der „Bosse" in Wahlkampfversammlungen unterstützen und deren Prestige durch öffentliche Anerkennung ihrer Persönlichkeit erhöhen. Auch hier stellt sich damit wieder das bekannte oyabun-kobun-Verhältnis (siehe 7.1) her.
Sind erst einmal die „Bosse" gewonnen, kann der Wahlausgang im Wahlkreis bis auf 100 Stimmen genau vorausgesagt werden. Die Gefolgschaftsleistung durch die Wähler setzt jedoch voraus, daß die Meinungsführer sich auch tatkräftig für die politischen, sozialen und wirtschaftlichen Interessen ihrer Gruppenmitglieder einsetzen. Außerdem erwarten die Wähler dafür, daß sie dem Kandidaten durch seine Wahl einen Gefallen tun, eine „Entschädigung", die meist in einem Geld- oder Sach-„Geschenk" besteht, ohne daß dies als Korruption empfunden würde.

Wahlgeschenke

Während jedoch die Liberaldemokraten den Wahlkampf weitgehend durch die Einschaltung der Meinungsführer personalisieren, versuchen die Sozialisten mit einer anderen Wahltaktik zum Sieg zu gelangen: Sie

Taktik der Sozialisten

- stellen in den Mittelpunkt ihrer Wahlkampagne die Diskussion politischer und ökonomischer Fragen,
- beschränken ihre Arbeit weitgehend auf die städtischen Gebiete, wo auch sie eigene Meinungsführer, meist Gewerkschaftsfunktionäre, einsetzen können, wenn hier auch Abhängigkeit und Kontrolle nicht in einem solchen Maße vorhanden sind wie auf dem Lande.

Sichere Wahlbezirke

Mit Hilfe der Meinungsführer gelingt es den Kandidaten, ganze Wohnbezirke zu sicheren „Hochburgen" der Wahl auszubauen. Sie bestimmen ganz wesentlich die Wahlchancen des Kandidaten, der seine Hochburg zum Schwerpunkt seines Wahlkampfes macht. Dort erscheint er so oft wie möglich auf öffentlichen Versammlungen, spricht vom Wagen aus zu seinen Wählern, hält an Straßenkreuzungen kurze Wahlreden, präsidiert lokalen Vereinen und Organisationen und tut alles, um seinen Wählern in dem für ihn sichersten Wahlbezirk so bekannt wie nur möglich zu werden.

Auflösung der Hochburgen

Die Beschränkung des Wahlkampfes auf die Hochburg wird jedoch immer unsicherer, da die Lockerung der Familienbindungen und Gruppenvorstellungen und auch die Trennung von Wohnort und Arbeitsstelle vor allem auf dem Lande eine örtliche Stimmenkonzentration nicht mehr gewährleistet.
Also werden die Kandidaten zunehmend gezwungen, ihren Wahlkampf auf den ganzen Wahlkreis auszudehnen, was natürlich nicht ohne Auswirkungen auf die Wahlkampfkosten bleibt und somit die Kandidaten immer stärker von den finanziellen Zuwendungen der Faktionsvorsitzenden bzw., bei „Unabhängigen", der „Unterstützungsvereine" abhängig macht.

Ursachen für die Wahlerfolge der LDP

Gerade die Auflösung der Hochburgen und damit die Ausweitung des Wahlkampfes auf den gesamten Wahlkreis hat die Chancen der LDPJ verstärkt und die der sozialistischen Parteien, zumindest in den ländlichen Gebieten, verringert; denn nur die LDP und ihre Faktionen verfügen über ausreichende finanzielle Mittel, um einen solchen kostspieligen Wahlkampf zu bestreiten. Ihre Wahlerfolge sind auch weiterhin auf die in den ländlichen Gebieten bestehenden Sozialzwänge zurückzuführen, während die Opposition nur in den Gebieten Gewinne erzielen kann, in denen solche Sozialzwänge (Kollektivverhalten, Kontrolle durch einen Meinungsführer) durch andere Umstände (persönliche Unabhängigkeit, besserer Informationszugang) aufgehoben werden.

9.3.3 Wahlverhalten

Das Wahlverhalten des Japaners ist, wie das anderer Nationen auch, bestimmt durch eine ganze Reihe von Faktoren wie: Alter, Geschlecht, Bildung, Sozialstatus, Beruf, Wohnort.

Altersgruppen

Die Jungwähler stellten in den ersten zehn Nachkriegsjahren ein wichtiges Potential der SPJ dar, stimmten jedoch Ende der 50er Jahre überwiegend für die LDP, während sie seit Ausgang der 60er Jahre wieder eine Stütze der Oppositionsparteien SPJ, Komeito und KPJ bilden. Eine eindeutige Mehrheit für die LDP findet sich heute nur in der Gruppe der über 40jährigen.

Frauen

Frauen wählen in Japan weitgehend konservativ, was ihrer bisherigen Rollenfunktion entspricht. Aber auch hier zeigt die jüngere Generation einen Trend zu den Oppositionsparteien, jedoch meist nur Frauen mit abgeschlossenem Oberschulbesuch und noch stärker Absolventinnen von Hochschulen.

Bildung

Ein hohes Bildungsniveau ist also auch hier entscheidender für den Wahlausgang als die Rollenfunktion. Dies gilt übrigens nicht nur für Frauen, sondern für alle Wähler, wie folgende Übersicht zeigt:

Tabelle 27: **Parteineigung und Bildungsgrad der Wähler**

Absolventen der	Von je 100 Wählern stimmten für die				
	Liberaldemokratische Partei	Sozialistische Partei	Demokratische Partei	Kommunistische Partei	Splitterparteien und „Unabhängige“
Volksschule	66	22	2	2	8
Mittelschule	62	28	4	1	5
Oberschule	49	36	8	1	6
Universität	46	42	5	1	6

(Nach: Paul Kevenhörster, Das politische System Japans, Köln und Opladen 1969, S. 205.)

Eine höhere oder akademische Bildung eröffnet auch Informationsmöglichkeiten, die von den weniger intensiv ausgebildeten Schichten nicht genutzt werden. Auch argumentieren die Oppositionsparteien oft intellektuell (ihre Führer sind zum größten Teil Intellektuelle), so daß sie auch Gruppen mit einem höheren Bildungsniveau stärker ansprechen als solche mit einem niedrigeren.

Sozialschicht

Ebenso deutlich sind Zusammenhänge zwischen Parteineigung und Einkommenshöhe:

- Die LDP gewinnt vor allem Großverdiener sowie Bezieher niedriger und niedrigster Einkommen.
- Die Sozialisten haben ihr größtes Wählerreservoir nicht nur in den unteren, sondern gerade auch bei – in ihren persönlichen Erfolgserwartungen enttäuschten – mittleren Einkommensschichten.

Auch die Berufsstruktur hat einen Einfluß auf das Wahlverhalten. So stellten japanische Untersuchungen 1970 fest:

- Die meisten Manager, Inhaber von Familienunternehmen, Landwirte und Angestellte sprechen sich für die LDP aus.
- Ebenso wählen die meisten Fischer, Handwerker, Arbeiter in Kleinbetrieben und Zeitarbeiter LDP.
- Dagegen neigen die meisten freiberuflich Tätigen, Studenten und Lehrkräfte an Schulen und Hochschulen sowie die meisten Stammarbeiter zur Sozialistischen Partei.

Wohnort

Eine große Rolle beim Wahlverhalten spielt der Wohnort:

- Die Beteiligung an der Wahl gilt auf dem Lande als Verpflichtung. Landbewohner sind durch lokale Führungskräfte, die meist der Regierungspartei angehören oder nahestehen, leichter zu beeinflussen als Städter. Die Bauernschaft genoß bisher immer Unterstützung von der Regierung, also verhält sie sich auch regierungstreu. Die Wahlorientierung ist nicht individuell, sondern kollektiv.
- In den Städten hingegen ist der Zugang zu allen Informationsmitteln viel leichter, die Stammarbeiter werden weitgehend von Gewerkschaften beeinflußt, und ein kollektives Wahlverhalten entfällt in der Anonymität der Städte. Und hier in den Städten ist es weitgehend auch wieder die „Erwartungsfrustration" – durch das überall sichtbare Angebot ausgelöst –, die zur Oppositionswahl führt, nicht die Zugehörigkeit zur Unterschicht.

Orientierung an Bezugsgruppen

Wichtig für das Wahlverhalten ist auch die „Orientierung an Bezugsgruppen":

- Gruppen mit niedrigem Sozialstatus wählen eher Personen mit höherem Status, also Repräsentanten der LDP.
- Bei einem Aufstieg aus der Unterschicht in die Mittelschicht ändert sich die Gruppenbindung und es kommt zu einer Annäherung an die Sozialistische Partei.
- Wenn der Wähler sich jedoch seines neuen sozialen Status erst bewußt geworden ist und sich voll als Mitglied der Mittelschicht fühlt, gehört seine Präferenz der Partei der oberen Mittelschicht und der Oberschicht.

Gerade auf diesem Wechsel im Wahlverhalten beim Aufstieg in die Mittelschicht beruhen weitgehend die Erfolge der Regierungspartei.

Traditionelles Wahlverhalten

Beim Wahlentscheid überwiegt immer noch das traditionelle Verhaltensmuster, das sich nach Personen (dem Boß, Bürgermeister, Kaufmann, Ehemann) richtet, die man kennt und denen man vertraut. Diese Einstellung herrscht nicht nur in ländlichen Bezirken vor, sondern auch bei Ehefrauen und Arbeitern in städtischen Klein- und Kleinstbetrieben und kommt weitgehend der LDP zugute.

Parteiorientierung

Die Orientierung auf eine Partei ist eine moderne Haltung und fast nur in den Städten und dort auch nur bei den organisierten Arbeitnehmern und den Intellektuellen anzutreffen. Sie führt meist zu einer Wahlentscheidung für die sozialistischen Parteien.

Da Meinungsumfragen ergeben haben, daß die Wähler zunehmend an Sachfragen (Preissteigerung, Einkommensverteilung, Umweltverschmutzung, Außenpolitik) interessiert sind, haben die Parteien beim letzten Wahlkampf wirtschafts- und außenpolitische Themen in den Mittelpunkt gestellt und damit berücksichtigt, daß der Anteil derer, die sich aufgrund von Informationen und nicht von Gruppenbindungen entscheiden, zunimmt.

Möglichkeiten eines Machtwechsels

Wie lange es allerdings noch dauern wird, bis der Prozentsatz der sach- und damit parteiorientierten Wähler den der personenorientierten Wähler übertrifft und ob das überhaupt jemals der Fall sein wird, ist nicht abzusehen. Damit ist auch die Frage nach der Möglichkeit eines Machtwechsels in naher Zukunft nicht zu beantworten.

Nur soviel ist zu sagen: die fortschreitende Industrialisierung und die damit verbundene Verstädterung führen zu einer sozialen Mobilität, die schließlich die Auflösung der Sozialzwänge mit sich bringt. Gerade die Kollektivorientierung, die Gruppenbedingtheit und die dadurch wirksamen Sozialzwänge haben bisher zu einem wesentlichen Teil die Fortdauer der bisherigen Wirtschaftsform ermöglicht. Ob Japan vom jetzigen Eineinhalb-Parteien-System, in dem kein Herrschaftswechsel möglich ist, zu einem Zwei-Parteien-System mit sich abwechselnden Regierungen übergehen wird, hängt auch wesentlich von Bündniswillen und Bündnisfähigkeit der sozialistischen Parteien ab sowie davon, ob die SPJ sich nach dem Vorbild der SPD zu einer Partei der Mitte umformt und ihren innerparteilichen Dogmenstreit begräbt.

Kein Wechsel ohne neues Wahlsystem

Aber selbst dann würden – nach Ansicht der meisten politischen Beobachter – die Wahlen wohl kaum jemals zu einem Regierungswechsel führen, wenn nicht das jetzige Wahlsystem durch ein neues abgelöst würde, in dem Einerwahlkreise an die Stelle der bisherigen Mehrerwahlkreise treten und eine Art personalisiertes Verhältniswahlsystem auch die Gesamtzahl der von jeder Partei gewonnenen Stimmen bei der Mandatsvergabe berücksichtigt.

Zur parlamentarischen Demokratie gehört der Machtwechsel

Die Möglichkeit eines solchen Machtwechsels ist jedoch Voraussetzung einer funktionierenden parlamentarischen Demokratie. Wenn die Minderheitsparteien keine legale Möglichkeit eines Machtwechsels sehen, werden sie, aus Frustration, eines Tages zu illegalen Mitteln greifen müssen, um den Auftrag ihrer Wähler zu erfüllen. Die Herstellung echter Gewinnchancen auch für die Opposition erscheint so eine der wichtigsten Aufgaben der japanischen Innenpolitik zur Bewahrung der Demokratie.

10. Japans Stellung in der Welt

10.1 Japan heute eine Großmacht?

Die Lage nach 1945

Mit der Niederlage von 1945 schieden sowohl Deutschland als auch Japan als Großmächte aus der Weltpolitik aus. Durch eine Fülle von glücklichen Umständen blieb jedoch Japan die Besetzung durch die Sowjetunion und damit die wahrscheinliche Teilung des Landes erspart.
So blieb Japan im Gegensatz zu Deutschland die nationale und territoriale Einheit erhalten, was den späteren Wiedereintritt in die Weltpolitik wesentlich erleichtern sollte. Zunächst bedeutete die Niederlage jedoch Rückzug vom Kontinent und aus dem Pazifik (siehe 4.1.1). Damit wurde aus dem ganz Ost- und Südostasien beherrschenden Kaiserreich „Großjapan" ein kleines, übervölkertes Inselland ohne ausreichende Ernährungsgrundlage und ohne Rohstoffe. Dazu kam noch, daß es unter Kontrolle der USA-Besatzungsgewalt stand.
Allerdings – und dies ist ein wesentlicher Unterschied zu Deutschland – übten die Amerikaner ihre Besatzungsherrschaft mit Hilfe einer japanischen Regierung aus, die als Institution zu bestehen nie aufgehört hatte und die seit 1946 nach den Wahlbestimmungen der neuen Verfassung gewählt wurde.
Integrität des japanischen Mutterlandes und der Bevölkerung, Weiterexistenz einer eigenen handelnden Regierung und Intaktheit des Verwaltungsapparates – dies waren bereits wesentliche Merkmale eines souveränen Staates, über die Japan schon 1945 verfügte.

Aufwertung im Kampf gegen den Kommunismus

Äußere Ereignisse, vor allem der Koreakrieg von 1950, verhalfen Japan sehr bald zur Befreiung von den Haupteinschränkungen seiner Souveränität (siehe 4.3). Die USA entdeckten, daß Japan als Zulieferant und Militärbasis in ihrem Krieg gegen den Kommunismus in Asien unentbehrlich war und entschlossen sich – ähnlich wie im Falle der Bundesrepublik –, aus dem ehemaligen Feind einen Partner (wenn auch nur einen Juniorpartner) zu machen.
So kam es 1951 zur Friedenskonferenz von San Francisco und zum Friedensvertrag Japans mit 48 Feindstaaten des Weltkrieges. Nur die Sowjetunion und die Ostblockstaaten sowie die VR China, Indien und Burma unterzeichneten nicht.

Fortbestehende Einschränkungen

Damit schien Japan wieder in den Kreis der Nationen aufgenommen zu sein; allerdings blieben noch erhebliche Fesseln. Es mußte
- die Stationierung amerikanischer Streitkräfte auf japanischem Boden gestatten,
- Okinawa weiterhin der Souveränität der USA überlassen
- und sich durch das wiederholte Veto der Sowjetunion bis 1956 von der UNO ausschließen lassen (siehe 10.3).

Widerspruch zwischen Wirtschaftskraft und weltpolitischem Einfluß

Inzwischen hat das Inselreich einen solchen wirtschaftlichen Aufschwung genommen, daß es heute allgemein zu dem kleinen Kreis der Großmächte gerechnet wird. Allerdings fehlen Japan einige wesentliche Merkmale einer Großmacht:
- Es verfügt nicht über Nuklearwaffen,
- hat keinen Sitz im Sicherheitsrat
- und keine eigene universelle Ideologie (wie etwa China, die UdSSR und die USA),
- sein politischer Rat wird nicht erbeten, ja des öfteren sogar verbeten, wichtige internationale Entscheidungen fallen ohne sein Zutun,
- militärisch hängt es ganz von Rüstungslieferungen und, im Falle eines Angriffs, vom Beistand der USA ab,
- selbst bei reinen Wirtschaftsentscheidungen ist es nicht frei in seinen Entschlüssen.

Hier besteht also ein bedeutsamer Unterschied zwischen dem Wirtschaftspotential Japans (das es in Asien zur ersten Großmacht werden ließ) und seiner politischen und militärischen Bedeutung.
Nicht nur die japanische Regierung, sondern auch weite Kreise der Bevölkerung sind sich heute dieses Gegensatzes bewußt, und alles deutet darauf hin, daß künftige konservative Regierungen das politische (und vielleicht auch das militärische) Gewicht Japans erhöhen werden. Immer häufiger fordern Öffentlichkeit und Regierung für Japan einen Platz im Sicherheitsrat.
Bei allen Bestrebungen nach größerer politischer Handlungsfreiheit und mehr Gewicht bei internationalen Verhandlungen stößt Japan jedoch sofort auf die Interessen der drei Weltmächte: USA, UdSSR und China.

10.2 Japan und die USA

Erste Phase

Das Verhältnis Japans zu den USA hat nach dem Zweiten Weltkrieg mehrere Phasen durchlaufen: die erste Phase war bestimmt durch Besetzung und Reformen und dauerte von 1945 bis 1951. In ihr war Japan das Objekt einer wohlwollenden und positiven Besatzungspolitik (siehe 4.1).

Zweite Phase

In der zweiten Phase (1951 – 1960), eingeleitet durch den Ausbruch des Koreakrieges und die Friedenskonferenz in San Francisco, erhielt Japan zwar seine Souveränität zurück, mußte aber den ameri-

Die Welt aus der Sicht Europas und Japans
(Abbildung 26)

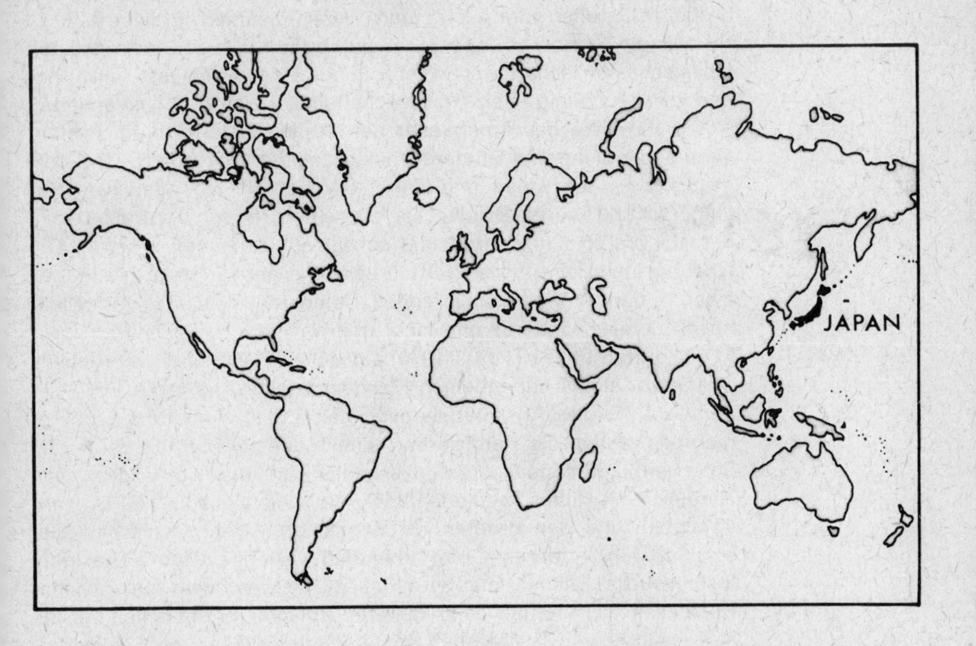

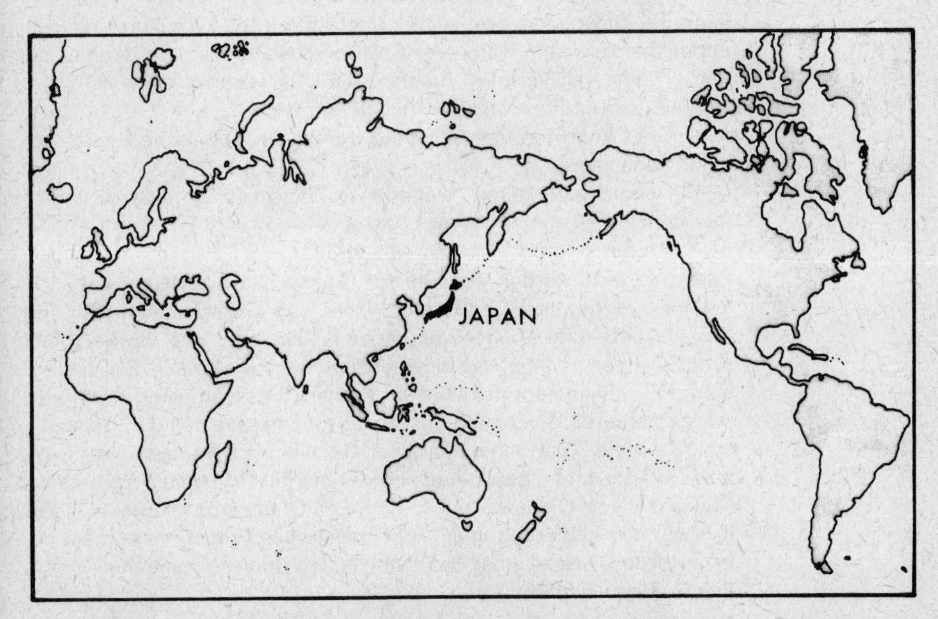

kanischen Streitkräften das Recht zur Nutzung von Stützpunkten und zur Lagerung von Waffen, einschließlich von Atomwaffen, einräumen sowie das Recht, amerikanische Truppen zur Niederschlagung von größeren Unruhen oder Aufständen in Japan einzusetzen (siehe 4.3).
So war die Sicherheit Japans nur durch die USA gewährleistet, die japanische Wirtschaft war in ihrer Einfuhr weiterhin fast völlig von den USA abhängig. Der Wissenschaftsbetrieb an den Universitäten wurde mit Hilfe der Amerikaner neu organisiert und durch Professorenentsendung und Studentenaustausch stark gefördert. Das Verhältnis zwischen Japan und den USA war ähnlich dem zwischen jüngerem und älterem Bruder: Der ältere hilft, rät, schützt und befiehlt, der jüngere folgt, gehorcht und schaut auf zu seinem Vorbild. Die USA schienen eine heile Welt zu sein: sie gaben Japan das Modell einer reibungslos funktionierenden Demokratie, eines unvorstellbar hohen Lebensstandards und einer überwältigenden Technik.

Dritte Phase

In der dritten Phase (1960 – 1970) entwickelte sich Japan vom Juniorpartner zu einem unbequemen Mahner, Kritiker und Herausforderer der USA. Dieser Abschnitt begann damit, daß Regierung und Regierungsfraktion die Ratifizierung eines neuen Sicherheitspaktes im Parlament „durchpeitschten", was anfänglich nur Kritik, dann den Vergleich mit Hitlers Methoden hervorrief und schließlich zu Demonstrationen und den größten Straßenkämpfen der japanischen Geschichte führte, deren Opfer über 800 Verletzte waren. Präsident Eisenhowers Besuch mußte abgesagt werden, sein persönlicher Pressesekretär und der amerikanische Botschafter entkamen nur mit Not aus ihren von den Massen zertrümmerten Wagen: eine antiamerikanische Bewegung war sichtbar geworden, die vor kurzem noch undenkbar gewesen wäre. Der Anlaß war ein Vertrag, der Japan eine ganze Reihe von Vorteilen brachte: die USA verpflichteten sich,

- Japan mit ihrem Atomschirm zu schützen
- und bei Angriffen von Japan aus vorher die japanische Regierung zu konsultieren.
- Sie verzichteten darauf, weiterhin Bodentruppen in Japan zu unterhalten
- sowie bei inneren Unruhen einzugreifen.

Diese Vorteile wurden aber in den Augen der Sozialisten dadurch mehr als aufgewogen, daß Japan durch den Einsatz amerikanischer Kriegsschiffe und -flugzeuge gegen China oder die Sowjetunion selbst in einen neuen Krieg hineingezogen werden könnte. Das immer stärkere Engagement der USA in Vietnam führte zu einer gleichfalls immer stärkeren Ablehnung des „Kriegsbündnisses" mit den USA.

Zunehmende Spannungen

Da sehr viele Flüge amerikanischer Bomber nach Vietnam von Okinawa aus starteten, gewann die Forderung der Sozialisten nach einer Rückgabe von Okinawa immer mehr Anhänger und mußte schließlich von der Regierung in ihr außenpolitisches Programm aufgenommen werden, was zu einer Spannung in den japanisch-amerikanischen Beziehungen führte.

Mitte der 60er Jahre wurde ein Attentat auf den Botschafter der USA unternommen.
Neue Spannungen erwuchsen durch die Mitte der 60er Jahre anlaufende Exportoffensive Japans, die nicht nur große Teile des südostasiatischen Marktes den Amerikanern entriß, sondern auch in den inneren Markt der USA selbst, und zwar mitunter zu Dumpingpreisen, einbrach.
Alle Handelsbesprechungen schienen den offenen Handelskrieg nicht mehr aufhalten zu können, bis sich schließlich die japanische Textil- und Stahlindustrie unter dem Druck der eigenen Regierung zu einer freiwilligen Exportbeschränkung und zu einer weitgehenden Liberalisierung vieler Importgüter, deren Einfuhr bisher verboten war, entschloß.
Die amerikanische Kriegsführung in Vietnam, die handelspolitischen Vorschriften, die die USA Japan auferlegten (auch in bezug auf den Handel mit China, der Sowjetunion und den Ostblockstaaten), ließen die Politik der USA in Japan immer unbeliebter werden. Berichte über den Vietnamkrieg sowie vor allem die Rassenunruhen, die Ermordung der Brüder Kennedy und Martin Luther Kings machten die USA auch nicht länger als ein Modell-Land der Demokratie glaubhaft.
Das Bewußtsein, einen eigenen Weg gehen zu müssen, wirtschaftlich, politisch und auch handelspolitisch, wurde immer deutlicher und führte, bei Übernahme einer Fülle von amerikanischen Eigenarten und Gewohnheiten, doch zu einer zunehmenden Ablehnung des „american way of life".

Vierte Phase

Das Jahr 1971 kennzeichnet wohl den Wendepunkt in den amerikanisch-japanischen Beziehungen und den Beginn einer neuen Phase.

Rückgabe Okinawas

Die Verlängerung des Sicherheitsvertrages mußten die USA mit der Rückgabe Okinawas erkaufen. Damit sicherten sie gleichzeitig Premierminister Sato, auf dessen Bereitschaft zur Zusammenarbeit sie sich verlassen konnten, die Weiterführung seiner Regierung.

Begehrteste Währung der Welt

In der Währungskrise des Jahres 1971 wurde der Yen zur begehrtesten Währung der Welt. Eine Flucht aus dem Dollar in den Yen setzte ein, die schließlich Japan neben der BRD zum größten Dollarbesitzer werden ließ. Alle Aufforderungen zur Aufwertung lehnte Japan ab, bis die USA es schließlich durch eine drakonische Einfuhrzollpolitik dazu zwangen. Die unnachgiebige Haltung der USA zeigte, daß sie nun auch alle Rücksicht gegenüber dem einstigen „Juniorpartner" fallen ließen. Amerikaner warfen Japan vor, Produktionseinschränkungen und Massenentlassungen in den USA seien Folgen der „unfairen" japanischen Handelspolitik, die zwar alle Wettbewerbsvorteile im Ausland ausnutze, ihren eigenen Markt aber gegen die Konkurrenz aus Übersee verschließe. So kam es zu einem Anwachsen der antijapanischen Stimmen in der amerikanischen Öffentlichkeit, die noch gestärkt wurden durch Äußerungen japanischer Politiker, daß Japan nicht nur wirtschaftliche Führungsmacht in Asien, sondern nach dem voraussichtlichen Rückzug der Amerikaner auch politische Ordnungsmacht sein müsse, um kein Vakuum entstehen zu lassen. Eine Europareise des Tenno 1971 schien ebenfalls dahin zu deuten, daß Japan sich anschicke, eine eigene, unabhängige Politik zu machen.

Neuverteilung der internationalen Rollen
„Die Ausweitung des japanischen Einflusses, die wesentlich auf seiner wirtschaftlichen Stärke beruht, und der Fortschritt und die Verstärkung der wirtschaftlichen Integration Westeuropas machen eine Neuverteilung der internationalen Rollen, die bisher allein von den USA gespielt werden, dringend erforderlich."
Aus dem 15. Blaubuch der japanischen Diplomatie vom 6. 7. 1971.

Amerikanisch-chinesische Annäherung

Das entscheidende Ereignis für neue japanisch-amerikanische Beziehungen war die sensationelle Pekingreise Nixons ohne vorherige Konsultation der japanischen Regierung.
Jahrelang hatte Japan getreu den amerikanischen Anweisungen auf einen größeren Handel mit China verzichtet und statt dessen sich wirtschaftlich mit Taiwan eng verbunden. Jetzt mußte es sehen, daß die USA ihre Außenpolitik plötzlich ändern, alte Verbündete im Stich lassen, neue Bündnisse suchen konnten. Damit wurde es zumindest fraglich, ob man sich noch für längere Zeit auf den Schutz der USA verlassen konnte.

Weitere gegenseitige Bindungen notwendig

Aber es besteht wohl kein Zweifel, daß Japan sich – auch nach dem Regierungswechsel im Sommer 1972 – von den USA als der stärksten Macht des marktwirtschaftlichen Systems nicht lösen wird. Es verdankt seinen Aufstieg und seine Stärke der Zugehörigkeit zu diesem offenen System der konkurrierenden Privatwirtschaft und würde mit dem Verlust seiner Absatzmärkte wohl einen wesentlichen Teil seiner Wirtschaftskraft einbüßen. Andererseits können die USA es sich nicht erlauben, ihren treuesten und auf längere Sicht wahrscheinlich einzigen Partner in Ostasien zu verlieren, der noch dazu die dynamischen Möglichkeiten des kapitalistischen Wirtschaftssystems allen anderen Staaten deutlich demonstriert.

Vertrauen und Zusammenarbeit trotz Spannungen
„Das Ziel der japanischen Außen- und Verteidigungspolitik ist die Aufrechterhaltung des Friedens in Fernost ..., indem Japan einerseits der Abschreckungsmacht der USA vertraut, einschließlich seiner Atomwaffen, andererseits seine eigene Verteidigungskraft verstärkt, um sich gegen jede Aggression mit konventionellen Waffen zu schützen ...
Sowohl Japan als auch die USA haben große Bedeutung in der Wirtschaftswelt und so sind mit zunehmendem Handelsaustausch zwischen den Nationen Spannungen auf einigen Gebieten unvermeidlich. Dies sollte jedoch das Grundverhältnis von Zusammenarbeit und gegenseitigem Vertrauen nicht überschatten. Deshalb sollten Japan und die USA versuchen, solche Spannungen auf der Basis wechselseitiger Zugeständnisse und von Gegenseitigkeit zu lösen."
Aus dem 15. Blaubuch der japanischen Diplomatie vom 6. 7. 1971.

10.3 Japan und die Sowjetunion

Die USA sind nicht die einzige Supermacht, auf deren Kooperation Japan angewiesen ist. Die Sowjetunion, zu der Japan lange Zeit ein sehr gespanntes Verhältnis hatte, wird zunehmend wichtiger.

Japans Verhalten in der Kriegszeit

Belastet wurde dieses Verhältnis vor allem durch den Kriegseintritt der Sowjetunion sechs Tage vor der Kapitulation Japans, das dazu keinerlei Veranlassung gegeben hatte. Japan hatte im Gegenteil das ständige Drängen Deutschlands nach Eröffnung einer zweiten Front im Osten der Sowjetunion immer aufs neue abgewehrt und durch seine strikte Neutralität wesentlich dazu beigetragen, daß die sowjetischen Armeen in den kritischen Wintermonaten 1941 und 1942 mit Hilfe der sibirischen Divisionen zum Gegenangriff übergehen konnten.

Die Japaner waren zutiefst empört, als die Sowjetunion nicht nur die Mandschurei und Korea besetzte und alle Industrieanlagen demontierte, sondern auch Südsachalin, die Kurilen und eine japanische Inselgruppe vor Hokkaido okkupierten, Gebiete, die immer zu Japan gehört hatten bzw. auf vertraglichem Wege an Japan gekommen waren.

Zurückhalten der Kriegsgefangenen

Die Sowjets brachten die auf dem Festland und den Inseln gefangengenommenen japanischen Soldaten und Zivilisten zum Arbeitseinsatz in die Sowjetunion. Nur zögernd gestatteten sie ihre Rückkehr. Mitte 1946, als noch eine Million Gefangene auf ihre Heimkehr warteten, stoppten sie die gesamte Rückführungsaktion und nahmen sie trotz ständiger Appelle des Alliierten Rates in Tokyo jahrelang nicht wieder auf.

Abneigung gegen die KPJ

Währenddessen probte die KPJ in Japan den Aufstand: Massenstreiks, Stillegung der Energieversorgung und des Verkehrsnetzes, bewaffnete Zusammenstöße mit den wenigen vorhandenen Polizisten, Massendemonstrationen, die Zwischenfälle herausforderten, eine zügellose Kampagne gegen den Tenno und die alte Gesellschaftsordnung – alles dies war nicht geeignet, bei der Mehrheit der Japaner Sympathien für die KPJ und damit für die Sowjetunion, in der ihre Führer ausgebildet worden waren, zu erwecken.

Und als 1949 die Repatriierung der Gefangenen plötzlich wieder einsetzte und einige Hunderttausende ihre Heimat wieder erreichten, konnten die Japaner auch wieder keine Sympathien für die Sowjetunion empfinden, denn diese Heimkehrer marschierten in geschlossenen Gruppen an ihren Frauen, Eltern und Kindern achtlos vorbei, sangen kommunistische Lieder, riefen kommunistische Losungen und gründeten noch am Hafen Parteizellen, die dann über ihre politischen Aufgaben diskutierten. Nach Meinung vieler Japaner hatte die Sowjetunion die Gefangenen wohl nur deswegen so lange zurückgehalten, um sie zu kommunistischen Kadern auszubilden, die den Umsturz in Japan vorbereiten sollten.

Satellit der USA

Vor allem die Sowjetunion protestierte gegen den Abschluß des Friedensvertrages von San Francisco 1951. Sie lehnte eine Unterzeichnung

ab, denn in dem damit verbundenen Sicherheitspakt erlaubte Tokyo den USA, Japan als Basis für ihre Streitkräfte zu benutzen, was eindeutig gegen die Sowjetunion gerichtet zu sein schien. Die wirtschaftliche und militärische Abhängigkeit von den USA machte Japan trotz formaler Unabhängigkeit zu einem Satelliten der USA, und die UdSSR ließ Japan bei jeder Gelegenheit spüren, daß es von ihr keine Zugeständnisse erwarten könne, ehe es nicht diese Bindungen lockere.
So verhinderte die Sowjetunion fünf Jahre lang die Versuche Japans, in die Vereinten Nationen zu gelangen. Erst 1956, zur Zeit des „Tauwetters" nach Stalins Tod begannen erste Gespräche zwischen beiden Regierungen, die schließlich zur Wiederaufnahme diplomatischer Beziehungen und zur Aufnahme Japans in die UN führten.

Kurilenfrage

Die Beziehungen blieben kühl und kamen zu einem neuen Tiefstand, als Japan 1960 den Sicherheitsvertrag mit den USA erneuerte. Durch ihre eigenen Aktionen verschärfte die Sowjetunion noch die Spannungen: So weigerte sie sich fortwährend, über die Frage der südlichen Kurileninseln, die immer japanisch gewesen sind, auch nur zu sprechen. Für sie gäbe es keine territorialen Probleme. Gerade diese Inselgruppe ist jedoch für die japanische Inselfischerei nahezu lebenswichtig. Sie liegt so nahe an Hokkaido, daß japanische Fischerboote ständig Gefahr laufen, beim Fischen die russischen Hoheitsgebiete zu verletzen. So hat die Sowjetunion von 1945 bis 1970 über 1300 japanische Fischdampfer gekapert (davon die meisten in der Nähe der Habomai-Inseln) und sie meist erst nach Jahren, mitunter überhaupt nicht zurückgegeben (siehe 8.3.1.2).
Zwar hat Chruschtschow einmal die Rückgabe der beiden kleinsten Inseln als Gegengabe für japanisches Wohlverhalten vorgeschlagen, aber neuere Verhandlungen sind bisher ergebnislos ausgegangen.

Rückkehr der Nordgebiete

„Das Problem der Nordgebiete ... stellt ein bedeutsames Hindernis in der Entwicklung der Beziehungen zwischen beiden Ländern dar. Kürzlich ist die Sowjetunion sogar soweit gegangen, Japans legitime Forderungen nach Rückgabe der Nordgebiete als ... ein Zeichen des Revanchismus und wiederauflebenden Militarismus zu verleumden.
Es ist Japans Politik, ... durch ... Verhandlungen die Rückkehr der ... Inseln zu erreichen, die unlösbare Bestandteile des japanischen Territoriums sind."
Aus dem 14. und 15. Blaubuch der japanischen Diplomatie 1970 und 1971.

Gemeinsame Erschließung Sibiriens

Erfolgversprechender waren die Wirtschaftsgespräche, die 1966 zu einem Luftfahrtabkommen über die wechselseitige Benutzung der Route Tokyo – Moskau führten und zu einem sensationellen Angebot der Sowjetunion an Japan 1971: gemeinsame Entwicklung Sibiriens in einem 20-Jahrplan, wobei Japan Kredithilfe von 1 bis 2 Milliarden US-Dollar und technische Hilfe leisten sollte und die Sowjetunion dafür Japan mit wichtigen Rohstoffen (vor allem Kohle und Öl) beliefern wollte.
Obgleich die Besprechungen darüber noch zu keinem Ergebnis geführt haben, scheint es doch so, als ob Japan, wenn auch mit weniger

Kapitalhilfe, auf das Angebot eingehen könnte und die „Kurilen-Frage" sich durch einen Kompromiß regeln ließe.

Besuch Gromykos

Der Besuch von Außenminister Gromyko im Januar 1972 könnte der Auftakt zu einem neuen Kapitel japanisch-sowjetischer Beziehungen gewesen sein: er stellte nicht nur eine Wiederaufnahme der seit 5 Jahren unterbrochenen gegenseitigen Außenministergespräche dar, sondern diente gleichzeitig der Vorbereitung eines Friedensvertrages und weitreichender japanisch-sowjetischer Wirtschaftsgespräche.

Interesse der Sowjetunion an verbesserten Beziehungen

Die Sowjetunion beobachtet schon seit einiger Zeit mit unverhohlenem Mißvergnügen die beachtlichen Anstrengungen Japans, seinen Handel mit China, von dem es sich Wunder verspricht, wesentlich auszuweiten. Diese sowjetische Furcht, der ideologische Gegner China könnte durch japanische Unterstützung sehr bald auch zu einem wirtschaftlichen und militärischen Gegner werden, hat sich durch die Wendung in der amerikanischen Chinapolitik und der danach erfolgten japanischen Normalisierung der Beziehungen zu Peking noch beträchtlich verstärkt.

Die wirtschaftlichen Angebote der UdSSR wurden immer attraktiver und liefen schließlich auf eine Erschließung und Umwandlung Sibiriens in ein riesiges Industriegebiet und Rohstofflager für Japan hinaus. Eine japanisch-sowjetische Zusammenarbeit könnte die japanischen Hafenstädte an der Japansee aufblühen lassen und eine industrielle Erschließung der Westküste zur Folge haben, wodurch eine Teilverlagerung der Industriebetriebe von der überindustrialisierten Pazifikküste möglich würde.

Vorläufig sind die Finanzierungsforderungen der Sowjetunion noch unerfüllbar, aber es könnte der Fall eintreten, daß sie sich eines Tages genötigt sieht, Japan auch politisch verlockende Bedingungen anzubieten, um zu vermeiden, daß es seine Wirtschaftskraft zum Aufbau des politischen Rivalen China einsetzt.

10.4 Japan und China

Die Beziehungen Japan – China sind weitaus komplexer als die zwischen Japan und den anderen Großmächten. Das Verhältnis zu China stellt wahrscheinlich für Japan das komplizierteste außenpolitische Problem dar.

China, die Quelle der eigenen Kultur

Das hat seinen Grund nicht nur in solchen Fehlentscheidungen der Nachkriegszeit wie z. B. der Anerkennung und Unterstützung Taiwans bei gleichzeitiger Nichtanerkennung Chinas – was amerikanischem Druck zuzuschreiben ist. Es entspringt vielmehr der über 2000jährigen engen Verbindung der beiden Reiche in Wirtschaft, Technik und Kultur, wobei Japan wohl immer der Nehmende war und sich selbst bald in der Rolle eines „jüngeren Bruders" dah, der mit Respekt und Ehrfurcht zu der Quelle von Wissenschaft, Technik, Kunst und Religion aufsah. Das alles war China für Japan bis zur Abschließung Japans

1634. Und für viele Japaner nimmt China heute noch die gleiche Stellung in ihrem historischen Wertbewußtsein ein, die für uns das Griechenland und Rom der Antike innehaben.

China, das Objekt der japanischen Eroberungskriege

Das ist aber nur die eine Seite des Verhältnisses. Auf der anderen Seite finden wir ein vor allem unter den Intellektuellen verbreitetes Schuldgefühl, denn die Beziehungen zwischen Japan und China in der neueren Geschichte bestehen hauptsächlich in Kriegen Japans gegen China mit dem erklärten Ziel, es schließlich zu beherrschen. Japan eroberte Taiwan, es besetzte die Mandschurei, es schickte seine Soldaten zur Bestrafung der „Boxer" nach China, es eroberte ganz Ostchina und herrschte mit Grausamkeit, bis es durch Amerikaner und Sowjets 1945 daraus vertrieben wurde.

Das neue China

Und schließlich gibt es jenes neue China, das es vermocht hat, nach Jahrhunderten der Ohnmacht und Zerstückelung wieder zu einer bedeutenden Großmacht aufzusteigen, deren neue Gesellschaftsform nicht nur ein Vorbild der studentischen Linken, sondern auch mancher Geschäftsleute ist, die von ihrem Chinabesuch zurückkamen, beeindruckt von der asketischen Haltung, der Disziplin, dem Fleiß, dem Ernst und dem Gemeinschaftswillen des „neuen Menschen" in China.

Besorgnis über chinesische A-Bombe

Man darf aber auch nicht die in allen Erörterungen über den Ausbau der eigenen Verteidigungsstreitkräfte mitschwingende Besorgnis über die chinesische Atomrüstung vergessen und die mögliche Bedrohung der eigenen Nation, die ja bei einem Atomschlag von China aus überhaupt keine Überlebenschance mehr hätte.

Alle diese Gesichtspunkte spielen bei der japanischen Außenpolitik eine Rolle – und die Rücksicht auf die USA, den einzigen Schutz, den Japan im Falle einer chinesischen Kriegsdrohung besitzt.

Gute Beziehungen zu Taiwan

Die Republik China unter Führung von Chiang-kai-chek war eine der Siegermächte des letzten Weltkrieges und Japan verhandelte also notwendigerweise mit Chiang-kai-chek, der auch den Friedensvertrag mit Japan unterzeichnete. Da Chiang-kai-chek auf Reparationsleistungen Japans verzichtet hatte, unterstützte Japan die Republik China (Taiwan) im Laufe seiner eigenen wirtschaftlichen Erholung tatkräftig und wurde der wichtigste Handelspartner des Inselstaates nach den USA.

Der Korea-Krieg und das Eingreifen des kommunistischen China ließen jeden Gedanken an eine Zusammenarbeit mit Kontinentalchina als völlig absurd erscheinen, und in den 50er Jahren kam es auch zu keinem Kontakt mit China. Erst in den 60er Jahren wurden die Verbindungen wieder aufgenommen und zwar auf wirtschaftlichem Gebiet.

Inoffizielle Beziehungen zur VR China

Peking ging jedoch nicht von seiner These ab, Politik und Wirtschaft seien nicht zu trennen, und forderte infolgedessen die Anerkennung des Alleinvertretungsrechts der chinesischen Regierung. Das hätte für Japan nicht nur den Bruch mit dem wichtigsten Handelspartner Taiwan, sondern ebenso mit den USA als dem noch wichtigeren Partner bedeutet. Aus dieser schwierigen Situation rettete sich die japanische Regierung dadurch, daß sie einigen Firmen erlaubte, mit China Handel zu treiben.

Die „freundlichen Firmen"

Die sogenannten „freundlichen Firmen" mußten jedes Jahr aufs neue eine Demütigungsformel unterzeichnen: Es gebe nur ein China und dessen Regierung säße in Peking, die japanische Regierung sei ein Marionettenregime Washingtons, das durch seine Nichtanerkennung Pekings die Interessen des japanischen Volkes verrate und damit revanchistische Züge zeige.

Neuorientierung der japanischen Chinapolitik

Die japanische Regierung war und ist auch aus innenpolitischen Gründen bestrebt, ihren Frieden mit Peking zu machen, denn die Maoisten spielen eine erhebliche Rolle unter der studentischen Jugend, den Intellektuellen und in der SPJ. Aber erst der Eintritt Pekings in die UNO und die neue China-Politik der USA ermöglichten es der Sato-Regierung, eine drastische Neuorientierung zu vollziehen, um einen Weg zur Normalisierung der Beziehungen vorzubereiten, der nun von der Tanaka-Regierung beschritten wird.

Normale Beziehungen zum größten Nachbarn
„Die VR China ist Japans größter Nachbar, und die Normalisierung der Beziehungen zwischen Japan und China ist das wichtigste Problem, das Japans Diplomatie vor sich sieht ... Beide Länder haben große Verpflichtungen für Frieden, Stabilität und Prosperität in Asien."
Aus dem diplomatischen Blaubuch 1972.

Abkehr von Taiwan

Dies begann mit der Abkehr Japans von Taiwan:
- Japanische Firmen stellten dort ihre Investitionen ein, verweigerten neue Kredite, erteilten keine Aufträge mehr und blieben gemeinsamen Konferenzen fern.
- Im März 1972 erklärte Premierminister Sato, daß Taiwan unverlierbarer Bestandteil der VR China sei und Japan diese Tatsache respektiere.

Unterschiedliche Motive für Normalisierung

Damit war der Weg frei für direkte Gespräche mit China, an denen dieses jedoch nicht sonderlich interessiert schien, so lange Sato Premierminister war, wie es ganz offen zu verstehen gab. So kam es zu einer merkwürdigen Interessengemeinschaft zwischen allen Oppositionsparteien (einschließlich der Komeito) und der Industrie, die alle aus ganz verschiedenen Gründen an einer schnellen Normalisierung der Beziehungen zu China interessiert waren.
Der Sturz Satos war nicht mehr zu vermeiden. Er wurde nun durch den Generalsekretär der Partei und Großunternehmer Kakui Tanaka ersetzt. Die VR China hatte damit die innenpolitische Entwicklung Japans beeinflußt, unterstützt durch die Ungeduld vor allem der Unternehmer, endlich mit China ins Gespräch zu kommen.

Ergebnis der Tanaka-Reise

Ende September 1972 schon, wenige Wochen nach seinem Amtsantritt, reiste Premier Tanaka nach Peking. Das Ergebnis:
- Beide Staaten beenden den Kriegszustand und nehmen diplomatische Beziehungen auf.
- Japan bedauert die Opfer, die es dem chinesischen Volke durch Krieg zugefügt hat; China beansprucht keine Entschädigung.

- Tokyo erkennt Peking als einzige legitime Regierung ganz Chinas an und bekräftigt, leicht verklausuliert, daß Taiwan zur VR China zurückkehren müsse (einen Tag vor Tanakas Rückflug brachen Japan und Chiang-kai-cheks Inselrepublik die diplomatischen Beziehungen zueinander ab).
- Beide Seiten verzichten auf Vorherrschaft in der asiatisch-pazifischen Region sowie auf Gewalt und wollen einen Friedens- und Freundschaftsvertrag schließen.
- Verhandlungen über ein Wirtschaftsabkommen sollen bald beginnen.

Überschätzte Möglichkeiten

Die Hoffnungen, die Japan auf engere Beziehungen mit China setzt, sind allerdings so groß, daß eine Desillusionierung zu erwarten ist: China ist kaum an der Massenabnahme von Konsumgütern interessiert, sondern eher an elektronischen Elementen für die Raketentechnik, die es sonst nicht beziehen kann, an Werkzeugmaschinen und überhaupt an kompletten Industrieanlagen, die China vom Ausland, von der Sowjetunion, den USA und Japan, unabhängig machen. Vieles spricht dafür, daß China daran interessiert ist, mit Hilfe Japans seine eigene Wirtschaft so aufzubauen, daß es autark wird und darüber hinaus vielleicht noch den südostasiatischen Markt versorgen kann.

Zu erwartende Rivalität

Wenn man so auch für die nahe Zukunft mit einer sich ergänzenden Zusammenarbeit rechnen darf (China als Rohstoff-, Japan als Investitionsgüterlieferant), kann man doch in weiterer Zukunft einen heftigen Interessenkonflikt zwischen beiden Ländern erwarten – wohl nicht nur ökonomisch, sondern viel stärker machtpolitisch. Konfliktmöglichkeiten bestehen nicht nur auf militärischem Gebiet (in dem Versuch, die militärische Überlegenheit in Ost- und Südostasien zu erringen), sondern mindestens ebensosehr auf ideologischem Gebiet, auf dem Japan der Ausstrahlungskraft des Maoismus allein die Anziehungskraft eines Wohlstands- und Zuwachsratendenkens, verbunden mit der Idee der persönlichen Freiheit, entgegenzusetzen hat.

Die Situation Japans im Pazifik wird weiterhin bestimmt bleiben von den Interessen der USA, der Sowjetunion und der VR China, wobei der Einfluß und damit auch die Steuerungsmöglichkeiten der USA abnehmen, während die der Sowjetunion und der VR China jetzt erst sichtbar werden. Auf die Dauer wird es in jedem Fall China sein, mit dem sich Japan auseinanderzusetzen hat. Dem zu erwartenden militärischen Machtzuwachs Chinas wird Japan nie gewachsen sein, hier bietet sich als aussichtsreichster Bündnispartner vorläufig noch Amerika, später die Sowjetunion an.

10.5 Japan und Südostasien

Wirtschaftsraum Japans

Südostasien war das Ziel der japanischen Militärstrategie in den 40er Jahren, es ist heute das Objekt der japanischen Wirtschaft. Südostasien, und dazu gehört in dieser Beziehung auch Australien (siehe 8.9), bietet Japan nicht nur Rohstoffe (Öl, Kupfer, Zinn, Eisen, Bauxit, Gummi), sondern auch einen Absatzmarkt, auf dem es seine Fertigprodukte nahezu konkurrenzlos absetzen kann. Der ständige Überschuß an Arbeitskräften in den Entwicklungsländern erlaubt es Japan, in diesen Gebieten Produktionsanlagen aufzubauen, die mit geringeren Unkosten produzieren als die japanischen (Rohstoffe und Arbeitskräfte am Ort, niedrige Löhne) und die auch näher an den Märkten anderer Erdteile liegen als Japan.

Profit und Entwicklungshilfe

Wenn auch die japanischen Unternehmer ihre Investitionspolitik nicht von humanitären, sondern von kaufmännischen Gesichtspunkten leiten lassen und sie bei Kapitalanlagen in den sogenannten „Billigländern" Südostasiens höhere Gewinnchancen haben als zu Hause und auch nicht immer den Bedürfnissen der Länder entsprechend produzieren, so steht dem doch entgegen, daß sie mit dieser Investitionspolitik oft das „know how" der in diesen Werken tätigen Arbeiter und Angestellten fördern, das Steuereinkommen der Länder erhöhen und die Arbeitslosigkeit vermindern.

Japans Landwirtschaftsexperten arbeiten anerkannt in fast allen Ländern Südostasiens, japanische Regierungskommissionen bereisen diese Länder regelmäßig, um über Neuvergabe von Krediten und Neuinvestitionen zu entscheiden.

Japan ist nicht nur in die Fußstapfen der USA getreten, es ist ihm gelungen, in vielen Ländern Asiens als der „ältere Bruder" anerkannt zu werden, dem bereits geglückt ist, was Entwicklungsländer anstreben: Übernahme der westlichen Technik bei Bewahrung der kulturellen Eigenart.

Japans Führungsrolle im pazifischen Raum

Viele Staaten Asiens haben Japans neue Führungsrolle anerkannt: es stellt den Vorsitz in der Asiatischen Entwicklungsbank (ADB) und beherrscht den ASPAC (Asian and Pacific Council), eine lockere Regionalorganisation für kulturelle, politische und wirtschaftliche Zusammenarbeit von neun Staaten.

- In der ADB kann es über die Verteilung der Mittel bestimmen, denn Japan ist – wenn auch nicht der einzige – so doch der wichtigste Geldgeber (1970 flossen von der gesamten japanischen „Entwicklungshilfe" über 70 Prozent nach Südostasien, siehe 8.9).
- In der ASPAC ist die Stimme Japans ausschlaggebend, denn die meisten Pläne sind auf seine finanzielle und technische Hilfe angewiesen.

So bieten sich in diesen asiatisch-pazifischen Gremien bereits Steuerungsmöglichkeiten, die Japan zu nutzen weiß und die ihm nicht nur wirtschaftlichen, sondern auch politischen Einfluß verschaffen.

Das Verhältnis zu den Ländern am Pazifik ist für Japan von ähnlich großer Bedeutung wie das zu China oder zur Sowjetunion, da der Handelsaustausch mit diesen Ländern nahezu 30 Prozent beträgt, während der mit Peking und der Sowjetunion jeweils nur selten über 2 Prozent stieg.

Auch bei der Suche nach einer leistungsfähigen Staats- und Wirtschaftsform blicken manche Kreise in den Entwicklungsländern Südost-

Japan als Modell?

asiens nach Japan. Unbestreitbar ist das japanische Vorbild für viele dieser Völker, die an eine sehr starke staatliche Lenkung gewöhnt sind, überzeugender als das föderalistisch-liberalistische der USA. Die Entscheidung wird hier wohl eines Tages nicht zwischen dem sowjetischen oder amerikanischen Leitbild fallen, sondern eher zwischen dem chinesischen oder japanischen.

10.6 Japan und Deutschland

Am Anfang wissenschaftliche Kontakte

Die Beziehungen zwischen Japan und Deutschland begannen nicht auf offizieller Ebene und auch nicht auf wirtschaftlichem oder politischem, sondern auf wissenschaftlichem Gebiet.

Der im Dienste der holländischen ostindischen Kompanie stehende deutsche Arzt und Naturforscher Engelbert Kaempfer fertigte 1690–1692 in der holländischen Faktorei vor Nagasaki die erste detaillierte Beschreibung von Land und Leuten an („Geschichte und Beschreibung von Japan") und schrieb ein Standardwerk über die Flora Japans. Noch heute findet man in Botanischen Gärten und in National-Parks hinter der wissenschaftlichen Bezeichnung für Bäume und Pflanzen die Beifügung „Kaempferi". 130 Jahre später wirkte ein anderer deutscher Arzt und Naturforscher, Franz von Siebold, wieder in der Abgeschlossenheit der holländischen Faktorei vor Nagasaki, bildete dort von 1823–1830 junge Japaner zu Medizinern und Biologen aus, mußte dann aber wegen „Spionage", er arbeitete an einem Werk über Japan, das Land verlassen und konnte erst nach dessen Öffnung 1859 seine Studien wieder aufnehmen.
Wegen seiner Leistungen auf dem Gebiete der Wissenschaften wurde Deutschland von Japan besonders geschätzt. So wurden in der Meiji-Zeit die kaiserlichen Universitäten zum Teil nach deutschem Vorbild aufgebaut (siehe 2.2). Die Ärzteausbildung folgte nicht nur deutschen Modellen, sondern führte auch die deutschen Fachausdrücke ein (noch heute verstehen viele japanische Ärzte die deutschen Krankheitsbezeichnungen, nicht nur die medizinischen Fachbegriffe).
Die deutsche Philosophie hatte ebenso starken Einfluß auf das japanische Geistesleben wie die deutsche Musik. Die Sophia-Universität wurde von deutschen Jesuiten 1913 mit deutschen Mitteln gebaut. Deutsch wurde an fast allen Universitäten unterrichtet.

Das Freundschaftsverhältnis zwischen den Weltkriegen

Auch der Erste Weltkrieg, in dem Japan auf seiten der Alliierten stand, zerstörte dieses Verhältnis nicht. Der deutschen Diplomatie gelang sehr bald wieder die Herstellung freundschaftlicher Beziehungen, und die Tätigkeit der Wissenschaftler und einer gebildeten Kaufmannschaft trug viel zum gegenseitigen Verständnis bei. Kaufleute hatten schon vor 1873 die OAG (Gesellschaft für die Natur- und Völkerkunde Ostasiens) gegründet, sowie deutsche Schulen in Osaka und Tokyo; alle diese Einrichtungen existieren noch heute. Japanische Politiker gründeten die Japanisch-deutsche Gesellschaft, die bald in vielen Städten Zweigstellen besaß. Eine japanisch-deutsche medizinische Gesellschaft entstand, deutsch-japanische Liedertafeln und Musikvereinigungen folgten.

Ursachen der Freundschaft

Zwischen Japan und Deutschland bestehen also nicht nur recht gute diplomatische Beziehungen, sondern darüber hinaus hegten weite Kreise des japanischen Volkes tiefgehende Sympathien für Deutschland: Sozialisten empfanden Genugtuung über den Sieg der Sozialdemokratie, im Bildungsbürgertum wuchs mit der Kenntnis der deutschen Kultur auch der Grad der Achtung, ja Bewunderung. Allgemein verbreitet war der Respekt vor dem Fleiß, der Zuverlässigkeit, Ehrlichkeit, Organisationsfähigkeit, Sparsamkeit, Treue und Vaterlandsliebe der Deutschen. Man spürte, daß hier in einer völlig fremden Kultur ähnliche Verhaltensweisen ausgeprägt waren, die man selbst für vorbildlich hielt. Das ist vielleicht der tiefste Grund für die „Germanophilie" dieser Zeit.

Geben und nehmen

Das Verhältnis blieb jedoch nicht einseitig: Weder war Deutschland nur der Gebende noch Japan allein der Nehmende.
In der ersten Hälfte unseres Jahrhunderts weckten zahlreiche deutsche Veröffentlichungen über die japanische Religion, besonders über den japanischen Buddhismus, ein lebhaftes Interesse für diese östliche Kultur.

Ganz besonders stark war jedoch der Einfluß auf Architektur und Innenarchitektur, hier vor allem durch das Wirken des Architekten Bruno Taut, dessen Buch heute in Japan wieder aufgelegt ist. Der Drang zu einfachen, klaren, überschaubaren Formen und Räumen erhielt Anregung und Bestätigung aus der japanischen Bau-, Wohn- und Eßkultur. Nachwirkungen dieser Beziehungen zwischen dem deutschen „Bauhaus" und japanischen Künstlern und Kunsthandwerkern sind noch heute nachweisbar.

Politische Gemeinsamkeiten

Auch die politische Entwicklung in den 30er Jahren schien Ähnlichkeiten aufzuweisen: die Parteidiktatur in Hitler-Deutschland und die verschleierte Militärdiktatur in Japan waren autoritäre Regime, strikt antidemokratisch und antisozialistisch, außenpolitisch expansionistisch (siehe 3.3.2). Die Gegner waren nicht nur für beide Regierungen, sondern auch für große Teile der Bevölkerung die gleichen (mit Ausnahme der Sowjetunion): die kapitalistisch-demokratischen Mächte des Westens, die aus Konkurrenzneid sowohl Japan wie Deutschland daran zu hindern schienen, die ihnen gebührenden Plätze im Spiel der Mächte einzunehmen. In der Benutzung des buddhistischen Heilszeichens, der Swastika (Hakenkreuz), als Staatssymbol sahen viele Japaner ein Zeichen der inneren Übereinstimmung beider Völker. So kämpften beide Völker auf der gleichen Seite, wenn auch nicht aufeinander abgestimmt, im Krieg gegen die einzige Macht, die ihnen ihren Platz streitig machen konnte: die USA. Beide erlitten eine ähnliche totale Niederlage.

Die heutigen Beziehungen

Die heutigen freundschaftlichen Beziehungen sind jedoch kaum zu erklären aus einem Gefühl alter Waffenbrüderschaft, denn die Militärdiktatur und der Krieg gehören heute zu den unangenehmsten Erinnerungen der Japaner. Sie sind vielmehr das Ergebnis der traditionellen Freundschaft, die nicht auf bloßen diplomatisch-militärischen Bindungen beruhte, sondern auf dem gegenseitigen Respekt vor den Leistungen des anderen Volkes.

Im Dezember 1971 fragte eine große japanische Tageszeitung ihre Leser: „Welches Volk halten Sie für das bedeutendste?" und „Welches Volk schätzen Sie am meisten?" In den Antworten auf die erste Frage kam Deutschland erst an fünfter Stelle, während es bei der zweiten den ersten Platz einnahm.

Japanisches Interesse, deutsches Desinteresse

Nun sollte man diese Sympathie nicht überschätzen, aber man sollte auch nicht übersehen, daß hier ein Achtungskredit vorhanden ist, den man nicht leichtfertig verspielen sollte.

- Während an japanischen Universitäten immer noch Zehntausende von japanischen Studenten sich mit deutscher Literatur, Philosophie, Geschichte und Soziologie beschäftigen und weitere 4–5 000 Schüler, Studenten und Berufstätige an den Goethe-Instituten oder in Fernsehkursen sich um die deutsche Sprache bemühen, gibt es an deutschen Universitäten nur ein paar hundert Japanologiestudenten.
- Und während jedes Jahr Tausende von japanischen Studenten, Praktikanten und Spezialisten zu kurzer Information oder zur Weiterbildung die BRD aufsuchen, sind die deutschen Studenten in Japan zu zählen.
- Deutsche Musik wird von Millionen von musikbegeisterten Japanern nicht nur geliebt, sondern auch selbst gespielt, deutsche Lieder werden gern gesungen, deutsche Theaterstücke von Brecht, Kipphardt, Weiß und anderen werden in japanischen Übersetzungen vor vollen Häusern gespielt, deutsche Kunstausstellungen von Hunderttausenden besucht – in der BRD hingegen kennt man keine japanischen Lieder, das Interesse an japanischer Musik ist noch geringer als das an japanischer Literatur, japanische Kunstausstellungen werden nur von einem kleinen Kreis Interessierter besucht.
- Selbst eine oberflächliche Kenntnis japanischer Geschichte und Lebensweise findet man kaum.

Ungleichgewicht in den Beziehungen

So herrscht ein merkwürdiges Ungleichgewicht in den beiderseitigen Beziehungen: weite Kreise Japans, nicht nur Intellektuelle, sind recht gut orientiert über das historische Deutschland und die BRD und interessiert an unserer politischen und gesellschaftlichen Situation, wohingegen die meisten Deutschen recht klischeehafte Vorstellungen vom alten und vom heutigen Japan haben. Von einem Verständnis für die eigenständige Kultur Japans sind wir noch weit entfernt. Auf politischer Ebene besteht zwar ein Freundschafts- und Konsultationsvertrag, aber in der deutschen Bevölkerung ist leider wenig von der Freundschaft zu verspüren, die man als Deutscher in Japan immer wieder erlebt. Hier ist noch viel zu tun.

Auf wirtschaftlichem Gebiet betrachtete Japan die BRD lange Zeit als Vorbild, dessen Produktionskapazität es erreichen und sogar übertreffen könnte. Nun ist das geschehen, und das wirtschaftliche Interesse an der BRD hat nachgelassen. In Naturwissenschaften und Technik haben die USA Deutschland als Vorbild weitgehend abgelöst. In der Medizin gehört Japan selbst zu den führenden Nationen. Bleiben also nur die Geisteswissenschaften und die Kunst. Die Beschäftigung damit ist jedoch im wesentlichen auf Universitäten beschränkt.

So ist es verständlich, daß der Anteil der Deutschstudenten an den Universitäten zurückgeht, wenn auch immer noch das Nachleben des einstigen Ruhmes einen zu raschen Rückgang der Beschäftigung mit dem Deutschen verhindert.

Verlagerung der japanischen Interessen?

Noch ist eine freundschaftliche Haltung der BRD gegenüber im japanischen Volk vorhanden, aber mit der Neuorientierung der Studenten- und Arbeiterjugend nach den USA, der UdSSR und der VR China ist anzunehmen, daß das Interesse und damit auch das Verständnis für die BRD nachlassen wird, falls nicht besondere Leistungen auf politischem, wirtschaftlichem und wissenschaftlichem Gebiet Deutschland wieder interessant machen.

Derzeit ist die BRD als wirtschaftlich stärkste Macht in der EWG und sechstgrößter Handelspartner Japans (siehe 8.9, Tabelle) noch wichtig. Aber es könnte sein, daß eines Tages die DDR und mit ihr der gesamte Ostblock wirtschaftlich interessanter wird, wobei auch nicht vergessen werden sollte, daß die Sympathien der studentischen und der gewerkschaftlichen Linken ganz eindeutig dem politischen und gesellschaftlichen System der DDR gehören. Die Bundesrepublik wird erhebliche Anstrengungen auf allen Gebieten unternehmen müssen, um das freundschaftliche Verhältnis aufrechtzuerhalten. Dabei werden nicht nur offizielle Maßnahmen eine Rolle spielen – obwohl sie nicht zu unterschätzen sind –, sondern auch die Bemühungen weiter Bevölkerungskreise, darunter vor allem der Jugend, zu einem besseren und vorurteilsfreien Verständnis Japans zu gelangen.

11. Anhang

11.1 Verzeichnis der Abbildungen

11.2 Verzeichnis der Tabellen

11.3 Historische Übersicht und Zeittafel

Vor allem für die Geschichtsperioden, die im darstellenden Teil dieses Heftes nicht behandelt werden konnten, folgen einige thesenhafte Zusammenfassungen. Beginnend mit dem Abschnitt „Niedergang der Tokugawa-Herrschaft" werden wichtige Ereignisse nur noch mit Datum und Stichwort aufgeführt.

Vor- und Frühgeschichte (7000 v. Chr. – 500 n. Chr.)

7000-300 v. Chr. In der Jomon-Periode wird Japan von Jägern und Sammlern bewohnt, die eine hochentwickelte Keramik besitzen.

300 v. bis 300 n. Chr. Die Yayoi-Kultur wird von mongoliden Zuwanderern aus dem Festland getragen. Pferd, Rind und Töpferscheibe, Bronze und Eisen sind vom Kontinent mitgebracht worden. Priesterkönige herrschen über die einzelnen Sippen.

1.-4. Jh. Dem Priesterkönig der Yamato-Sippe gelingt die Anerkennung durch die anderen

n. Chr. Sippen. Das Kerngebiet dieser Sippe wird zum künftigen Macht- und Kulturzentrum Japans.

360-562 n. Chr. Korea wird durch das japanische Protektorat über Südkorea zur Kulturbrücke zwischen Japan und China: Einführung der chinesischen Schrift (404), des Konfuzianismus und Buddhismus (538).

Anfänge einer Zentralherrschaft (500 – 700)

In dieser Periode erhält Japan seine staatliche Gestalt nach dem Vorbild des T'ang-China. Unter Shotoku Taishi (593 – 622) wird der Buddhismus Staatsreligion, der Konfuzianismus Staatsethik. Nach chinesischem Vorbild soll der Priesterkönig allmächtiger Kaiser werden.

645 Die Taika-Reform unternimmt den Versuch, die alten Machthaber auszuschalten und nach chinesischem Vorbild den Tenno zum Lehnsherrn aller Adligen zu machen.

702 Als die Sippenherrschaft wieder erstarkt, werden die Taiho-Gesetze erlassen, die den Beamtenstaat wieder herstellen sollen. Nara als Hauptstadt soll Symbol des neuen Zentralismus sein.

Die Nara-Zeit (710 – 782)

700-850 Blütezeit der chinesischen T'ang Dynastie.

729-756 Erste Blütezeit der japanischen Kultur in der Nara-Zeit. Japanisierung des von China Übernommenen und Entwicklung eigener Formen. Der Buddhismus wird eine wichtige Stütze des Tennotums. Japan wird zu einem Zentrum des Buddhismus und Nara mit seinen buddhistischen Monumentalbauten zu einem Pilgerziel. Verfall des Lehnssystems, Erstarken des Adels und der buddhistischen Äbte. Einflußnahme der buddhistischen Priester auf die Politik, daher Bau einer neuen Hauptstadt (Kyoto).

Die Heian-Periode (794 – 1185)

Herrschaftsperiode des Hof- und Beamtenadels. Kyoto wird zum politischen und kulturellen Mittelpunkt. Überhöhte Steuerlast der Bauern führt zur Landflucht.

859-1156 Erstarken der Feudalgewalten, Entmachtung des Kaisertums, Herrschaft der Fujiwara-Sippe. Adelshöfe auf dem Lande fördern die Entstehung eines abhängigen Rittertums.

800 Unterwerfung der Ainu bis hinauf nach Nordjapan. Entwicklung des japanischen Silbenalphabets.

805 bzw. 806 Gründung der Tendai- (805) und der Shingon-Sekte (806), der beiden größten buddhistischen Schulen. Höchste Prachtentfaltung am Hofe, Blütezeit der japanischen Kunst und Wissenschaft – großes Elend unter den Bauern.

Die Kamakura-Zeit (1185 – 1333)

Das Rittertum mit seinem asketischen Lebensideal entwickelt einen eigenen Lebensstil, den es der „Dekadenz“ des Hoflebens in Kyoto entgegensetzt. Kamakura als „Gegenwelt“. Ethik des Samurai-Standes aus dem Pflichtdenken des Konfuzianismus und dem asketischen Geiste des Zen-Buddhismus entwickelt. Großer Einfluß des aus

1191 China übernommenen Zen-Buddhismus auf den Lebensstil der Führerschicht: Teezeremonie, Blumenstecken, Tuschmalerei, leere Innenräume. Das Adoptionssystem führt zur Ausbildung eines feudalistischen Lehnssystems. Reformbewegungen schaffen einen volkstümlichen Buddhismus. Entwicklung der Infrastruktur zur besseren Kontrolle der Bevölkerung.

1274 und 1281 Die finanzielle Belastung durch die beiden Mongoleneinfälle und die Verselbständigung der Feudalgewalten (Daimyo) führen zur Schwächung und zum Niedergang der Herrschaft der Minamoto (Genji).

Übergangszeiten: Von der Ritterzeit zum Absolutismus (1333 – 1600)

1467-1573 Der 100jährige Bürgerkrieg führt zur Entstehung von Festungsstädten mit bedeutender Kaufmannschaft, zur Verselbständigung der Feudalherrschaften, zum Aufstieg neuer Familien zur Herrschaft. Daneben ist der wichtigste Prozeß die Berührung mit Europa

1543/49 durch europäische Soldaten (1543), Kaufleute und Missionare (1549). Der große Zulauf,

1585 den das Christentum hat, wird durch die Ausweisung der Jesuiten (1585) und erste

1597 Christenverfolgungen (1597) beendet. Die bedeutendste Gestalt dieser Zeit ist der

1585-1598 Bauernsohn Hideyoshi, der mit seinen Zwangsgesetzen die Grundlage für eine absolute Herrschaft schafft.

Tokugawa- oder Edo-Periode (1600 – 1867)

Die Sippe der Tokugawa übernimmt die Macht im Staate und versucht, sie durch Entmachtung des Tennos und Aufbau einer absoluten Herrschaft zu sichern. Positive Leistungen: Beendigung des Bürgerkrieges, Herstellung von Sicherheit und Ordnung, Aufbau eines modernen Beamtenstaates, Schaffung eines unabhängigen Wirtschaftssystems.

1636 Durch die Abschließung des Landes vermeidet die Regierung, daß Japan eine Beute der europäischen Kolonialmächte wird. Förderung der Verstädterung, Aufbau eines Schulwesens, Duldung einer städtischen Kultur. Negative Auswirkung: Reglementierung der Gesellschaft auf allen Gebieten führt zur Bevormundung und Unselbständigkeit, Unterdrückung der Freiheit, Förderung des Kastendenkens, damit Schaffung einer statischen Gesellschaft und Behinderung der notwendigen sozioökonomischen Entwicklung.

Niedergang der Tokugawa-Herrschaft

1720 Aufhebung des Büchereinfuhrverbots.
1783-1788 Hungersnöte in Nord- und Westjapan.
1830-1845 Bauernaufstände und Revolution in den Städten. 60 Verfasser „revolutionärer Schriften" werden eingekerkert.
1839-1842 Opium-Krieg in China.
1837-1849 Amerikanische Schiffe vor Nagasaki und Edo.
1852 Russische Schiffe vor Shimoda.
1853 USA-Commodore Perry mit seinen „Black Ships" fordert die Öffnung des Landes.
1854 Öffnungsvertrag von Kanagawa.
1856-1858 Lorcha-Krieg in China.
1858 Handelsvertrag mit den USA.
1860-1863 Terroraktionen der Samurai gegen Shogunat und Ausland.
1867 Thronbesteigung des 14jährigen Mutsuhito (Meiji). Die Heere der westlichen Daimyo besiegen das Shogunatsheer. Der Shogun gibt dem Kaiser alle Macht zurück.

Meiji-Periode (1868 – 1912)

1868 Meiji-Proklamation.
1869 Edo wird in Tokyo umbenannt und Regierungssitz. Die Daimyo geben dem Tenno ihre Länder zurück.
1871 Entmachtung der Daimyo und Samurai und Ersetzung derselben durch Beamte.
1873 Reform des Grundsteuersystems. Einführung der allgemeinen Wehrpflicht.
seit 1873 Aufbau des staatlichen Erziehungswesens.
1876 Die Samurai verlieren alle Privilegien.
1877 Die Samurai-Rebellion wird vom kaiserlichen Heer niedergeschlagen.
1881 Verfassungsversprechen, Parteigründungen.
1884 Einrichtung von fünf Adelsklassen.
1888 Institutionalisierung der „Genro".
1889 Verfassungsverkündung. Gründung der liberalen Partei.
1890 Wahlen zum 1. Reichstag.
1900 1. Wahlrechtsreform. Gründung der Konservativen Partei.

Entfaltung des japanischen Imperialismus

1875 Vertraglicher Erwerb der Kurilen von Rußland.
1876 Gewaltsame Öffnung Koreas.
1879 Annexion der Ryukyu-Inseln.
1880 Annexion der Bonin-Inseln.
1894/95 Sieg über China; Formosa kommt an Japan.
1894/99 Beseitigung der „ungleichen Verträge" mit den westlichen Staaten.
1900 Teilnahme an der Niederwerfung des Boxeraufstandes.
1902 Bündnis mit Großbritannien.

1904/05 Russisch-Japanischer Krieg; Gewinn Südsachalins.
1910 Korea wird annektiert.
1919 Sieg über Deutschland gibt Japan die Shantung-Halbinsel und Inselgruppen in der Südsee.

Durchsetzung des Rechtsradikalismus

1912-1926 Taisho-Periode.
1918 Ernennung des Bürgerlichen Hara zum Premierminister.
1919 2. Wahlrechtsreform. Zulassung von Gewerkschaften.
1921 Ermordung Haras.
1925 3. Wahlrechtsreform.
1926 Thronbesteigung Hirohitos, Beginn der Showa-Periode.
1928 Verbot aller Arbeiterparteien, Verhaftung von Kommunisten.
1929 Der Führer der liberalen Oppositionspartei, Hamaguchi, wird Premierminister.
1930 Attentat auf Hamaguchi.
1932 Ermordung Premierministers Inukais. Gründung der sozialistischen Massenpartei.
1933 Disziplinaraktion gegen oppositionelle Professoren. Gescheiterter Militärputsch.
1936 Ermordung der prominentesten Politiker und Regierungsmitglieder durch einen militärischen Geheimbund. Ende der Zivilistenkabinette.

Aufstieg und Scheitern des japanischen Imperialismus

1927 Selbständiges Eingreifen der Armeegruppe in Nordchina.
1931 Besetzung der Mandschurei durch eigenmächtiges Vorgehen des Militärs.
1932 Strafaktion gegen Shanghai.
1933 Austritt aus dem Völkerbund.
1936 Austritt aus der Abrüstungskonferenz. Antikominternpakt mit Deutschland.
1937 Ausbruch des Krieges mit China.
1940 Besetzung Französisch-Indochinas, Einsetzung eines Marionettenregimes in China. Militärpakt mit der „Achse".
1941 Abschluß eines Neutralitätsvertrages mit der Sowjet-Union. Überfall auf die US-Flotte in Pearl Harbour (7. Dezember).
1942 Eroberung ganz Südostasiens und der Inseln des Pazifik.
1943-1945 Verlust fast aller Außenbesitzungen.
1945 Atombomben vernichten Hiroshima und Nagasaki (August). Kriegseintritt der Sowjetunion (August). Kapitulation (2. September).

Nachkriegszeit (1945 – 1973)

1945 MacArthur und sein Stab übernehmen die oberste Befehlsgewalt in Japan (Oktober).
1946 1. Wahlen, Yoshida wird Premierminister.
1947 Sozialliberale Koalitionsregierung in Japan.
1948 Aburteilung der Kriegsverbrecher.
1949 Ende der Reparationen, Währungsreform, Ende der Entflechtungskampagne.
1950 Ausbruch des Koreakrieges, Aufstellung von Polizeistreitkräften.
1951 Rehabilitierung belasteter ehemaliger Wirtschaftsführer und Politiker. Friedensvertrag von San Franzisko.
1952 Sicherheitsvertrag mit den USA, Aufstellung von Verteidigungsstreitkräften.
1953 Waffenstillstand in Korea. Rückkehr der nördlichen Ryukyu-Inseln zu Japan.
1955 Japan wird Mitglied des GATT.
1956 Diplomatische Beziehungen mit der Sowjetunion, Aufnahme Japans in die UNO.
1960 Erneuerung des Sicherheitsvertrages mit den USA. Massendemonstrationen, Straßenschlachten und Rücktritt Premierministers Kishi.
1961 Premierminister Ikeda besucht die USA und Kanada.
1962 Ikeda besucht Europa.
1963 Japan wird Mitglied der OECD. Besuch des Bundespräsidenten der BRD in Japan.
1964 Olympische Spiele in Tokyo. Eisaku Sato wird Premierminister. Japan verdrängt die BRD vom dritten Platz in der Weltstahlproduktion.
1965 Massives Eingreifen der USA in den Vietnamkrieg. Erste Explosion einer chinesischen Atombombe.

1966 Japan baut Supertanker über 200 000 t. Präsident der Asian Developbank, des Agrarfonds für Südost-Asien, Gründer der „Ministerkonferenz für Südostasien". Kulturrevolution in China. Bruttosozialprodukt pro Kopf auf 1000 US $ gestiegen.

1967 Eröffnung des Luftverkehrs Tokyo – Moskau. Japan ist der zweitgrößte Automobilhersteller. Explosion der ersten chinesischen Wasserstoffbombe.

1968 Rückgabe der Volcano-Inseln an Japan. Das japanische Bruttosozialprodukt übertrifft das der BRD. Die Bevölkerungszahl übersteigt 100 Millionen.

1969 Japan baut Supertanker über 300000 t. Japan wird Mitglied der ASPAC.

1970 Japan veranstaltet die Expo (64 Millionen Besucher). Japan bringt seinen ersten Wettersatelliten in eine Umlaufbahn um die Erde. China startet seine erste Mittelstreckenrakete. Erneuerung des Sicherheitsvertrages mit den USA. Unterzeichnung des Atomwaffensperrvertrages.

1971 USA unterzeichnen den Vertrag über die Rückgabe Okinawas. Der Tenno unternimmt eine Europareise. Olympische Winterspiele in Sapporo.

1972 Nixonbesuch in Peking. Sato erklärt, daß Taiwan Bestandteil der VR China sei. Okinawa kehrt an Japan zurück. Kakuei Tanaka wird Premierminister. Aufnahme des Schiffs- und Flugzeugverkehrs mit der VR China. Besuch Tanakas in Peking.

11.4 Ausspracheregeln für japanische Wörter

Leider ließen sich in diesem Heft die japanischen Wörter nicht, wie es ganz korrekt gewesen wäre, mit den entsprechenden Längenzeichen setzen: Es wäre technisch zu kompliziert und daher zu kostspielig geworden. Im übrigen sind die japanischen Laute in englischer Umschrift wiedergegeben, die sich international durchgesetzt hat und den Klang besser trifft als deutsche Schreibung.

ch wie in „rutschen"
ei wie im Alemannischen (ei), nicht ai
j wie in „engl. John"
y wie in „ja"
s wie in „reißen"
z wie in „reisen"
u und i werden fast immer kurz und unbetont gesprochen.

Als allgemeine Regel mag gelten, daß keine Silbe besonders stark betont wird.

11.5 Erklärung japanischer Begriffe

Bakufu (wörtl. Zeltregierung): Bezeichnung der Militärregierung und des Shogunats.

Bunraku: Japanisches Puppentheater mit fast mannsgroßen Puppen und Gesang – meist tragischen Inhalts. In der heutigen Form seit dem 17. Jh. vor allem in Osaka.

Daimyo: Besitzer großer Ländereien mit eigener Kriegergefolgschaft; in der Tokugawazeit wie Fürsten behandelt.

Edo: Das frühe Tokyo bis 1868.

Harakiri/Seppuku: Ritueller Selbstmord.

Ikebana: Das kunstvolle Blumenarrangement nach ästhetischen und philosophischen Regeln.

Kabuki: Das Bürgerliche Theater der Tokugawa-Zeit (17. – 19. Jh.), seit den 60er Jahren in Tokyo und Osaka wieder in Blüte.

Kakemono: Rollbild.

Kimono: (Heute meist festliches) Gewand für die Frauen, das mit breitem, kostbarem Obi (Gürtel) und Haori (Jacke) getragen wird.

Samurai: Gleichbedeutend mit bushi (Krieger), später Vasallen der Daimyo oder des Shogun. Durch die Meiji-Reformen haben sie alle Privilegien verloren.

Shinto (Weg der Götter): Ursprünglich Natur- und Seelenkult der Japaner.

Shogun: Höchster Militärtitel zur Bezeichnung des Regenten, der die eigentliche Regierung ausübte.

Tokugawa: Eine der führenden Familien Japans, die vom 17. – 19. Jh. das erbliche Shogunat innehatte.

11.6 Medien

11.6.1 Literatur

A · Allgemeines

Abegg, Lily: Ostasien denkt anders, München (Desch) 1970, 329 S. – Ausgezeichnete Einführung zum Verständnis japanischer Denkweise. Trotz mancher Subjektivität sehr hilfreich.

Benedikt, Ruth: The Chrysanthemum and the Sword, Vermont–Tokyo (Tuttle), 1946 ff., 324 S. – Eines der besten Bücher über die japanische Gesellschaft und die Verhaltensweise der Japaner von der berühmten Anthropologin im Auftrage des Amts für psychologische Kriegsführung während des Krieges geschrieben. Nur in wenigen Punkten überholt, jedoch immer noch die ernsthafteste Darstellerin des Japaners in seiner Gesellschaft. Unentbehrlich für jede weitere Beschäftigung mit Japan.

van Briessen, Fritz: Japan, der lächelnde Dritte, Bergisch-Gladbach (Luebbe) 1970, 136 S. – Eine verständnisvolle, ausgewogene Darstellung des modernen Japan in Wort und Bild von dem langjährigen Leiter der Asien-Abteilung der Deutschen Welle und nachmaligem Botschaftsrat in Tokyo.

Kahn, Hermann: Bald werden sie die Ersten sein, Wien–München–Zürich (Molden) 1970, 360 S. – Gewährt guten Einblick in die japanische Mentalität und Gesellschaftsstruktur; reich dokumentiert. Wirtschaftsteil allerdings ziemlich unkritisch und spekulativ, mit vielen Fehlurteilen.

Schinzinger, Robert: Maske und Wesen. Im Jubiläumsband der OAG, Tokyo–Hamburg 1963, 45 S. – Eine knappe, aufschlußreiche Studie über die japanische Persönlichkeit von dem langjährigen Vorsitzenden der Deutschen Gesellschaft für Natur- und Völkerkunde Ostasiens (OAG); wichtig für das Verständnis der Denk- und Verhaltensweise der Japaner.

Schwalbe, Hans: Acht Gesichter Japans, Tokyo–Hamburg (OAG) 1970, 381 S. – Eine umfassende, lebendige und kenntnisreiche Darstellung des heutigen Japan unter Heranziehung seiner Geschichte von dem seit vielen Jahren in Tokyo lebenden Pressereferenten der Deutschen Botschaft.

Vahlefeld, Hans Wilhelm: 100 Millionen Außenseiter, Düsseldorf–Wien (Econ) 1969, 335 S. – Ein recht gelungener Versuch aus eigenen Erlebnissen, Erfahrungen und Einsichten eine Vorstellung von der Andersartigkeit des Japaners zu geben. Glänzend formuliert, aber verwirrend in der Fülle der Einzelbeobachtungen.

Wendt, Ingeborg Y.: Die unheimlichen Japaner, Stuttgart (Kohlhammer) 1970, 240 S. – Eine aufschlußreiche kulturpsychologische Untersuchung der japanischen Geschichte und Gegenwart, die als Einführung sehr zu empfehlen ist. Die Autorin, die viele Jahre in Japan lebte, ist auch bekannt durch:
Zen – Japan und der Westen, München (List) 1961
Geht Japan nach links? Hamburg (Rororo) 1964

B · Geschichte

Hall, John W.: Das japanische Kaiserreich, Frankfurt (Fischer Weltgeschichte Band 20) 1968, 380 S. – Eine umfassende, detailreiche Darstellung der politischen, Sozial-, Wirtschafts- und Kulturgeschichte Japans. Für den Anfänger jedoch verwirrend.

Ienaga, Saburo: History of Japan, Tokyo (Japan Travel Bureau) 1964, 262 S. – Eine reich illustrierte, knappe und kritische Darstellung der japanischen Geschichte von einem der führenden Historiker Japans.

Naberfeld, P. Emil: Kurzgefaßte Geschichte Japans, Tokyo–Hamburg (OAG) 1956, 251 S. – Leider fehlerhaftes, aber durch seinen Materialreichtum unentbehrliches Nachschlagewerk. Unkritisch.

Reischauer, Edwin O.: Japan, Past and Present, Vermont–Tokyo (Tuttle) 1968, 327 S. – Die wohl beste Zusammenfassung der japanischen Geschichte von dem amerikanischen Ostasien-Historiker und ehemaligen Botschafter der USA in Tokyo.

Sansom, George: Kulturgeschichte Japans, München (Kindler) 1967, 693 S. – Eine kritische und anschauliche Darstellung der japanischen Geschichte des besten ausländischen Japan-Historikers.

Schwebell, Gertrude C.: Die Geburt des modernen Japan in Augenzeugenberichten, Düsseldorf (Rauch) 1970, 447 S. – Augenzeugenberichte, die die Begegnung der ersten Europäer mit den Japanern und die Eindrücke der Japaner bei der Entdeckung des Auslands wiedergeben.

Storry, Richard: Geschichte des modernen Japans, München (Goldmann Gelbe Taschenbücher Nr. 1301/02) 1963. – Eine gut gegliederte und akzentuierte Darstellung der neueren japanischen Geschichte bis 1958.

C · Religion

Glasenapp, Helmuth von: Die nichtchristlichen Religionen, Frankfurt (Fischer Lexikon 1) 1957, 338 S. – Wichtig für die Abschnitte: Buddhismus, chinesischer Universismus und Shintoismus.

Kohler, Werner: Die Lotuslehre und die modernen Religionen in Japan, Zürich (Atlantis) 1962, 304 S., 25 Abbildungen. – Eine umfassende und verständnisvolle Darstellung der Nichiren-Bewegung.

Percheron, Maurice: Buddha, Hamburg (Rowohlt) 1958, 173 S. – Dieses oder ein anderes Werk über den Buddhismus ist unbedingt zum Verständnis der japanischen Kultur zu empfehlen.

Suzuki, Daisetz T.: Zen und die Kultur Japans, Hamburg (Rororo) 1958, 151 S. – Die wohl klarste und knappste Darstellung des Zen-Buddhismus und seiner Bedeutung für die japanische Kultur von dem berühmtesten Interpreten des Zen-Buddhismus.

D · Politik

Kevenhörster, Paul: Das politische System Japans, Köln und Opladen (Westdeutscher Verlag) 1969, 330 S. – Beste Darstellung des politischen Systems. Umfangreiches Material, kritische Untersuchung, fruchtbare Problemstellung.

Lübking, Rainer: Japan. Informationen zur politischen Bildung Nr. 147, Bonn 1971, 29 S. – Eine in ihrer Knappheit unübertreffliche und in ihrem Kartenmaterial unentbehrliche Arbeit. Als Vorbereitung und Ergänzung zur vorliegenden Schrift sehr geeignet!

Maki, John M.: Government and Politics in Japan, New York–Washington (Praeger) 1962, 275 S. – Eine breit angelegte sorgfältige Analyse aller politischen Kräfte unter dem Gesichtspunkt der Demokratisierung Japans.

Maruyama, Masao: Thought and Behaviour in modern Japanese Politics, London (Oxford University Press) 1969, 407 S. – Eine breitgestreute Aufsatzsammlung des berühmten marxistischen Soziologen über Politik und politisches Verhalten im Japan der Vor- und Nachkriegszeit. Wichtig für die Darstellung des Faschismus-Problems.

McNelly, Theodore: Contemporary Government of Japan, Boston (Houghton Mifflin) 1963, 228 S. – Eine sehr sorgfältige und klare Darstellung des heutigen politischen Systems mit Rückblicken auf die Vorkriegszeit.

Scalapino, Robert A.: Parties and Politics in Contemporary Japan, Berkeley and Los Angeles (University of California Press) 1962, 190 S. – Glänzende Einführung in die Besonderheiten des politischen Prozesses in Japan; umfangreiches, allerdings veraltetes Material.

Ward, Robert E.: Japans Political System, New Jersey (Prentice Hall) 1967, 126 S. – Ein gelungener Versuch, die Grundlagen der japanischen Politik, die politischen Kräfte und die Regierungstätigkeit auf überschaubarem Raum zu untersuchen.

E · Wirtschaft

Bundesministerium für Wirtschaft (Hrsg.): Aspekte des Wirtschaftswachstums in Japan (Ergebnisse einer Studienreise). Wirtschaftspläne, Finanzpolitik, Strukturprobleme, Außenwirtschaft, Forschung und Technik, Wachstumsfinanzierung, Soziale Strukturen, Bonn 1968, Sonderdruck.

Giesler, Hans-Bernd (Hrsg.): Die Wirtschaft Japans, Düsseldorf (Econ) 1971, 260 S. – Sammelband, herausgegeben von dem Leiter des Deutsch-Japanischen Wirtschaftsbüros in Hamburg mit Beiträgen namhafter Japanexperten. Kenntnisreiche und verständnisvolle Darstellung der Wirtschafts- und Gesellschaftsstruktur des heutigen Japan und seiner Probleme.

Guillain, Robert: Der unterschätzte Gigant, Bern–München–Wien (Scherz) 1970, 248 S. – Sehr kenntnisreiche Darstellung des heutigen Japan. Nachdruck liegt auf der Wirtschaftsentwicklung. Überfülle von Fakten, aber auch Problemerörterung mit kritischen Gesichtspunkten.

Hax, Karl, Kraus, Willy (Hrsg.): Industriegesellschaften im Wandel. Japan und die BRD, Düsseldorf (Bertelsmann Universitätsverlag) 1970, 252 S. – Tagungsprotokolle eines Professorengesprächs, in dem Experten sehr speziell über ihre Fachgebiete referieren. Das Material ist veraltet und z.T. unrichtig. Die deutschen Beiträge sind oft so einseitig betriebs- oder volkswirtschaftlich gesehen, daß man über den Wandel der beiden Industriegesellschaften nur wenig erfährt.

Hedberg, Hakan: Die japanische Herausforderung, Hamburg (Hoffmann und Campe) 1970, 238 S. (Auch als Knaur-Taschenbuch Nr. 283.) – Eine zwar reißerisch aufgemachte und oft über das Ziel hinausschießende kritische Darstellung des japanischen Wirtschaftswunders, in ihrer Grundkonzeption jedoch überzeugend.

Hedberg, Hakan: Japan: Europas Markt von morgen, Hamburg (Hoffmann und Campe) 1972, 272 S. – Kritische Analyse der japanischen Wirtschaftspolitik, aber auch Kritik europäischer Voreingenommenheit. Nach der sehr negativen Darstellung des ersten Buches eine erstaunlich positive Zukunftsschau, gestützt auf seltenes Quellenmaterial (81 Tabellen). Sehr journalistisch aufgemacht, aber auch sehr informativ.

Lockwood, William W.: The Economic Development of Japan, Princeton (University Press), erweiterte Auflage 1968, 686 S. – Das Standardwerk über das japanische Wirtschaftswachstum von der Meijizeit bis zur Gegenwart. Unentbehrlich mit seiner Fülle von statistischem Material und umfassenden Analysen. Allerdings im wesentlichen auf die Vorkriegszeit beschränkt.

Maddison, Angus: Die neuen Großmächte, Bergisch-Gladbach (Lubbe-Verlag) 1969, 283 S. – Vergleich des wirtschaftlichen Aufstiegs Japans mit dem der Sowjetunion und der anderen Industriestaaten.

Perspektiven der wirtschaftlichen Entwicklung in Japan, erarbeitet von einem Team des Instituts zur Erforschung technologischer Entwicklungslinien (ITE) in Hamburg, Stuttgart (DVA) 1972, 418 S. – Die wohl beste und aufschlußreichste Darstellung des japanischen Wirtschaftsprozesses in deutscher Sprache. Ein Gegenstück zur Analyse des politischen Systems von Kevenhörster. Unentbehrlich schon wegen seiner Schaubilder und Statistiken. Besonders brauchbar die „Untersuchung der räumlichen Bedingungen der wirtschaftlichen Entwicklung".

Scharnagl, Wilfried: Japan. Die konzertierte Aggression, München (Ehrenwirth) 1969, 275 S. (1972 als Humboldt-Taschenbuch) – Reißerisch aufgemachte, unkritische Darstellung von Tatsachen zum Wirtschaftsaufstieg Japans.

F · Bildung

Luhmer, Klaus: Schule und Bildungsreform in Japan. Japanische Bildungspolitik im internationalen Vergleich, 1. Band, Tokyo (Verlag Japanisch-Deutsche Gesellschaft) 1972, 365 S. – Erste umfassende Darstellung des Bildungswesens und der Bildungspolitik Japans von dem hervorragenden Sachkenner und o. Professor an der Sofia-Universität Tokyo. Dieser erste Band beschreibt den Aufbau, den Strukturwandel und die Verwaltung des Schulwesens.

Teichler, Ulrich und Horst E. Wittig: Geschichte des Bildungswesens und der Pädagogik Japans. Auswahlbibliographie aus der deutsch- und englischsprachigen Literatur von 1872–1972. In: Horst E. Wittig (Hrsg.), Pädagogik und Bildungspolitik Japans, München, Basel 1972.

Wittig, Horst E.: Bildungswelt Ostasien. Pädagogik und Schule in China, Japan und Korea, Paderborn (UTB) 1972, 256 S. – Aufsatzsammlung mit einer sehr brauchbaren Übersicht über die Geschichte des japanischen Bildungswesens und mit einer umfangreichen Bibliographie. Doch zur gegenwärtigen Bildungspolitik mehr Materialzusammenstellung als kritische Untersuchung.

Wittig, Horst E. (Hrsg.): Pädagogik und Bildungspolitik Japans, München–Basel (Reinhardt-Verlag) 1972, 280 S. – Kommentierte Quellentexte von der Tokugawa-Zeit bis zur Gegenwart, zusammengestellt von einem deutsch-japanischen Arbeitskreis für vergleichende Erziehungswissenschaft.

G · Jahrbücher und Informationsmaterial

Information Bulletin. Public Information Bureau. Ministry of Foreign Affairs, Japan. Ca. 300 S. – Jährliche Zusammenfassung der 14tägig erscheinenden Informationen über die neuesten Entwicklungen auf den Gebieten der Wirtschaft, Technik, Wissenschaft, Politik. (Auf Anfrage vom japanischen Generalkonsulat kostenlos.)

Japan heute. Ministry of Foreign Affairs, Japan. Ca. 115 S. – Jährlich erscheinende, reich illustrierte Propagandaschrift der japanischen Regierung, die umfassende Informationen über Japan in Politik, Wirtschaft, Gesellschaft und Kultur vermittelt. (Auf Anfrage vom japanischen Generalkonsulat kostenlos.)

Neues aus Japan. – Ein- bis zweimal monatlich erscheinendes Informationsblatt der japanischen Botschaft in Bonn über die neuesten Entwicklungen auf den Gebieten Wirtschaft, Technik, Wissenschaft und Politik. (Auf Anfrage vom japanischen Generalkonsulat kostenlos.)

Statistical Handbook of Japan. Bureau of Statistics, Office of the Prime Minister Tokyo. Ca. 150 S. – Erscheint jährlich und gibt mit seinen kurzen Einführungen, Statistiken und Abbildungen eine umfassende Information über das heutige Japan. (Auf Anfrage vom japanischen Generalkonsulat kostenlos.)

Statistical Survey of Japans Economy. Economic Affairs Bureau Ministry of Foreign Affairs, Japan. – Erscheint jährlich und bringt eine Fülle von Statistiken und Schaubildern zu allen Wirtschaftsbereichen.

Statistisches Jahrbuch für die Bundesrepublik Deutschland. Hrsg.: Statistisches Bundesamt Wiesbaden, Stuttgart und Mainz (Kohlhammer). – Erscheint jährlich, enthält am Schluß im internationalen Teil Angaben auch über Japan.

Studienreihe „Japanwirtschaft". Deutsch-japanisches Wirtschaftsbüro Hamburg. – Monographien über Einzelgebiete der japanischen Wirtschaft und Gesellschaft. (Auf Anfrage kostenlos erhältlich.)

11.6.2 Filme:

XLT 600	Japanische Architektur	19 Min.
XLT 652	Japanische Gärten	19 Min.
FT 982	Alltag in Tokio	19 Min.
FT 983	Landwirtschaft in Japan	17 Min.
FT 2036	Japanische Fischerei	14 Min.

Die Filme „Japan 1962" (XLT 597), „Japans Presse" (XLT 599) und der Film „Schulleben in Japan" (XLT 651) werden, da sie überholt sind (1962) von der Landesbildstelle nicht mehr empfohlen.

11.6.3 Tonbänder:

TB 166	Japan	30 Min.
TB 543	Hiroshima	30 Min.
TB 641	Der 6. August 1945: Hiroshima	33 Min.

11.6.4 Lichtbildreihen:

L 1486	Japan	32 Bilder
R 560 – 562	Japanische Landschaft	19 Bilder, Farbe
R 561	Japanische Städte	16 Bilder, Farbe
R 562	Leben und Kultur in Japan	17 Bilder, Farbe

11.6.5 Hörfunk:

Radio Japan (NHK) kann in deutscher Sprache empfangen werden:

Sendezeit	Frequenz
8.00 – 8.30	17825 kHz (16 mb) 21570 kHz (13 mb)
21.00 – 21.30	9735 kHz (31 mb) 11960 kHz (25 mb)

Programmgestaltung: Nachrichten, Kommentare, Einführungsvorträge über Japan, Disc Jockey, DX Hour und Unterricht in Japanisch.

Kostenlose Texte auf Antrag erhältlich: Nippon Hoso Kyokai, 2, 2-chome, Uchisaiwai-cho, Chiyoda-ku, Tokyo, 100, Japan.

Aus der Schriftenreihe „Zur Politik und Zeitgeschichte"